静虚村记 Jingxu Cunji
时代出版传媒股份有限公司
安徽文艺出版社

序

贾平凹

安徽文艺出版社编辑了这套散文，我看了一下目录，一半是三十多岁前后写的，一半是近二十年来写的。我没想到竟还写了这么多。如果说散文最能体现作家自身的真实，那几十年里，░░░░░░░░░░░░░░在这样的时代里，在这样土地上，我经历了什么，思想了什么，悲苦或快乐，放荡或隐忍，是意和心声全在里边，足了我的历史。

现在经常有人问道：你认为哪一时期的散文好呢？这我难以回答，说：都好吧。或说：都不好。当年轻的时候，年轻就是模样，一切都新鲜，写作的欲望好爱天云，稍一响动，它就沛雨，又讲究起承转合，名锤句炼字，名优美，名灵动，企望着别人读了说：哇，有才气呀！还可能在笔记本上摘录那么几句。而年令渐之老起来，激情是少了，又多已在写完这一部书篇后和又写另一部书篇前的间隙里有许多拟写成散文的东西了，磕磕碰碰觉得意思不大又不想了，而更写就写自己在生活中░░░░░░░░░░░所点滴品体悟，修善使善，不苦说短，似乎再没什么凤头豹尾，

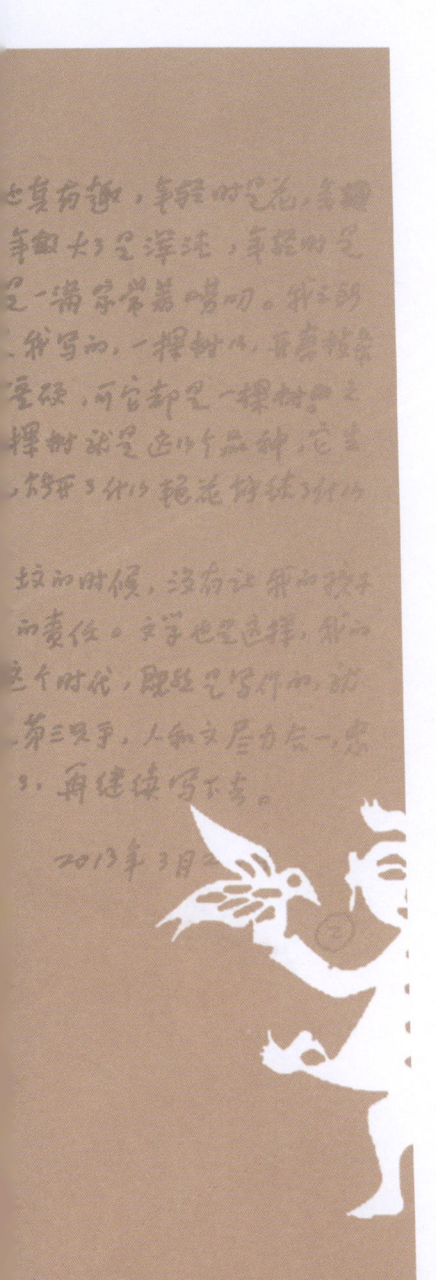

贾平凹
散文典藏大系（文墨本）
静虚村记

Jia Pingwa Sanwen Diancang Daxi
(Wenmo Ben)
Jingxu Cunji

贾平凹　著

时代出版传媒股份有限公司
安徽文艺出版社

图书在版编目(CIP)数据

静虚村记/贾平凹著. —合肥:安徽文艺出版社,2013.4(2017.3重印)
(贾平凹散文典藏大系)
ISBN 978-7-5396-4391-5

Ⅰ.①静… Ⅱ.①贾… Ⅲ.①散文集-中国-当代 Ⅳ.①I267

中国版本图书馆 CIP 数据核字(2013)第 047266 号

总 策 划:朱寒冬　刘景琳　　　　　　　出版统筹:韦　亚
责任编辑:朱寒冬　　　　　　　　　　　装帧设计:丁　明

出版发行:时代出版传媒股份有限公司　www.press-mart.com
　　　　　安徽文艺出版社　www.awpub.com
地　　址:合肥市翡翠路 1118 号　邮政编码:230071
营 销 部:(0551)63533889
印　　制:安徽新华印刷股份有限公司　(0551)65859128

开本:880×1230　1/32　印张:10.625　字数:220 千字　插页:6
版次:2013 年 4 月第 1 版　2017 年 3 月第 2 次印刷
定价:560.00 元(全七册,精装)

(如发现印装质量问题,影响阅读,请与出版社联系调换)

版权所有,侵权必究

静虚村记

我家里不栽花,村里也很少有花。曾经栽过多次,总是枯死,或是萎缩。一老汉笑着说:村里女儿们多啊,瞧你也带来两个!这话说得有理。是花忌妒她们的颜色,还是她们羞得它们无容?但女儿们果然多,个个有桃花水色。

序

贾平凹

安徽文艺出版社编辑了这套散文,我看了一下目录,一半是三十多岁写的,一半是近二十年来写的。我没想到竟还写了这么多。如果说散文最能体现作家本身的真实,那么六十年里,在这样的时代里,在这样的土地上,我经历了什么,思想了什么,悲苦或快乐,放荡或隐忍,足迹和心迹全在里边,是了我的历史。

现在经常有人问道:你认为哪一时期的散文好呢?这我难以回答,说:都好吧。或说:都不好。当年轻的时候,年轻就是梦想,一切都敏感,写作的欲望如夏天的云,稍一响动,它就落雨,又讲究要起承转合,要锤句炼字,要优美,要灵动,企望着别人读了说:哇,有才气呀!还可能在笔记本上摘录那么几句。而年龄慢慢老起来,激情是少了,又多是在写完这一部长篇后和又写另一部长篇前的间隙里,有许多想写成散文的东西了,琢磨琢磨觉得意思不大又不想了,而要写就写自己在生活中那点真正的体悟,能长便长,不长就短,似乎再没什么凤头豹尾,囫囵的,一锅煮。写作也真有趣,年轻时是花,年纪大了是果,年轻时是清秀,年纪大了是浑沌,年轻时是有词有韵的朗颂,年纪大了是一满家常着唠叨。我之所以回答都好,因为它们都是我写的,一棵树么,开春枝条嫩而柔软,入冬枝条苍而僵硬,可它却是一棵树。之所以回答都不好,又因为这棵树就是这么个品种,它生长的土瘠水少,又多风多雨,能开了什么艳花能结了什么硕果呢?!

　　我前年回老家为父母修坟的时候,没有让我的孩子们去,我说:一辈人尽一辈人的责任。文学也是这样,我的生命在这块土地上经历着这个时代,既然是写作的,就写好我该写的文章,笔是第三只手,人和文尽力合一,忠诚的,真情的,几十年写过来了,再继续写下去。

2013 年 3 月 22 日

目录

盼儿 / 1

钓者 / 5

母亲 / 11

空谷箫人 / 16

月迹 / 21

冬景 / 25

地平线 / 29

丑石 / 31

静虚村记 / 34

溪 / 39

爱的踪迹 / 44

知道 / 48

梦 / 51

文竹 / 56

风筝 / 59

一棵小桃树 / 65

冬花 / 69

池塘 / 73

哭婶娘 / 76

退婚 / 83

天上的星星 / 91

云雀 / 95

落叶 / 99

品茶 / 101

访梅 / 105

夜游龙潭记 / 109

陈炉 / 113

夜在云观台 / 118

白夜 / 123

对月 / 127

静 / 129

弯榆杂感 / 132

雨花台拣石记 / 134

两代人 / 138

登鸡冠山 / 141

十八碌碡桥 / 143

三月十一日过留坝县 / 145

读山 / 147

延安杜甫川牡丹山记 / 151

延安街市 / 155

访兰 / 159

张良庙记 / 161

拐杖记 / 162

火水火鱼记 / 163

弦 / 164

大洼地一夜 / 168

太阳路 / 171

五味巷 / 174

燕子 / 180

老人和鸟儿 / 183

黄土高原 / 187

延川城感觉 / 193

风雨 / 195

紫阳城记 / 197

月鉴 / 203

在米脂 / 208

地下动物园 / 212

走三边 / 215

草记 / 226

小巷 / 228

一位作家 / 230

耍蛇记 / 236

清涧的石板 / 239

宜君记 / 244

当我路过这段石滩 / 247

入川小记 / 250

鸟窠 / 256

夜籁 / 261

泉 / 267

观沙砾记 /271

雪品 /273

凉台记 /276

南岭登高 /278

一只贝 /281

山石、明月和美中的我 /283

十字街菜市 /286

我的小学 /292

黄陵柏 /298

秦腔 /302

一个有月亮的渡口 /311

河南巷小识 /318

冰风洞体验 /326

盼　儿

当军车徐徐开动的时候,我的爱人突然拉住我的手说:"你要走了,给他起个名吧。""他是谁?"爱人瞪了我一眼,害羞的目光就落在凸起的肚皮上。哦,我笑了,说:"我不能给他过满月了,男吧,女吧,只盼望他快快长,就叫盼儿吧。"四年了,我没有见到我的盼儿,每当我在边防上站岗,看见西天上的第一颗星星亮了,我总想:那是盼儿的眼睛吧。四岁了,他该有一枪托高了吧,他还没叫过我一声爸爸呢!

这一天,我刚要去上岗,爱人又来了信,拆开一看,竟是一份儿童心身发育测验表。表上写着,盼儿很健康,身长38.4英寸,体重33.8磅。这么重哟,我一手恐怕也拎不起来了哩!再往下看,就是智力测验栏,上面写着:

你姓什么?

贾盼儿。

叫什么名字?

贾盼儿。

爸爸妈妈做什么工作?

妈妈上课,爸爸当解放军叔叔。

馍馍从哪里来的?

伙房里拿来的。

衣服从哪里来的?

商店里买的。

什么东西是甜的?

糖。

什么东西是酸的?

杏。

什么东西是苦的?

杏仁。

你喜欢玩什么?

抓雀儿看它的翅膀。

你长大了爱干什么?

当陈景润叔叔。

……

　　我笑了,多么天真的孩子,多么可爱的孩子!幸福像雨露般滋润着他,伙房里有他吃的米饭、馍馍,商店里有他穿的海军衫;他吃着甜糖蜜果,他只知道世界上最苦的是杏仁,他的幼小的心灵,像一朵娇嫩的玫瑰花儿,只有花蝴蝶才敢动它!

　　做了孩子爸爸的我,被来信陶醉了。这时候却想起了我的爸爸。我一岁的时候,爸爸扛了枪抗美援朝去了,后来听妈妈给我说,他走的时候,摸着我的头说:孩子,爸爸走了,不打走美国侵略军,咱们的新中国就保不住!他走了,打了一年仗,最后就牺牲在朝鲜的土地上了。爸爸要是活着,他一定眼红我的孩子,一定会高兴得笑了。可是,盼儿,他恐怕并不懂爷爷为什么会牺牲在朝鲜,又恐怕还会怨他的爸爸为什么一走四年,竟不回去看他呢!

我继续往下看,最后一栏是"个性习惯",是阿姨填的:

"个性倔强,但很讲道理。好奇心大,颇爱说话,又爱整齐、漂亮,玩起来有创造性。遇到困难,会沉默,不吭气。感情得很,最爱笑。"

啊,孩子的生活是多么有趣!他像我,我小的时候,端着木头枪,整天在大土堆上冲呀杀呀,有一次跌下来,摔破了膝盖,就用手帕包住,谁也不告诉。盼儿或许并不在土堆上玩了,他玩的是小汽车、小飞机一类的东西吧。瞧,他不是回答测验题说最喜欢玩的是"抓雀儿看它的翅膀"吗?雀儿为什么长翅膀?那翅膀为什么一展就飞上了天?盼儿一定想得很多,想让他的小飞机小汽车都长出这种翅膀来吧?长大了,"当陈景润叔叔",小小的心灵里,就长出了多么美妙的翅膀!

孩子,你是可以当陈景润叔叔的,一定可以当的。

我向哨位上走去。长长的边防线上,夜幕已经扯下来,一切都是那么安静。天边的第一颗星星又亮了,它分明是盼儿的眼睛,在天边眨动,又在我的刺刀上跳跃。我把枪握得更紧了,眼睛睁得大大的望着北边;北边,是一片黑黝黝的树林,它像一只大黑熊,随时都想扑过来!盼儿,请相信爸爸,爸爸的刺刀,是一道不可逾越的山尖,蚂蚁也别想爬过来!

我把信揣在怀里,紧紧贴着心,对着那星星,对着孩子的眼睛说:盼儿,我的孩子,有爸爸在这儿,你们幸福地长吧,世界上最苦的并不是杏仁,但是,你们的生活一定要像糖一样地甜。爷爷保卫了新中国,使我们有了今天;今天,爸爸给你们站岗,你们都去当陈景润,让心灵长出五彩翅膀,让祖国长出四个现代化的翅膀吧!

1978 年 8 月 25 日夜

钓　　者

　　天上是一轮新月,水里是一轮新月,垂一杆钓竿,盯着那浮子——一截剥了皮的小小的高粱秆芯儿;浮子不动,人也不动,手指上的脉搏已经流传到钓竿上了,思想呢,在水里沉了?

　　这是我的朋友在钓鱼。他已经六十岁了,常常坐在小河边来,于是,我们便认识了。

　　小河就在我们村子面前,浅浅的,有玻璃一样的颜色,天晴的时候,那河底的石头就很显,看得见有鱼儿伏在那里,静静的,全是黑脊梁的。我们山里人并不去惊它,偶尔下水摸几条上来,拿柳条串了提回家,大人是不许在锅里炒着吃的,嫌那有腥味儿。于是乎,多半是喂了猫了,少半用荷叶包了,涂上青泥,在灶火口烧着吃,并不见甚好吃的。因此,鱼是不怕人的,即就是你走近它,把你的影子投在它的面前,它也不动,丢一颗石子下去,它才一愣,怡然而逝。

　　"文革"中,那一个黄昏里,河边的芦苇全白絮了,我放牧回来,仄在牛背上,悠悠地吹那笛儿,脚便不停地分踢着两边扑过来的芦梢儿。蓦然,就瞧见那弯弯的柳树根上,坐着一个人钓鱼,草帽把脸全遮住了,一只蜻蜓停在那帽檐上。我感到新奇,这一定不是山里人了;从牛背上溜下来,悄悄走近去,他没有动,钓竿横在那里,已有几条黑脊梁在啜那钩上的小蚯蚓了,那浮子就微微地激动,像落下的一朵芦絮,又像冒上来的一眼水泡儿。那人还是不动。我却急了:

"钓,快钓!"

他好像才发现了我,但立即又好像没发现我了,一动不动地坐他的,那钓竿依然没有拉,浮子静了一下后,又微微地激动了。

但我终是看清他的脸了,很黄,满下巴的毛也黄,连两手的食指和中指都是黄得发焦。我立即掉头逃走了:毫无疑问,这是一个怪人,一个外乡来的怪人了。

第二天,第三天……几乎是每一个黄昏了,我放牧回来,总要好奇地往那芦苇深处的柳树下看看,他还在吗?他还在的。那么坐着,像一尊石头。但终未见他钓上一条半尾鱼来。

这一天,一头牛病了,半下午的时候,我便赶牛回村了,在队牛圈里,我竟看见这位钓者了。他双脚踩在牛粪里,用锨往外铲那粪块,粪是泥草沤的,铲不动,手就伸下去了,那焦黄的食指和中指,一抠,抠起一大块来。……抠完粪了,又去担干土垫,扁担在肩上跳,他前后顾着,用两手抓住捺,摇摇摆摆走,已经看见我在笑看他了,并不一言一笑,我想:他原来扁担都不会担,自然是不会钓鱼的了。然而,粪出完又垫好了,他却抱了那鱼竿,又踽踽地向河边走去。

我随着他,看他在那里坐定,垂下钓竿去,立即又一动不动了。月亮升上来,静静地照在水上、芦苇上,他只是坐着,不拉钓竿,甚至连拉上来看也不看一眼。我真担心他已经瞌睡了,随时会掉下

水里去的呢,我走过去,说:

"你是要钓水里的月亮吗?"

他看看我,又好像没有发现我了,但突然又回答说:

"钓鱼。"

"鱼已上钩了,为什么不钓呢?"

"鱼可怜见的。"

我简直要笑喷了,问道:

"那你在水里钓什么呢?"

"钓愁!"

这句话,一直到几年后,我才明白了是什么意思,但那时,只觉得可笑,越发证实他是一个怪人。

后来,我就慢慢了解清这个怪人了。他是一位作家,据说写过好多好多的书,但他是"黑帮",遭到山里来改造了。人们都在推测:他怎么始终不说话呢,劳动后了,却总去钓鱼?有人就说,他一定是南方人,有吃鱼的嗜好吧。但谁也没有去证实,只知道他是"黑"人,不可相近罢了。

梅子黄了,那连阴雨扯开了头,牛毛的、丝线的、麦芒的,天天都在下着。我黄昏放牛回来,想他今日是不会再坐在那里了,但是,到那河边芦苇深处,一眼溜去,就看见他照样已坐在那里了。我坐在他的身边,看着他的湿衣服,问:

"你还不回家去?"

我突然觉得不该这么问了,我知道他到村后,一直住在队公房旁的一间破农具室里,那算什么家呢? 就又说:

7

"你是哪里人,你有家吗?"

他没有言语。

"有儿子吗?"

他还是没有言语。

"噢,就你一人了?"

他突然抬起头来,呆呆地看着芦苇上边的天,天灰灰的,雨丝网着,一群水鸟斜着翅膀飞下来,落在河里,水面立即灰浊浊的了。他自言自语说:

"他们在怎么想着我呢……"

"他们?他们是谁?"

他又不言语了,脸越发黄了,只死死盯那水面,我不敢问下去了,默默地陪他钓鱼。水很灰,黑脊梁的小东西儿再也看不清了,我用石子打散了那游泳的水鸟,偏一只不去,又飞来一只,双双在那里叫着。我们就又默默坐着,听那雨脚在芦叶上跳得沙沙地响,在看着天咋个地黑。

我们慢慢地熟了,虽然他不和我多说话,我也只会陪着他空钓鱼,但我们毕竟是成了朋友。两年后,他却走了。那天,我放牛回来,照样去河边芦苇深处:一河清水,没有他了,那水里成群的鱼儿都集在那柳树根前,但它们再也吃不上那钓钩上的蚯蚓了。我回到家里,母亲说,他已经被调走了,那杆钓竿是送我作纪念留下了。

从此,我再没有见到过这位钓者了,我也没有拿了那钓竿坐在那河边芦苇深处去钓鱼。因为我觉得钓条鱼吧,山里人没有吃鱼的习惯,而学他样去空钓吧,那又有什么意思呢?

8

但我终于又在河边的芦苇深处碰上他了哩。

今年春上,我依旧放牛回来,正是芦苇从水里长出来,在向着天空蹿出一丈来高了,我骑着牛,弄着我那笛儿,悠悠地吹,任着牛儿在芦苇丛中的曲径里走。蓦地,我看见一个人,在那柳树根上,横一杆钓竿,一动不动地坐着。呵,是他吗?但我又多么害怕是他呀!他在这里钓了几年的愁,他已愁得可怜了,他不能再在这儿钓愁了啊!

我走近去,那人没有发现,但是就是他!人已经很老了,但脸却显白,满下巴的毛也白了。我默默地坐下来,陪着他,他始终没有发觉,那么横着鱼竿,那浮子又开始在微微地激动了,激动着……我毕竟长大了,不忍心看着他那痴呆的样子,站起身悄悄走了。

回到家,听母亲说了,他果真是又到我们村来的,就在东巷口王贵家的一间空房里住着。夜里,我说什么也该去看看我的这位朋友了。一进门,他正坐在灯下的桌边,面前是厚厚的一摞书、一摞纸,他头就埋在那高高的两摞中间写什么,一只手,那焦黄的食指和中指间,正夹着烟,烟从额角升上来,钻进头发里,那满头便着火一般的。我不觉心头一紧:他一定又在写什么检查哩。记得以前有一回,他写检查的时候,正碰着我去找他,他赶忙用手将纸捂了,很羞愧地给我笑,笑得我不自在了几天……我收了脚步,又回家去了。

此后,每天黄昏,我总瞧见他坐在那河边芦苇深处钓鱼了。

我终于走近他去,大声地问他,他发觉我了,立即就站起来,把我抱住了。我很吃惊,不知道他这是怎么啦,心想愁极了的人会这么发疯的,就眼泪哗哗地淌下来,但他就替我擦了,而且呵呵呵地大笑起来,他原来也有笑声啊,竟笑得这么美!

月亮又上来了,月就在水里,看得见那黑脊梁的在星群中间游动。他却不再下钩了,问我这几年的日子可滋润,问我可有一个漂亮的姑娘在爱着,问我现在成了大牛倌了放多少头牛……我没有回答,只催他钓鱼。

"你钓吧。"

"我钓够了。"

我看看身边,并没有什么银鱼儿闪动,问:

"还是愁吗?"

"不,是文章。"

"文章?"

"我现在又有笔了,要来写书。白天劳动,晚上写作,黄昏里出来构思,就又要靠这鱼钓竿了。"

哦,我现在才明白了,原来这浅浅的河里,不光是有鱼,不光是有愁啊?!

从此,黄昏里,我的朋友总在小河边芦苇深处垂钓了,那水静静的,星月就在水里,鱼儿就在天上,他坐在这天上地下,盯着那浮子,浮子不动,人也不动,思想已经沉在水里了,那文章呢,满河里流着哩。

1979 年 12 月 20 日于丹凤

母　　亲

浅儿是我的女儿,四个月了,才刚刚会笑,没有音儿的,在嘴唇上迅速一闪的微笑。

这笑,第一个就被发现了:是我的妻子,浅儿那美丽而善良的母亲。那是树发芽、春正浅的日子,我们到姨家去,在车站上候车,孩子就在她的手掌上旋转,一口一亲,一亲一呼,万般作态地逗着,全然不理会旁边的人了。突然,就对我叫道:"快,快来哟!"我跑过去,孩子躺在怀里,均匀地呼吸,阳光下,看见了那脸上茸茸的毛儿,豆芽菜般儿地嫩。她说刚才是笑了;就再去逗,却终未再逗得出来。她便很是替我遗憾了,说那笑的好,金色的,甜丝丝的,使人心惊慌地酥酥颤……"孩子是认得我了,是专给她母亲笑的哩!"周围的人都听得有趣,哧哧地笑。她好像获得奖赏,越发兴致了,说那笑是极像玫瑰花儿在绽哩。

她真是有些傻了,全然不是以前的样儿了。那个时候,她是该活泼的妙龄,那高高隆起的胸脯里,是该蓄饱了青春的呼吸,但她却十分地腼腆,没有事了,是不大出门的,一整天可以静静地坐在家里做事。现在,她不甘寂寞了,喜欢种花,喜欢读诗,喜欢到充满阳光的田野去;一有人的地方,必然就有她抱了孩子在那里了。她个儿不高,长得娇嫩,谁也想不到是养孩子的时候。"谁的宝贝?"

人问。"我的呀!"她说,脸不青不红,问的人倒不好意思了。她就大笑,显得很是骄傲,似乎这个世界上,她是最富有的、有奇功可居的人。

而且,我发现她慢慢有一种虚荣心了,极喜欢恭维。谁要说句:这妞儿长得疼哟!脸子白呀!鼻子俏呀!她就对谁十二分地好;一路跑回来,要一次又一次给我复述这些赞美词。末了,激情还是发泄不了,就抱了孩子在院子里跳着跑,快活得像一头麝,为它的香气而发狂了哩!

我是个呆人,只是偶尔弄点文学,她却是剧团里的名演员了,那头发里、袖领里,时常飘出一种淡淡的指甲花味儿的甜香。记得结婚前去一个朋友家,那人生了孩子,才过了周岁,她在那房里只呆了五分钟,不喝她家的水,连炕沿儿也不肯坐,出来对我说:"一股尿臊味儿!"如今说起这事,她就笑了,骂自己一声"幼稚"。我便看见她常常用手去拧孩子尿布;拉下屎了,还要凑近去看那颜色,说是孩子受冷了,受热了。有时正抱着,孩子突然尿下了,我叫了起来,她忙分开孩子的腿,问:"浅儿裤子湿了?""没有,"我说,"全尿在你裤子了!"她就说:"不要惊动,让尿吧,一惊动就会不尿了哩!"她那裤子上常常就看见有尿的白印儿。但是,孩子的裤上,是不允许有一点湿的,因此,我总免不了被惩罚似的夜夜在火炉上烘那湿裤子的。

一天夜里,风雨很大,哗哗哗,打得门外的那棵棕树整夜整夜地响,我在炕上睡不着,坐起来构思一篇文章,终也思绪不收。她却没有醒,伸着胳膊,让孩子枕了,那整个身子就微微蜷着,孩子就正好在她的怀抱了。咝儿,咝儿,睡得安闲,似乎那风声雨声,在棕树叶上变成了悦耳的旋律,那睫毛扑落下来,是一副完全浸融的神态。突然,孩子动起来,只那么哭出一声,她猛地睁开了眼,立即就醒了,伸手将孩子抱起来。我奇怪了,在她那身体的什么地方,有一根孩子的神经吗?孩子醒来了,半夜里是常常不再去睡的,她就搂着哄,说好多好多的话:"乖乖,不要哭,听妈妈话啊!""瞧爸爸,爸爸又在想文章了,你问他,又在编什么离奇的故事了?"我笑她"对牛弹琴",她说:"你听你听,孩子完全是听得懂的。"我终没有听出什么来,浅儿只是傻乎乎地"啊儿""啊儿"地叫着。

慢慢地,我嫉妒起我的小浅儿了。这孩子没有出生前,我是她的魂儿,一下班回来,她就让我陪着她说话,给我撒娇,一颗糖儿也要我吃一半她才肯吃的。现在的重点,彻底是转移了,孩子成了她的心儿、肝儿。可以说,我之所以对孩子好,是为了讨得她的喜欢,而她待我好,也只是我好待了这孩子。我从京城托人买给她了高级毛线,是让她打些时髦的上衣和头巾的,她却全给孩子打了衣、裤、帽、袜。孩子穿不过来,她一有空就翻出来看看,像我翻素材札记一样入味儿。

她开始有了个坏毛病,黎明时分,就睡不着了,独独爬起来,一眼一眼瞧着睡着的孩子看,看着就悄悄地笑,然后对我说:孩子的眉毛是她的,但比她的淡,淡的好;孩子的鼻子是我的,但比我的直,直的好。她总是孩子,孩子的;孩子成了她生活的主弦,只要碰它一下,立即就全七音齐发了哩。这个时候,我常常就在心中叫道:那我呢?那我呢?真不知道我在她的心上,还有多少位置呢?

有一次,我到外地去出差了,我给家里写信,偏不提孩子事,她回信了,说:"你为什么不问问孩子呢?你走了,你一定觉得是清静了,可我,还是每夜每夜哄着浅儿睡,她还和我拉话儿哩(当然你是听不懂的)。你要爱浅儿,咱们在产床上就定了的,只要这一个,你要不爱,那会伤我心的。你瞧,孩子多么漂亮,那眼睛多亮啊!……或许,你是在心上爱她,爱得比我还深,但是,你要表现哩,傻瓜!"

于是乎,我心情慢慢轻松了,才知道是我错了,原来这世界上的爱,是无限的!以后的日子里,我果然发现,浅儿的出现,不是分散了她对我的爱情,而是更深沉了,更巩固了;该我十分感谢这孩子了!

从此,孩子成了我们幸福的源泉和理想的寄托,我们甚至讨论起孩子的将来了。我说以后一定要培养成个作家,写出爸爸写不出的流水般的优美韵文;她说以后一定要培养成个演员,唱出妈妈唱不出的黄莺般的动听歌子。谁也说服不了谁,只好结论道:孩子是孩子的,谁也不能强迫,让她以后自己选择吧!

孩子简直是我们家的小太阳了,一切都围绕着转起来。但我,心里却时时泛起了一种隐隐的苦恼,因为我没有了时间,也收拢不下思想去弄我的文学了,几个月来,各家报刊的约稿信在书案上压下了一沓儿,却只是无法写出一个字来。她看我可怜,便腾出空儿让我去写,但终写不出满意的,想,有了孩子的人了,半辈子已经过去,竟还一事无成!愈是苦恼,愈是写不出来,便越发地苦恼了。她就抱了浅儿过来,说:"苦恼什么呢?咱是不行了,可咱有孩子啊！你掂掂咱的后代，她会有出息的，咱们就好好培养她吧！瞧，孩子对你笑了！"

我的浅儿，果然在向我笑了哩，虽然还是那么无音儿的，在嘴唇上迅速一闪的微笑，但她毕竟是认得我这做爸爸的了吗？

我笑了，我多么感激我的浅儿，多么感激我浅儿的美丽而善良的母亲啊！

草于1980年3月31日夜

空 谷 箫 人

我患了病,工作没了心思,心里常常忧郁,在城里便住得腻了。到乡下河川地的姨家去,先几回倒好,渐渐也就烦了;这里虽然人少,空气也好,但还不是我宽心的地方。姨说,你去山里逛逛吧。闷着无事,我真走去了。

我什么也不曾带,只捧了一支箫。自我烦闷起,这箫就是我的朋友了,我常常避着人吹;它是生长在秀水明山里的,有着清幽的嗓子,我不想让更多的人听着俗了它。它是我的。我的一腔烦闷全灌进它的肚腹,也只有我,才听懂了它的价值和意义。

我带了我的箫,踽踽向山里去了。

这里的山,不是那北方的土山,但又不是南方的峻岭,它就是它的,秀丽的,玲珑剔透的,完全是一个性格外露的少年的形象了。山里可能很寒,什么杂木杂草也长不出,漫山到处便是竹子。

在城里,从画刊上是认识这竹子的,《辞海》上也写过它的形象:修长。今番在此山此地,才知道它竟是长在岩缝石隙中的。远远看去,一山都是绿,绿得浅,也绿得深。没有风的时候,绿得庄重,温柔,像端坐在堂上的少妇。微风掠过,就打一个酥酥的惊悸,一山都在羞怯怯地颤。

此时正是黄昏,夕阳斜在绿梢儿上,红光里渗了绿的颜色,也显得柔和可爱多了。我拣了河边的一块石头坐下来,看那河源就在山间的竹林里,白花花地淌下来;流过身下的时候,声儿是没有的,颜色却是碧绿碧绿。我想,是这水染绿了那竹呢,还是这竹洗绿了这水?水面子上送着凉气,那一定是竹叶上带来的。

我吹起我的箫来,悠悠忽忽,原来在这空谷里,声调这么清亮,音色这么圆润;我也吹得醉了……我又到了我的境界去,这山,这水,这林子,都是有情物了,它们在听着我的烦闷。我吹着,想把一腔的烦闷都吹散。我愿意将我的箫眼儿,将我的口,变成那山巅上的风洞儿,永远让风来去地吹吧!

这时候,我听见身后的竹林里,有"空!空!"的声音响起。在这寂寂的空谷,在这夕照的黄昏,除了我,还有谁肯在这儿呢?我收了箫儿,站起来,脚步挨进竹林去,那"空!空!"的声音却没了,竹子长得很盛,满枝儿"个"字,拂动起来,冷冷地响。

我又坐在那块石头上来,想,这山里原本是没有人的了,那"空!空!"的响声也一定是我的幻觉了;谁还会出现呢,烦的只有我,闷的也只有我了。心里添了一重愁,箫声更幽幽了,我似乎感觉到那竹叶尖儿,那水皮面儿,停驻了箫声,要不,怎么也在瑟瑟地抖呢?

但是,差不多这个时候,"空!空!"的声音又响了。我疑惑了,重新走向那竹林去,一切又都悄然,唯有那草丛里,一点马兰花,妩媚地开放……我竟有些害怕了。

"谁?!"我叫了一声,但没有音儿,额上沁出了一层冷汗。

突然间爆起了一串咯咯声,空静的山谷里,是那样响,立即撞在对面山林里,余音在四下溢流。我惊愕间,竹林里闪出一个姑娘,一捻儿的腰身,那一双小巧的脚一跕,站在了我的面前。眉眼十分动人,动人得只有她来形容她了,我想,要不是《聊斋》中的那种狐女,便真要是这竹子精灵儿变的吧?

"你?!"我恍惚中说。

"我偷听你的箫了!"她一直在笑着,末了笑得嘎的一声,"你是城里人? 有一肚子心思?"

多少年来,谁这么认真地听过我的箫儿,谁又能听出它的意思呢?! 没想这荒山野地,一个弱小女子儿,竟是我的知音!

"你住在哪儿?"我问。

她笑指山腰深处,我看见的只是卧着的白云,竹的深绿,那白云绿竹处的人家。这道河水儿就从门前流来的吗?

她说她是来砍竹子的,砍了竹做那笛儿、箫儿的,大凡这里生产的竹乐器,上面都刻有"空谷佳音"。我看我那箫儿,果真有这四字:噢,这伴我陪我的箫儿,竟有幸回到故乡来了!

"你们这儿竹子能做箫?"

"你瞧瞧,"她拿手里的砍刀敲敲身边的竹子,立即铮棱棱地颤响,"这竹子从土里一长出来,就是一株歌子,它从地里吸收七个音儿,就长出一个节来,随便砍一截儿来做个箫儿吹吹,就发出无穷无尽的音乐的。"

她说得妙极了,像诗一样动听。突然那巧嘴儿一撺,收了那笑,说:

"但你却辜负这箫儿了!"

"哦?"

她说:

"这箫儿原本是给人带来欢乐的,可你却让它在哭,在怨;你在城里,为什么要来这儿一个人吹呢?"

她竟问得这么厉害,足见这姑娘是我的知音了。我看着她,不知道这话藏在她什么地方;那么纤小的身子,又如何砍得动这竹子?

"是的,我太烦闷了,在城里那么活着,就像你这么一个水灵人儿却深呆在这荒山野地里一样,人生太烦闷了。"

"烦闷?我才不呢!"姑娘又咯咯咯地笑起来了。她顺手指着一根小青竹说:"你看这根小竹子安安分分地生在这山野里,长大了能派那么多用场,它才不知道什么叫烦闷呢!我看你呀,是没把自己放在适当的地位。"

我说,是的。但我奇怪了,她怎么说这种话?在这么个地方,她这般年纪,也变得世故了?庸俗了?我就是在箫的哀怨里找到了我自己,就像这山溪流出山沟来才发现了出路吧。

我突然问起她住过高楼吗?她说没有。问她吃过巧克力吗?她说没有。问她看过芭蕾舞吗?她说没有。

她还是不懂我的啊!

"但我知道你是人!"她说,"你总要吃五谷的。"

她问起我来了,问上到那最高峰看过日出吗?我是没有的。问吃过山里的露水葡萄吗?我是没有的。问砍过这做笛儿、箫儿的竹子吗?我是没有的。

"你让我像你们山里人吗？我何苦受这种罪?!"

她笑声又起了，满山满谷都是笑的余响了：

"山里自有我们的乐趣哩！要不能长出笛儿、箫儿？你用的心太多，脑子太紧张，像你这样的城里人，寿命才没有我们山里人长哩！"

说完，她那小巧的脚儿一踮，轻腿软腰地闪入竹林去了。一会儿拖出一捆绿竹来，掮在肩上，顺条曲径儿一直走去了。

我呆呆地坐在那里，看着她在那绿中融了，还听见那咯咯咯的笑声飘过来，似乎那笑声便一直留在这空谷里了，在那山上，在那竹叶上，在箫眼儿上，在我的嘴唇上。

月亮已经淡淡地上来，那竹在淡淡地融，山在淡淡地融，我也在月和竹的银里、绿里淡淡地融了……我似乎想着什么，但似乎又没有想着什么，我极想再吹出一首吹熟了的忧曲儿，但我害怕吹不响，那嘴唇儿里、箫眼儿里，全蓄藏了她那咯咯咯的笑声哩。

我站起身来，踽踽地往回走，我想起了我那住在河川地的姨，我想起了我那生活的工作的城市，我一直走，走出了这长满歌子和笑声的绿的山。

1980 年 4 月 3 日夜草于西安

月　　迹

　　我们这些孩子,什么都觉得新鲜,常常又什么都不觉满足;中秋的夜里,我们在院子里盼着月亮,好久却不见出来,便坐回中堂里,放了竹窗帘儿闷着,缠奶奶说故事。奶奶是会说故事的;说了一个,还要再说一个……奶奶突然说:"月亮进来了!"我们看时,那竹窗帘儿里,果然有了月亮,款款地、悄没声儿地溜进来,出现在窗前的穿衣镜上了:原来月亮是长了腿的,爬着那竹帘格儿,先是一个白道儿,再是半圆,渐渐那爬得高了,穿衣镜上的圆便满盈了。我们都高兴起来,又都屏气儿不出,生怕那是个尘影儿变的,会一口气吹跑呢。月亮还在竹帘儿上爬,那满圆却慢慢儿又亏了,缺了;末了,便全没了踪迹,只留下一个空镜,一个失望。奶奶说:"它走了,它是多多的;你们快出去寻月吧。"

　　我们就都跑出门去,它果然就在院子里,但再也不是那么一个满满的圆了,尽院子的白光,是玉玉的,银银的,灯光也没有这般儿亮的。院子的中央处,是那棵粗粗的桂树,疏疏的枝,疏疏的叶,桂花还没有开,却有了累累的骨朵儿了。我们都走近去,不知道那个满圆儿去哪儿了,却疑心这骨朵儿是繁星儿变的;抬头看着天空,星儿似乎就比平日少了许多。月亮正在头顶,明显大多了,也圆多了,清清晰晰看见里边有了什么东西。

"奶奶,那月上是什么呢?"我问。

"是树,孩子。"奶奶说。

"什么树呢?"

"桂树。"

我们都面面相觑了,倏忽间,哪儿好像有了一种气息,就在我们身后袅袅,到了头发梢儿上,添了一种淡淡的痒痒的感觉;似乎我们已在了月里,那月桂分明就是我们身后的这一棵了。

奶奶瞧着我们,就笑了:

"傻孩子,那里边已经有人了呢。"

"谁?"我们都吃惊了。

"嫦娥。"奶奶说。

"嫦娥是谁?"

"一个女子。"

哦,一个女子。我想。月亮里,地该是银铺的,墙该是玉砌的:那么好个地方,配住的一定是十分漂亮的女子了。"有三妹漂亮吗?""和三妹一样漂亮的。"三妹就乐了:"啊啊,月亮是属于我的了!"三妹是我们中最漂亮的,我们都羡慕起来:看着她的狂样儿,心里却有了一股儿的嫉妒。我们便争执了起来,每个人都说月亮是属于自己的。奶奶从屋里端了一壶甜酒出来,给我们每人倒了一小杯儿,说:

"孩子们,你们瞧瞧你们的酒杯,你们都有一个月亮哩!"

我们都看着那杯酒,果真里边就浮起一个小小的月亮的满圆。捧着,一动不动的,手刚一动,它便酥酥地颤,使人可怜儿的样子。

大家都喝下肚去,月亮就在每一个人的心里了。

奶奶说:

"月亮是每个人的,它并没有走,你们再去找吧。"

我们越发觉得奇了,便在院里找起来。妙极了,它真没有走去,我们很快就在葡萄叶儿上、瓷花盆儿上、爷爷的锨刃儿上发现了。我们来了兴趣,竟寻出了院门。

院门外,便是一条小河。河水细细的,却漫着一大片的净沙;全没白日那么的粗糙,灿灿地闪着银光,柔柔和和得像水面了。我们从沙滩上跑过去,弟弟刚站到河的上湾,就大呼小叫了:

"月亮在这儿!"

妹妹几乎同时在下湾喊道:

"月亮在这儿!"

我两处去看了,两处的水里都有月亮,沿着河沿跑,而且哪一处的水里都有月亮了。我们都看起天上,我突然又在弟弟妹妹的眼睛里看见了小小的月亮。我想,我的眼睛里也一定是会有的。噢,月亮竟是这么多的:只要你愿意,它就有了哩。

我们就坐在沙滩上,掬着沙儿,瞧那光辉。我说:

"你们说,月亮是个什么呢?"

"月亮是我所要的。"弟弟说。

"月亮是个好。"妹妹说。

我同意他们的话,正像奶奶说的那样:它是属于我们的,每个人的。我们就又仰起头来看那天上的月亮,月亮白光光的,在天空上。我突然觉得,我们有了月亮,那无边无际的天空也是我们的了:那月亮不是我们按在天空上的印章吗?

大家都觉得满足了,身子也来了困意,就坐在沙滩上,相依相偎地甜甜地睡了一会儿。

冬　景

　　早晨起来,匆匆到河边去;一个人也没有,那些成了固定歇身的石凳儿,空落着,连烫烟锅磕烟留下的残热也不曾存,手一摸,冷得像烙铁一样地生疼。

　　有人从河堤上走来,手一直捂着耳朵,四周的白光刺着眼睛,眯眯地睁不开。天把石头当真冻硬了,瞅着一个小石块踢一脚,石块没有远去,脚被弹了回来,痛得"哎哟"一声,俯下身去。

　　堤下的渡口,小船儿依然系在柳树上,却不再悠悠晃动,横了身子,被冻固在河里。船夫没有出舱,弄他的箫管吹着,若续若断,似乎不时就被冻滞了。或者嘴唇不再软和,不能再吹下去,在船下的冰上燃一堆柴火。烟长上来,细而端。什么时候,火堆不见了,冰面上出现一个黑色的窟窿,水咕嘟嘟冒上来。

　　一只狗,白茸茸的毛团儿,从冰层上跑过对岸,又跑过来,它在冰面上不再是白的,是灰黄的。后来就站在河边被砸开了的一块冰前,冰里封冻了一条小鱼,一个生命的标本。狗便惊奇得汪汪大叫。

　　田野的小路上,驶过来一辆拉车。套辕的是头毛驴,样子很调皮,公羊般大的身子,耳朵上、身肚上长长的一层毛。主人坐在车上,脖子深深地缩在衣领,不动也不响,一任毛驴跑着。落着厚霜的路上,驴蹄叩着,干而脆地响,鼻孔里喷出的热气,向后飘去,立即化成水珠,亮晶晶地挂在长毛上。

有拾粪的人在路上踽踽地走,用铲子捡驴粪,驴粪却冻住了。他立在那里,无声地笑笑,做出长久的沉默。有人在沙地里扫树叶,一个沙窝一堆叶子,全都涂着霜,很容易抓起来。扫叶人手已经僵硬,偶尔被树枝碰了,就伸着手指在嘴边,笑不出来,哭不出来,一副不能言传的表情,原地吸溜打转儿。

最安静的,是天上的一朵云,和云下的那棵老树。

吃过早饭,雪又下起来了。没有风,雪落得很轻,很匀,很自由。在地上也不消融,虚虚地积起来,什么都掩盖了本质,连现象都模糊了。天和地之间,已经没有了空间。

只有村口的井,没有被埋住,远远看见往上喷着蒸汽。小媳妇们都喜欢来井边洗萝卜,手泡在水里,不忍提出来。

这家老婆婆,穿得臃臃肿肿,手背上也戴了蹄形手套,在炕上摇纺车。猫儿不再去恋爱了,蜷在身边,头尾相接,赶也赶不走。孩子们却醒得早,趴在玻璃窗上往外看。玻璃上一层水汽,擦开一块,看见院里的电线,差不多指头粗了:

"奶奶,电线肿了。""那是落了雪。"奶奶说。"那你在纺雪吗?线穗子也肿了。"他们就跑到屋外去,张着嘴,让雪花落进去,但那雪还未到嘴里,就总是化了。他们不怕冷,尤其是那两颗眼睛。互相抓着雪,丢在脖子里,大呼大叫。

一声枪响,四野一个重重的惊悸,阴崖上的冰锥震掉了几个,

光佛圖 藥師琉璃

己丑 平口

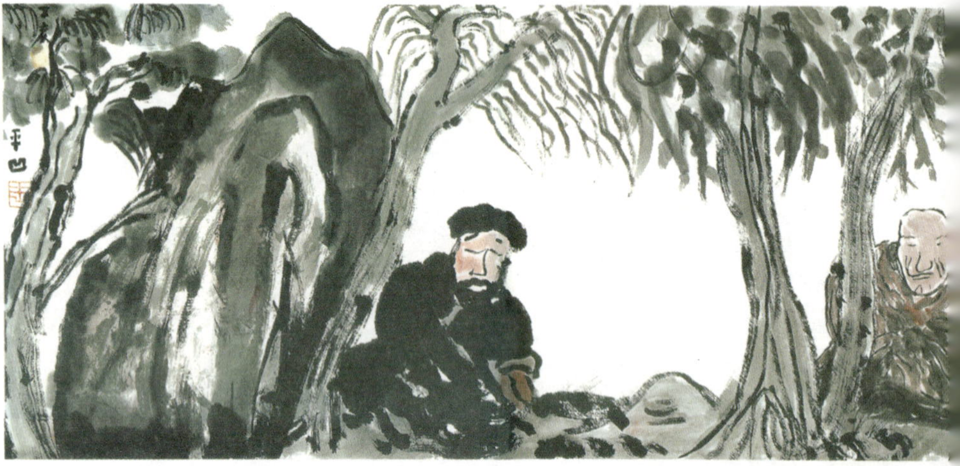
平凹

哗啦啦地在沟底碎了。一只金黄色的狐狸倒在雪地里,殷红的血溅出一个扇形。冬天的狐皮毛质最好,正是村里年轻人捕猎的时候。

麦苗在厚厚的雪下,叶子没有长大来,也没有死了去,根须随着地气往下掘进。几个老态龙钟的农民站在地边,用手抓着雪,吱吱地捏个团子,说:

"好雪,好雪。冬不冷,夏不热,五谷就不结了。"

他们笑着,叫嚷着回去煨烧酒喝了。

雪还在下着,好大的雪。

一个人在雪地里默默地走着,观赏着冬景。前脚踏出一个脚印,后脚离起。脚印又被雪抹去。前无去者,后无来人,他觉得有些超尘,想起了一首诗,又道不出来。

"你在干什么?"一个声音。

他回过头来,一棵树下靠着一个雪桩。他吓了一跳,那雪桩动起来,雪从身上落下去,像脱落掉的锈斑,是一个人。"我在做诗。"他说。"你就是一首诗。"那个人说。"你在干什么?""看绿。"

"绿在哪儿?"

"绿在树枝上。"

树上早没有了叶子,一群小鸟栖在枝上,一动不动,是一树会唱的绿叶。

"还看到什么吗?"

"太阳,太阳的红光。"

"下雪天没有太阳的。"

"太阳难道会封冻吗? 瞧你的脸,多红;太阳的光看不见了,却晒红了你的脸。"

他叫起来了:"你这么喜欢冬天?!"

"冬天是庄严的,静穆的,使每个人去沉思,而不再轻浮。"

"噢,冬天是四季中的一个句号。"

"不,是分号。"

"可惜冬天的白色多么单调……"

"哪里! 白是一切色的最丰富的底色。"

"可是,冬天里,生命毕竟是强弩之末了。"

"正是起跑前的后退。"

"啊,冬天是个卫生日子啊!"

"是的,是在做分娩前准备的伟大的孕妇。"

"孕妇?!"

"不是孕育着春天吗?"

说完,两个人默默地笑了。

两个陌生人,在天地一色的雪地上观赏冬景,却也成为了冬景里的奇景。

地 平 线

小的时候,我才从秦岭来到渭北大平原,最喜欢骑上自行车在路上无拘无束地奔驰。庄稼收割了,又没有多少行人,空旷的原野上稀落着一些树丛和矮矮的屋。差不多一抬头,就看见远远的地方,天和地相接了。

天和地已经不再平行,形成个三角形,在交叉处是一道很亮的灰白色的线,有树丛在那里伏着。

"啊,天到尽头了!"

我拼命儿向那树丛奔去。骑了好长时间,赶到树下,但天地依然平行;在远远的地方,又有一片矮屋,天地相接了,又出现那道很亮的灰白色的线。

一个老头迎面走来,胡子飘在胸前,悠悠然如仙翁。

"老爷子,你是天边来的吗?"我问。

"天边?"

"就是那一道很亮的灰白线的地方。去那儿还远吗?"

"孩子,那是永远走不到的地平线呢。"

"地平线是什么?"

"是个谜吧。"

我有些不大懂了,以为他是骗我,就又对准那一道很亮的灰白色线上的矮屋奔去。然而我失败了:矮屋那里天地平行,又在远远的地方出现了那一道地平线。

我坐在地上,咀嚼着老头的话,想这地平线,真是个谜了。正因为是个谜,我才要去解,跑了这么一程。它为了永远吸引着我和与我有一样兴趣的人去解,才永远是个谜吗?

从那以后,我一天天大起来,踏上社会,生命之舟驶进了生活的大海。但我却记住了这个地平线,没有在生活中沉沦下去,虽然时有艰辛、苦楚、寂寞。命运和理想是天和地的平行,但又总有交叉的时候。那个高度融合统一的很亮的灰白色的线,总是在前边吸引着你。永远去追求地平线,去解这个谜,人生就充满了新鲜、乐趣和奋斗的无穷无尽的精力。

丑　石

我常常遗憾我家门前的那块丑石呢:它黑黝黝地卧在那里,牛似的模样;谁也不知道是什么时候留在这里的,谁也不去理会它。只是麦收时节,门前摊了麦子,奶奶总是要说:这块丑石,多碍地面哟,多时把它搬走吧。

于是,伯父家盖房,想以它垒山墙,但苦于它极不规则,没棱角儿,也没平面儿;用錾破开吧,又懒得花那么大气力,因为河滩并不甚远,随便去捎一块回来,哪一块也比它强。房盖起来,压铺台阶,伯父也没有看上它。有一年,来了一个石匠,为我家洗一台石磨,奶奶又说:用这块丑石吧,省得从远处搬动。石匠看了看,摇着头,嫌它石质太细,也不采用。

它不像汉白玉那样的细腻,可以凿下刻字雕花;也不像大青石那样的光滑,可以供来浣纱捶布。它静静地卧在那里,院边的槐荫没有庇覆它,花儿也不再在它身边生长。荒草便繁衍出来,枝蔓上下,慢慢地,竟锈上了绿苔、黑斑。我们这些做孩子的,也讨厌起它来,曾合伙要搬它走,但力气又不足;虽时时咒骂它、嫌弃它,也无可奈何,只好任它留在那里去了。

稍稍能安慰我们的,是在那石上有一个不大不小的坑凹儿,雨天就盛满了水。常常雨过三天了,地上已经干燥,那石凹里水儿还有,鸡儿便去那里喝饮。每每到了十五的夜晚,我们盼那满月出来,就爬到其上,翘望天边;奶奶总是要骂的,害怕我们摔下来。果然那一次就摔了下来,磕破了我的膝盖呢。

人都骂它是丑石,它真是丑得不能再丑的丑石了。

终有一日,村子里来了一个天文学家。他在我家门前路过,突然发现了这块石头,眼光立即就拉直了。他再没有走去,就住了下来;以后又来了好些人,说这是一块陨石,从天上落下来已有二三百年了,是一件了不起的东西。不久便来了车,小心翼翼地将它运走了。

这使我们都很惊奇!这又怪又丑的石头,原来是天上的呢!它补过天,在天上发过热、闪过光,我们的先祖或许仰望过它,它给了他们光明、向往、憧憬;而它落下来了,在污土里、荒草里,一躺就是几百年了?!

奶奶说:"真看不出!它那么不一般,却怎么连墙也垒不成,台阶也垒不成呢?"

"它是太丑了。"天文学家说。

"真的,是太丑了。"

"可这正是它的美!"天文学家说,"它是以丑为美的。"

"以丑为美?"

"是的,丑到极处,便是美到极处。正因为它不是一般的顽石,当然不能去做墙、做台阶,不能去雕刻、捶布。它不是做这些小玩意儿的,所以常常就遭到一般世俗的讥讽。"

奶奶脸红了,我也脸红了。

我感到自己的可耻,也感到了丑石的伟大;我甚至怨恨它这么多年竟会默默地忍受着这一切?而我又立即深沉地感到它那种不屈于误解、寂寞的生存的伟大。

1980 年

静 虚 村 记

如今，找热闹的地方容易，寻清静的地方难；找繁华的地方容易，寻拙朴的地方难，尤其在大城市的附近，就更其为难的了。

前年初，租赁了农家民房借以栖身。

村子南九里是城北门楼，西五里是火车西站，东七里是火车东站，北去二十里地，又是一片工厂，素称城外之郭。奇怪台风中心反倒平静一样，现代建筑之间，偏就空出这块乡里农舍来。

常有友人来家吃茶，一来就要住下，一住下就要发一通议论，或者说这里是一首古老的民歌，或者说这里是一口出了鲜水的枯井，或者说这里是一件出土的文物，如宋代的青瓷，质朴、浑拙、典雅。

村子并不大，屋舍仄仄斜斜，也不规矩，像一个公园，又比公园来得自然，只是没花，被高高低低的绿树、庄稼包围。在城里，高楼大厦看得多了，也便腻了，陡然到了这里，便活泼泼地觉得新鲜。先是那树，差不多没了独立形象，枝叶交错，像一层浓重的绿云，被无数的树桩撑着。走近去，绿里才见村子，又尽被一道土墙围了，土有立身，并不苫瓦，却完好无缺，生了一层厚厚的绿苔，像是庄稼人剃头以后新生的青发。

拢共两条巷道，其实连在一起，是个"U"形。屋舍相面，门对着门,窗对着窗;一家鸡叫,家家鸡都叫,单声儿持续半个时辰;巷头家养一条狗,巷尾家养一条狗,贼便不能进来。几乎都是茅屋。并不是人家寒酸,茅屋是他们的讲究:冬天暖,夏天凉,又不怕被地震震了去。从东往西,从西往东,茅屋撑得最高的,人字形搭得最起的,要算是我的家了。

村人十分厚诚,几乎近于傻昧,过路行人,问起事来,有问必答,比比划划了一通,还要领到村口指点一番。接人待客,吃饭总要吃得剩下,喝酒总要喝得昏醉,才觉得惬意。衣着朴素,都是农民打扮,眉眼却极清楚。当然改变了吃浆水酸菜,顿顿油锅煎炒,但没有坐在桌前用餐的习惯,一律集在巷中,就地而蹲。端了碗出来,却蹲不下,站着吃的,只有我一家,其实也只有我一人。

我家里不栽花,村里也很少有花。曾经栽过多次,总是枯死,或是萎缩。一老汉笑着说:村里女儿们多啊,瞧你也带来两个!这话说得有理。是花忌妒她们的颜色,还是她们羞得它们无容?但女儿们果然多,个个有桃花水色。巷道里,总见她们三五成群,一溜儿排开,横着往前走,一句什么没盐没醋的话,也会惹得她们笑上半天。我家来后,又都到我家来,这个帮妻剪个窗花,那个为小女染染指甲。什么花都不长,偏偏就长这种染指甲的花。

啥树都有,最多的,要数槐树。从巷东到巷西,三搂粗的十七棵,盆口粗的家家都有,皮已发皱,有的如绳索匝缠,有的如渠沟排列,有的扭了几扭,根却委屈得隆出地面。槐花开时,一片嫩白,家家都做槐花蒸饭。没有一棵树是属于我家的,但我要吃槐花,可以到每一棵树上去采。虽然不敢说我的槐树上有三个喜鹊窠、四个喜鹊窠,但我的茅屋梁上燕子窝却出奇地有了三个。春天一暖燕子就来,初冬逼近才去,从不撒下粪来,也不见在屋里落一根羽毛,从此倒少了蚊子。

最妙的是巷中一眼井,水是甜的,生喝比熟喝味长。水抽上来,聚成一个池,一抖一抖地,随巷流向村外,凉气就沁了全村。村人最爱干净,见天天有人洗衣。巷道的上空,即茅屋顶与顶间,拉起一道一道铁丝,挂满了花衣彩布。最艳的,最小的,要数我家:艳者是妻子衣,小者是女儿裙。吃水也是在那井里的,须天天去担。但宁可天天去担这水,不愿去拧那自来水。吃了半年,妻子小女头发愈是发黑,肤色愈是白皙,我也自觉心脾清爽,看书作文有了精神、灵性了。

当年眼羡城里楼房,如今想来,大可不必了。那么高的楼,人住进去,如鸟悬窠,上不着天,下不踏地。可怜怜掬得一抔黄土,插几株花草,自以为风光宜人了。殊不知农夫有农夫得天独厚之处,我不是农夫,却也有一庭土院,闲时开垦耕耘,种些白菜青葱。菜收获了,鲜者自吃,败者喂鸡,鸡有来杭、花豹、翻毛、疙瘩,每日里收蛋三个五个。夜里看书,常常有蝴蝶从窗缝钻入,大如小女手掌,五彩斑斓。一家人喜爱不已,又都不愿伤生,捉出去放了。那蛐蛐就在台阶之下,彻夜鸣叫,脚一跺,噤声了,隔一会儿,声又起。心想若是有个儿子,儿子玩蛐蛐就不用跑蛐蛐市掏高价购买了。

门前的那棵槐树,唯独向横的发展,树冠半圆,如裁剪过一般。整日看不见鸟飞,却鸟鸣声不绝,尤其黎明,犹如仙乐,从天上飘了下来似的。槐下有横躺竖蹲的十几个碌碡,早年碾场用的,如今有了脱粒机,便集在这里,让人骑了,坐了。每天这里人群不散,谈北京城里的政策,也谈家里婆娘的针线,谈笑风生,乐而忘归。直到夜里十二点,家家喊人回去。回去者,扳倒头便睡的,是村人;回来捻灯正坐,记下一段文字的,是我呢。

来求我的人越来越多了,先是代写书信,我知道了每一家的状况,鸡多鸭少,连老小的小名也都清楚。后来,更多的是携儿来拜老师,一到高考前夕,人来得最多,提了点心,拿了酒水。我收了学生,退了礼品,孩子多起来,就组成一个组,在院子里辅导作文。村人见得喜欢,越发器重起我。每次辅导,门外必有家长坐听,若有孩子不安生了,就进来张口就骂,举手便打。果然两年之间,村里就考中了大学生五名,中专生十名。

天旱了,村人焦虑,我也焦虑,抬头看一朵黑云飘来了,又飘去了,就咒天骂地一通,什么粗话野话也骂了出来。下雨了,村人在雨地里跑,我也在雨地跑,疯了一般,有两次滑倒在地,磕掉了一颗门牙。收了庄稼,满巷竖了玉米架,柴火更是塞满了过道,我骑车回来,常是扭转不及,车子跌倒在柴堆里,吓一大跳,却并不疼。最香的是鲜玉米棒子,煮能吃,烤能吃,剥下颗粒熬稀饭,粒粒如栗,其汤有油汁。在城里只道粗粮难吃,但鲜玉米面做成的漏鱼儿、搅团儿,却入味开胃,再吃不厌。

小女来时刚会翻身,如今行走如飞,咿呀学语,行动可爱,成了村人一大玩物,常在人掌上旋转,吃过百家饭菜。妻也最好人缘,一应大小应酬,人人称赞,以至村里红白喜事,必邀她去,成了人面前走动的人物。而我,是世上最呆的人,喜欢静静地坐地,静静地思想,静静地作文。村人知我脾性,有了新鲜事,跑来对我叙说,说毕了,就退出让我写,写出了,嚷着要我念。我念得忘我,村人听得忘归;看着村人忘归,我一时忘乎所以,邀听者到月下树影,盘腿而坐,取清茶淡酒,饮而醉之。一醉半天不醒,村人已沉睡入梦,风止月冥,露珠闪闪,一片蛐蛐鸣叫。我称我们村是静虚村。

　　鸡年八月,我在此村为此村记下此文,复写两份,一份加进我正在修订的村史前边,作为序,一份则附在我的文集之后,却算是跋了。

溪

逝者,是那条小溪吗?

多少个年头了,我全然忘却了它,漠漠的心的沙漠里,没了它的踪影,痕迹儿也不曾留的。回到乡里,站在陌生了的竹楼上,看那走时的绿的窗棂,已经变黄了,指头宽的裂缝里,风在呜呜地颤吟;儿时用小刀学刻在梁柱上的"上下来去,上去下来",依稀可辨。然而,我已经是满脑袋的白发了。我是踌躇满志地从这里出走的,三十年过去了,我带回了什么呢?是那一个地方刊物的小小的编辑名称,是那扎得方方正正的两三本速朽的自著小书。何苦那时不曾呆在乡里务务庄稼,一年自有一年的收获呢!

在家闲得无聊,该养养花了?花是春的精灵儿,一时鲜艳,独占风流,到头来却也要一片一片付之东风……哦,去钓钓鱼吧。山根下的溪里是有鱼的。傍晚的时候,冒着蒙蒙细雨,披一领蓑衣,垂钓天花草岸边,任那黑脊梁的、白脊梁的愿者上钩吧;纷纷乱乱的思想,该收拢一起,沉下藻影青淡的水底去了哩!……我却觉得可笑了:那小溪还在吗?它碗口般的粗细,自不说少那横冲直撞的模样,连哗哗的声音也没有响过;温温柔柔的,羞涩得使人可怜。三十年了,天上有着太阳,地上有着黄风,还有它的存在吗?我真不知道,这一颗懊悔的灵魂,将会有什么给以慰藉,在哪一块地上能得以安宁呢?

使劲撞开那里久未打开的窗棂,竹楼似乎也在动了一下。风在外边起落,托着一片黄叶,黄中有了沉郁的红晕。山还是那么高,地还是那么平,一切都还是……可是,小溪竟还是小溪哟:缓缓地,悄悄地,依然流淌。

"可能吗?"

夕阳正涂抹着它,是一条金色的线条,天愈暗下来,它愈亮得分明;太阳终于在地平线上一闪,田野里黑黝黝的,只有它的银白,银白,似乎要使一切都照亮起来。一群野鸭子在那里出现了,先是无数的黑点,盯着它,好像要永远不动似的;眼才一眨,那黑点儿倏忽大起来了,听见了啪啪的嬉水声,偶尔几声嘎嘎。似乎有一个孩子在那里出现了,穿着肚兜,扬着肉窝儿的胖手,跑呀,叫呀……

哦,那便是我哩。儿时的傍晚,我是常常在那里玩耍的。第一次在那里发现了月亮,大呼小叫起来,还以为月亮就住在水里。小溪里有过我的身影,有过我的笑,我偷偷撕了爸爸的书皮,叠各式各样的小船放在那里……三十年了,我的笑还在吗?那纸的帆船呢?它还在流着,我却回来了,是一个老头了。

"听说你是名人了?"

隔壁阿三来看我,他也已经是有胡子的人了,看着我笑。我很惭愧。三十年了,只会弄点文字,实在可笑,写那么几本小书,也算名人吗?"回来还要写吗?"我没有这份心境,我说:我老了,没有精神了,没有灵感了……我不知道我说些什么,惶恐地跳开了。我想

40

哭,哭我自己,哭逝去的时光,哭我的碌碌无为。

然而,小溪还在流着,那样明亮,那样区别于黑夜,在田野里流淌。

一夜的秋雨,嘀嗒,嘀嗒,在芭蕉叶上响吗?在小溪上响吗?今夜的梦也做不完整,全被雨点敲得碎碎零零的了。天明,老伴醒得很早,拉我出去散步。

"吸吸新鲜空气啊!"

我怕见到它,但我又想见它。它果然是我记忆中的模样,那般纤细,似乎我手伸下去,就会拎起它来;依然是温柔,才掬在手里,就从指缝里漏了,还有那淡月、残星。我真想不通,它竟流了三十年:没从沙石中漏掉吗?没被泥土吞食吗?看得见水底的石子,一颗,两颗,虎狐皮一样的花纹;黑脊梁的、白脊梁的小鱼又一簇一簇在那里唼喋,怡然自乐的使人添了几分醋意;远远的上游草丛里,坐着一对少男少女,相依相偎,水皮子上漂下来一片又一片的糖纸儿。

老伴示意让我看,挤挤眼,眼里有一股亮光。我竟奇怪,这少女才有的亮光,在她那浑浊的眼里还会闪现?我想起我们恋爱的热烈,那蜜月的香甜……我终于淡淡地一笑了:老了还说少年?!

唉,一切都逝去了。我儿时的纸船如果还在,不知已搁在了哪块沙石上了,卡在哪丛柴草根里了。小溪上时而出现微波,时而出现漩涡,那微波一定是它的皱纹,但是,为什么一闪就过去了,那漩涡难道是青春的酒窝吗?

"啊?!"

孙子跑来了。幼稚的孩子是最快乐的,马驹一般地在田野里奔跑,跳跃,翻着跟斗。这孩子哟。

"爷爷,这小溪为什么要流呢?"

"不知道。"我懒得说,其实也真不知道。

"小溪流到哪儿去呢?"

"不知道。"

孙子生气了,再不理我,兀自玩他的:将蒲公英吹起来,将蚯蚓逗出来,用衣服去扑打翩翩的蝴蝶。我只关心那云,东边来的,西边来的,在半空里重叠,融合,酝酿……忽而又都匆匆消失了。小溪弯弯曲曲地在田野里流,我想,它一定会疲乏的,会厌烦的,或许在什么地方堵成一个潭了,那水一定会变黄的,患了肝病一样的脸黄,或许,出现一层铁锈似的红,就像心脏病的老人了吧。

于是,我叹了一口气,欲要把不安静的心潮渐渐平复下来,但是,孙子在远处大声叫喊起来了:

"爷爷,我知道溪水流到哪儿去了!"

傻孩子,他懂得什么啊?

"它在树叶里。"

他掐下一片树叶,叶子上沁出了几滴水点儿来。

"它在花尖儿上。"

那花尖儿上,果然都顶着一颗亮晶晶的露珠儿。

我心跳起来了,嘣嘣,嘣嘣,似乎还有了一种韵律了。我爬起身,活动了四肢的关节,顺着小溪走去:难道这是真的吗?难道我不懂得了这小溪吗?或许,它流的永远是很细很细的,历程可能不远;或许,尽头只在绿的叶脉儿里,红的花尖儿上,那么,它还会在什么地方呢?突然,有什么在驱使着我也去追寻了,追寻着去了。

1980 年

爱 的 踪 迹

"文化大革命"后,重新回到西安城西河沿,我久久地站在那里,感情惊异得不能自已。

这地方,是不咋大的,绕着青砖砌起的古城墙,便是那曲河水,缓缓坦坦的样子。初看并不怎见流动,浮萍厚厚地铺在上面,像一层绿色绒毯,似乎可以踩上去打个滚儿;有风掠过的时候,绿毯也不见开,只是微微地起伏,使人觉得温柔可爱。顺着河边儿,萋萋地长密了草;远十步许,上得岸来,就是坪地:草没有水边的肥壮,却多了几分嫩黄;每隔三步,有一株洋槐,整齐地排列过去,枝叶是交叉着的,分不清哪一枝是哪一棵树的。时正初夏,槐花开得雪白,一嘟噜的,一串串的,暗香淡淡浮动着;只有蜜蜂知道香的来去,激动地飞着,千百次鼓颤着翅翼。

这么个去处,在别的地方,或许并不见稀罕,但在西安这个闹市里,却有几分世外仙境的味道。此时此地,从异地归来的我,稍稍闭上眼睛,作个回想,十三年前的场面就再现在面前。

天已黄昏,正是夕阳无限好的时候,一对一对的少男少女,来到这里约会。远远看去,暮雾从河面起身,悄悄浮上坪地,朦朦胧胧的,掩去那槐呀草的。约会人的自行车,看不清头,也看不清尾,只见那一圈半圈的闪光。月亮出来了,照着绿毯般的河水,闪着深浅不一的绿光。这河边,树后,车下,必是有了一对人,人是多情多义,话是如糖如蜜;一对不妨碍一对;一直谈到月亮在城墙垛上坠了,露水从草叶爬上了裤管……

是这么个地方酝酿着爱呢,还是爱使这个地方有了魅力?任何的少男少女,都是为着爱的追求而来,怀着爱的充实而去。爱原来是在幽幽的静里产生,爱原来是属于脉脉的夜的啊。

我不禁有些惊颤了:十三年前,我不是就从这里走过的吗?哪一处是我获得爱的地方呢?十三年了,动乱中我走过多少地方,经过多少世事,如今拖着一副疲倦的身心站在这河沿上,拼着千呼万唤,我的爱能再一次走来吗?

河水还是昔日的模样,可它已不是昔日的河水。槐树是昔日的槐树,但分明粗多了,也密多了。一岁一枯荣的小草,根还是昔日的根吗?十三年了,从这里走去了多少男女,多少男女又向这里走来;这里该留下了多深多厚的爱呢?!

我低下头来,在河沿上徘徊,看那绿毯起伏,让柔和的风吹着面颊,我细细地搜索着河沿,想要找着那爱的踪迹。

那斜坡处,有了一个一个的小台儿,似乎是两把并排的坐椅。噢,爱一定在这里停过:今天一对人在这里坐着,明天另一对人又来坐着,天长日久,这里便成了固定的位置,那无数的衣裤已经磨得小土台儿光光滑滑。那台儿下,差不多是有了小坑儿的,这是情人们坐在那里,让月光照着,让夜风吹着,满身的激动,满心的得意,已经不能自觉地用脚一下两下地踢地,踢出的小坑。

开着两点三点小花的草丛,住着蛐蛐蚂蚱的树下,是一堆堆瓜子皮儿、糖果纸。那是谁留下的呢？想想吧，一封短信，一个电话，情人们约定了时间，他们在这里相见了：你掏出一包瓜子，她取出一手帕糖果；该说的都说了，该吃的都吃了，那吃进去的是甜的蜜的，那说出来的是蜜的甜的，他们在甜蜜之后走去了，却留下了爱的踪迹。

到处的草都是密密的，高高的，竟有这样的地方：草没了茎，没了叶，只留下草根。草呢，草呢？草被掐去了。他们坐在那里，一个热切切地盯着脸，一个羞答答地低了眼，一张薄亮亮的纸捅破了，两根心弦砰地一弹，却无声地静默了。鸟儿在树上也不曾叫，蛐蛐在草里也不曾动，一双颤抖的手，下意识地在掐身边的草，掐下一截，再掐下一截……

哟，这里，就在这里，看不见那台儿坑儿，没留下瓜子糖纸，而且压根儿没有长草，爱的踪迹在哪里呢？往下可以看见。就在这地方下去一丈远的斜坡上，长起了一丛青油油的瓜秧儿。是了，这毕竟是坐过一对人的，吃过炒得不全熟的瓜子，就在他们离去不久，该是落过一场小雨，将那遗留的未嚼的瓜子冲在斜坡，慢慢生长出苗儿了。试想，那爱的获得已经很久，或许，他们已经结婚了；或许，他们已经有了孩子。

啊，城西河沿，到处都是爱，到处都有着爱的踪迹！无怪过去十三年了，这河水的绿毯依然这般绿，这洋槐的白花依然这般香。城西河沿，充满了人生爱的圣地，经过一场"文化大革命"竟还能这么保存下来，竟还这么使几代人永远恋慕向往，我该怎样来称呼你呢？

太阳慢慢地在天边西斜了,动人的余晖在河的绿毯上染上玫瑰般的艳红,接着就变成橘黄了,愈来愈嫩,愈嫩愈淡;槐的林子开始朦朦胧胧的了。我抬起头来,看见远远的地方,开始有人走到河沿这边来,影子是那样的轻盈、柔曼。我知道,夜色到来了,幽静到来了,爱该到来了。我慢慢地从河沿走开去,感觉一个中年,一个失去了往日的爱的人,在这里是不相宜的。但我脚步儿却几番沉重,几番流连,深深地眼红着走来的少男少女们:爱的获得难道只有他们吗?爱难道消失之后就再不能获得吗?

我又退了回去,在一棵槐树旁坐下,默默地说:"我应该呆在这里,我需要在这里呆一会儿,让爱再回到我的心上吧。"

城西河沿啊,十三年后,重新站在你的身边,我的感情再也不能自已了啊!

1980 年 12 月 16 日

知　道

在那么个时候,那么个地方,有那么三个兄弟;他们慢慢地长大起来了,要谈恋爱了。

一

老大已经认识了好多姑娘,但总没有自己满意的。家里人为他焦急,亲戚朋友也为他头疼,一见面就要问:"你觉得她怎么样?"
"你呢?"
"这姑娘不错的。心肠善良,性格温柔,又很能干……"
"可惜长得太那个了。"
"怎么能只追求外貌呢?"
他摇摇头。
"咳,你以后就知道了。"
他,笑笑。
老大还在挑,终于挑选中了一位美丽的姑娘。
结婚了。

二

几年后,老二也开始认识了好多姑娘,也总是没有自己满意的。家里人为他焦急,亲戚朋友也为他头疼,老大便找他谈话了:

"你觉得她怎么样呢?"

"你呢?"

"这姑娘不错的。心肠善良,性格温柔,又很能干……"

"可惜长得太那个了。"

"怎么能只追求外貌呢?"

他摇摇头。

"咳,你以后就知道了。"

他,笑笑。

老二还在挑,终于挑选中了一位美丽的姑娘。

结婚了。

三

又过了几年,老三也是到了年龄,认识了好多好多姑娘,他挑过来选过去,拿不准主意。家里人很是焦急,亲戚朋友也为之头疼。老二便亲自去找他了:

"你觉得她怎么样呢?"

"你呢?"

"这姑娘不错的。心肠善良,性格温柔,又很能干……"

"可惜长得太那个了。"

"怎么能只追求外貌呢?"

他摇摇头。

"咳,你以后就知道了。"

他,笑笑。

老三还在挑,终于挑选中了一位美丽的姑娘。

结婚了。

四

老三终于知道了,但已经结了婚,过上了家庭的生活。

1981 年 1 月 2 日夜草于静虚村

梦

我越年岁大了,越阅历深了,梦便越来越做得多起来;一倒在床,迷迷离离,灵魂儿就出了窍壳,往梦里去了。我曾经竭力不入那境界去,但那全不由得我,有什么魔儿在作祟似的:淡淡地幻化而去,先是朦胧,再是清晰,楚楚的一个世界呢……我几乎有好多文章,都是在梦里做成,或者受梦的启迪,追忆而成的;我是喜欢起这梦的了。

但是,我毕竟有些奇怪了:梦是什么精灵儿呢?为什么在这漆黑黑的夜里,一切都变得死寂,一切都失去光彩的时候,梦就出现了?!

古人曰:日有所思,夜有所梦。其实并不尽然。在我的梦里,有欢乐的,那是大声地肆无忌惮地狂笑;也有伤心的,怎样地痛哭,怎样地打滚;当然也有惊恐,是那种始终跑不动地紧张;也有了许多许多的荒唐举动。这些,我是哪儿想过?环境从未去过,情景从未体察;每每醒来,欢乐过的,作一个几分甜蜜几分遗憾的无声微笑,伤心过的,吁一口长叹,惊恐过的,松一下皮肉,荒唐过的事了,倒一阵脸红,羞耻得不好意思呢。

妻却担心起来,说这不好,体质孱弱,性情柔脆,如此下去,会耗空精神,怕要生病了。我也觉得饭食渐减,身骨儿消瘦;竟害怕起来,担心真有一天病倒了,我的妻不能去爱怜,女儿不能去抚养,文章也不能去写了。

妻是稍稍理会些医道的,终一日对我说:梦做不停,这是阳气不足的缘故,你要做日光浴呢。

我做起日光浴了。每当日在正午,我就去门前河滩上赤身受浴。那是极难受的事情,太阳好像一团放射的麦芒,刺着我的眼睛,刺着我的肩背。我只是忍耐着:为了身体,我就这般受罪下去吧。但是,我发现了我的影子,我再不得安宁了:影子,一个黑黑的阴影,一片儿不离地在我的身下;我站起来,它是一桩;我蹲下去,它是一堆;我走,它徘徊;我舞,它抖瑟。我突然十分惊慌起来了:那是我吗?那是我吗?多么可怜的怯怯的灵魂?!

噢,有了太阳,我难道就有了阴影,就有了假啊!

妻说:"影子是你的梦里。"

"不的,梦不是这么怯怯的,梦是尽情的,无拘无束的。"

我这么回答着,突然想,与其在太阳下晒着,让我的灵魂儿委委琐琐,还不如我去做梦好了。像我这样的人,在这浩浩茫茫的世上,写了那么几本小书,一不能顶吃,二不能抵喝,到处受人白眼,受人冷嘲,我还惜乎我的生命吗?让我生病早死就生病早死吧,至于妻,她那么漂亮,那么贤淑,世间是有爱她的,而我占有她也该是一种罪过了,还有那女儿……我该放着胆子去做梦好了,尽兴儿去做,尽情儿去做。

我做起梦来,做得那么多,又一个比一个美妙。我回到了儿时:刚刚才从娘肚子里下来,落在了热炕头的软草上,睁开了眼睛,一下子看见了光明,我是多么快活,多么激动,幸福得大声哭了。母亲抱起了我,用甜的嘴唇吻我,父亲抱起了我,用爱的目光浴我,我被裹在花布之中,在人们的手掌中传动,都在说:这孩子眼睛像星星地亮,嘴唇像太阳地红……

我还回到了童年:我和隔壁的阿莲去牧牛。我们到河里去,河流得缓缓,风在那里走过,织满了一层细细的锦纹。水渐渐地深了,没上了牛腿,埋合了牛肚,末了,只有牛的眼了,鼻了,弯弯的角了,只有牛的窄窄的脊了,我们像坐在了一个小岛屿上了。上得河的那岸,姗姗地往山里去,牛在那草坪上撒欢,甩尾,喷着响鼻,我们玩起石子了。一直到了月上山峁,我们才记起要回家去,却寻不着了归路。阿莲哭起来,我哄着她,让牛卧了,我们坐在两牛之间,相偎相依地睡着,直到大人们打着火把寻来……

梦是这般地做下去,夜夜酥醉在花里歌里。但是,白日醒来,却是那样的空落;精神愈一日不济一日,什么也懒意了。人们都在批评我,笑我滞呆。我不想去辩解,也懒得和他们说话,只是默默地活着,显得很是怪癖,很是孤独的了。

妻也一日比一日不满起我,骂我死板,不通世故。我说:

"我不会呀。"

"你去学学么!"

"怎么个学呢?"

"譬如说,社会的交际呀,对上级的态度呀,对矛盾的立场呀……"

"那我还能是我吗?"

"是你倒好,可能活得下去吗?能活得人上人吗?"

妻竟说出这等话!我简直无法和她再说下去了,我火着气说:"你是我唯一的亲人了,我求求你,让我是我而活下去吧!"

于是乎,我盼望着夜,盼望着夜里的梦。我让身儿、心儿,一并交付了梦,让在梦里畅畅快快地恢复我,寻找我的真正、我的生命了。

越是这样,我越不明白,我为什么会这般地迷于梦啊!我不止一次地质问着我:难道我活在世上,只有梦吗?难道这梦,只是在夜里吗?

妻硬将我在黎明前叫醒,催我起来去锻炼。我听着她的话,每早在门前的河边跑步。河边上,是一片如屋的、如枕的乱石,黑苍苍地蹲伏,使人几分死寂,几分沉重。在岸头跑了一气,拣一块地歇歇,猛然间看见了那水流,细细的,隐伏在石下,是丝线般的,血道般的,交错织成了脉络,在月下一齐闪亮了。啊,这河边不是死寂的,是活泛的;不是沉重的,是生动的呢!

我将这感觉告诉给妻子,她却笑笑,嗔我道:

"你又做梦了?"

妻又拉着我跑步起来,一直从河边跑回家来。我累得满头大汗,连衣裤都湿淋淋的了。到了家,我坐在院中的石凳上喘气,看晨光从东天升起,渐渐地抹在门前的那数株古柏身上。那古柏,年事已经老高,是百十年的物吧,有挺立着的,有横斜着的,全是一合抱粗,那皮却绳索般的模样,拧绞着缠上去。每每看到这皮,我心里就难过了,似乎那拧绞着的,是我的心呢。幸而柏的顶上,覆盖着一片偌大的枝叶,逗我竭力往上看。但那枝叶也难看起来,黑黝黝的,全不是欲滴的绿,那么密厚,是顶着的一块危石,要不就是积了雨水的乌云,随时要压下来哩。我低下头来,什么也不去思想,倏忽间却感觉有了风,接着有了一种丝竹的音乐正从天空往下落。我又抬起头来,那枝叶在风里拂动,它竟是有歌声了呢。

这又是多么可喜的发现!我大声告诉着妻,她却对着我,依然冷冷地笑了,说:

"你又在做梦了?"

唉,我该怎么说呢?妻!

"这难道是梦吗?"

"那不是梦话是什么?呆子,你活该是应了白日做梦!"

白日做梦?字典上对这四个字做过注解,说是痴心妄想……我再没有说话,孤独地坐下来了,寂静地坐下来了。晨光已经爬上了我的头、我的肩,在我的眼里怀里跳跃了。我只是想,为什么是白日做梦呢?白日为什么就不能做梦呢?!白日做梦就好了!

1981 年 1 月 4 日夜作于静虚村

文　竹

　　离开我的文竹,到这闹闹嚷嚷的城市里采购,差不多是一个月的光景了。一个月里,时间的脚步儿这般踟蹰,竟裹得我走不脱身去,夜里都梦着回去,见到了我的文竹。

　　去年的春上,我去天静山上访友,主人是好花的,植得一院红的白的紫的,然而,我却一下子看定了那里边的这盆文竹了。她那时还小,一个枝儿,一拃高的上来,却扁形地微微仄了身去,未醉欲醉的样子,乍醒未醒的样子。我爱怜地扑近去,却舍不得手动,出气儿倒吹得她袅袅浮拂,是纤影儿的巧妙了,是梦幻儿的甜美了。我不禁叫道:"这不是一首诗吗?"主人夸我说得极是,便将她送与我了。从此我得了这仙物,置在我的书案,成为我书房的第五宝了。她果然地好,每天夜里,写作疲倦了,我都要对着那文竹儿坐上片刻:月光是溶溶的,从窗棂里悄没声儿地进来,文竹愈觉得清雅,长长的叶瓣儿呈着阳阴;楚楚的,似乎色调又在变……这时候,我心神俱静,一切杂思邪念荡然无存,心里尽是绿的纯净,绿的充实。一时间,只觉得在这深深的黑夜里,一切都消失了,只有我了;我也要在这深深的夜里羽化而去了呢。

　　她陪着我,度过了一个春天,经过了一个冬天,她开始发了新枝,抽了新叶,一天天长大起来,已经不是单枝,而是三枝四枝,盈盈的,是一大盆的了。我真不晓得,她是什么精灵儿变的,是来净化人心的吗?是来拯救我灵魂的吗?当我快乐的时候,她将这快乐满盆摇曳;当我烦闷的时候,她将这烦闷淡化得是一片虚影,我就守在她的面前,弄起笔墨,做起我的文章了。人都说我的文章有情有韵,那全是她的,是她流进这字里行间的。啊,她就是这般地美好,在这个世界里,文竹是我的知己,我是再也离不得她了。

然而,我却告别了她,到这闹市里来采购,将她托付养育在隔壁的人家了。

这人家会精心养育吗?他们是些粗心的人,会把她一早端在阳光下晒着,夜来了,会又端着放在室里吗?一天可以办到,两天可以办到,十天八天,一个月,他们会是不耐烦了,把她丢在窗下,随那风儿吹着,尘儿迷着,那叶怕要黄去了,脱去了,一片一片,卷进那猪圈牛棚任六畜糟蹋去了。那么,每天浇一次水,恐怕也是做不到的,或许记得了倒一碗半杯残茶,或许就灌一勺刷锅水呢。那文竹怎么受得了呢,她是干不得的,也是湿不得的,夕阳西下的时候,托一碗水来,那不是净水,也不是溶着化肥的水,是在瓶子里沤了很久的马蹄皮子的水,端起来,点点滴滴地渗下去的呢……

唉,我真糊涂,怎么就托付了他们,使我的文竹受这么大的委屈啊!

采购还没有完成,身儿还不能回去,愁得无奈了,我去跑遍这城的所有公园,去看这里的文竹。文竹倒也不少,但全都没有我的文竹的天然,神韵也淡多了,浅多了。但是,得意洋洋之际,立即便是无穷无尽地思念我的文竹的愁绪。夜里歪在床头,似睡却醒,梦儿便姗姗地又来了。但来到的不是那文竹,是一个姑娘,我惊异着这女子的娟好,她却仄身伏在门上,抖抖削肩,唧唧嗒嗒地哭泣了。

"你为什么哭了?!"我问。

"我伤心,我生下来,人人都爱我,却都不理解我,妒忌我,我怎么不哭呢?"她说,眼泪就流了下来。

哦,这般儿的女子处境,我是知道的:她们都是心性儿天似的清高,命却似纸一般的贱薄,峣峣者易折,皎皎者易污啊。

"他们为什么这样?他们为什么要这样?!"

我却淡淡地笑了:

"谁叫你长得这么美呢?"

她却睁大了眼睛,定定地看着我,有了几分愤怒:我很是窘了。她突然说:

"美是我的错吗?我到这个世上来,就是来作用、贡献美的。或许我是纤弱的,但我娇贵,但我任性,我不容忍任何污染!"

我大大地吃惊了:

"你是谁,叫什么名字?"

"文竹!"

文竹?我大叫了一声,睁开眼来,才知道是一场梦了。啊,是一场梦呢?!往日的梦醒,使我空落,这梦,却使我这般地内疚,这般地伤感呢?我沉吟着,感到我托付不妥的罪过,感到我应该去保护的责任;我一定是要回去的了,我得去看我的文竹了。

1981 年 1 月 20 日作于静虚村

风　筝
——孩提纪事

初春,天还森冷森冷的,大人们都干着他们的事了;我们这些孩子,积了一个冬天烦闷,就寻思着我们的快乐,去做风筝了。

在芦塘里找到了几根细苇,偷偷地再撕了作业本儿,我们便做起来了。做一个蝴蝶样儿的吧,做一个白鹤样儿的吧;我们精心地做着,把春天的憧憬和希望,都做进去;然而,做起来了,却是个什么样儿都不是的样子。但我们依然快活,便叫它是"幸福鸟",还把我们的名字都写在了上边。

终于拣下个晴日子,我们便把它放起来:一个人先用手托着,一个人就牵了线儿,站在远远的地方;说声"放",那线儿便一紧一松,眼见得凌空起去,渐渐树梢高了:牵线人立即跑起来,极快极快的。风筝愈飞得高了,悠悠然,在高空处翩翩着,我们都快活了,大叫着,在田野拼命地追,奔跑。

满村的人差不多都看见了,说:

"哈,放得这么高! 叫什么名呀?"

"'幸福鸟'!"

"幸福鸟? 啊,多幸福的鸟!"

"那是我们的呢!"

我们大声地宣告,跑得更欢了,似乎是一群麝,为自己的香气而发狂了呢。

玩过了一个早晨,又玩过了一个中午,到下午,我们还是歇不下来,放着风筝在田野里奔跑。风筝越飞越高,目标似乎就在那朵云彩上,忽然有了一阵小风,线儿嘣地断了。看那风筝,在空中抖动了一下,随即便更快地飞去了。我们都大惊失色起来,千呼万唤的,但那风筝只是飞去,愈远愈高,愈高愈小,倏忽间,便没了踪影。没有太阳的冷昏的天上,只留下一个漠漠的空白。

我们都哭起来了,向着大人们诉苦,他们却说:"飞就飞了,哭什么呀!"

我们却不甘心,又在田野里寻找起来:或许它是从天上掉下来了,掉在一块麦田的垄沟里呢?还是在一棵杨树的枝梢,在一道水渠的泥里呢?可是,我们差不多寻了半个下午了,还是没个踪影。我正歪着身子瘫在那里怄气,一抬头,看见远远的河边有一座小小的房子,房下的水面上半沉半浮着一个巨大的木轮,不停地转着,将水扬起来,半圈儿水的白光。

"那里找过了吗?"

那里是我们村的水磨坊。从我们记事的时候,那里有这座小房,那里就有个看管磨坊的女人。据说,她原是城里人,是个"右派",下放到这里来的;如今房子依然老样,水轮天天转动,她却是很老很老的了。我们平日从不去那里玩耍,只是家里米面吃完了,父母说:"该去磨些粮食了。"我们才会想起这么个小房子,想起这个小房子里的老女人。

"没去过的,说不定'幸福鸟'落在那里呢。"大家说。

我们向那房子走去,这房子果然很小,很矮;屋檐下,墙壁上,到处挂着面粉的白絮儿,似乎这里永远是冬天呢。有一家人正在那里磨面,粉面儿迷蒙,雷一样的石磨声使人耳聋。我们推开东边那个小门,这是那老女人的住处:一个偌大的土炕,炕上一堆儿各色布头;一盆旺火在脚底烧着,暖融融的;窗台上一盆什么花草儿,出奇地竟开了三朵四朵白花。"婶婶!"我们叫着。没人回答,却分明地听见了屋后什么地方,有嚓嚓的声音。我们走出来,转到屋后,那老女人正弯身站在河边的一个水洼里,努力地用石头砸着洼里的冰。冰是青青的,裂开无数的白缝。她开始用手去扳冰块,嘴里吸溜吸溜着;一抬头看见了我们,说:"这洼水冻严了,一条鱼儿冻住了!"

我们果然看见那大冰块里,有一条小鱼,被直直地封在里边,像是块玻璃雕刻的鱼纹工艺品。我们动手去扳,老女人却千叮咛万叮咛着小心;一直到我们把鱼放进河水里,才笑了。

"那鱼还能活吗?"我们说。

"或许能活呢,孩子;河水是热的,冰块会融化的。"

"鱼儿游来的时候,它是一洼水吧,或许它正快活地游过时忽然就被冻住了呢!"

噢,我们可怜可悲起这小鱼儿了:为什么要到这洼水里游呢?这可恶的水,为什么就要变成冰呢?!

"婶婶,你见着我们的'幸福鸟'了吗?"我们终于问她。

"幸福鸟?"

"是的,我们的风筝。"

"啊,多好的名字!是到我这儿来了吗?"她说,显得很高兴。"是的,你一定看见了。"她却摊摊手,说是没有:"是不是在这房上呢?"我们急急找起来,可是没有。又在河边找了,也没有。我们都心凉下来,呆在那里,互相看着,差不多又要哭了。

"'幸福鸟'呢?我们的'幸福鸟'呢?"

难道一个冬天的烦闷还要继续下去吗?辛辛苦苦地忙活了几天几夜,我们的乐趣就这么快地结束了吗?

我们终于哭起来了。

"不要哭,孩子!哭什么呢?你们瞧,那冰冻的鱼儿已经到了深水里,很快就会游起来呢。"老女人一直站在河边,风吹着她的头发,头发上落着厚厚的面粉,灰蒙蒙的,像落上了霜的茅草。

"可我们的'幸福鸟'呢?"

她那么笑笑地走过来,拍着我们的头,说:"它是飞走了,就让它飞走吧。"

大人们总要这么说……我们再不理她了,只是哭着,想着:"幸福鸟"该在哪儿呢?那几根细苇,我们去折它的时候,是踏着塘里的薄冰去的,是那么晶莹,那么有趣,可骤然间在脚下铮铮地裂开了,险些掉进水去……可是,"幸福鸟",却倏忽间飞去了。

"回屋去吧,孩子们,屋里有火呢。"老女人说。我们都没有动;她拉,谁也不去。"你不懂!"我们说,"'幸福鸟'飞走了,我们是多么伤心,你知道它给了我们多少快乐!它为什么给了我们快乐,又要把快乐收去呢?"

老女人冷丁站在那里,不再言语了,似乎也像那冰冻了的鱼儿一样,只是冻住她的不是水,而是身后的灰色的天幕。

她突然说:"唉,孩子,我怎么不理解你们呢?你们是不幸的;不幸的人谁不是最懂得、最爱慕快乐的啊?!"

老女人的话,使我们都吃惊了:她原来是理解我们的,她是不同于那些大人们的呢。"孩子,不要难过,快进屋去吧。"我们进屋去了,就坐在火盆边儿,将冻得红红的手凑近去烤着。

"婶婶,'幸福鸟'是走了,可它去哪儿了呢?"

"地上找不着,那就在天上吧。"

"天上什么地方?"

"什么地方它都可以去。"

"那,天是什么呢?"

"天是白的,那是它该去的地方。"

"白的?!那它不寂寞吗?"

"白的地方都不寂寞。"她说,"你瞧见那水轮下的水了吗?它是白的,因为流着叫着,它才白哩。石磨因为呼呼噜噜地响着转着,磨出的面粉才是白的哩。还有,瞧见那盆花了吗?它是开着的放着的,它也才白了呢。"

我们都觉得神奇了,似乎是听明白了,又似乎听得不明白;但心里稍稍有些慰藉了:啊,"幸福鸟"在天上,天上那么白,它是不会寂寞的,那真是它该去的地方。

我们看着老女人一头一身的面粉,突然说道:"你也是白的呢。"

"是吗?"她笑了。

"可你……你就一个人吗？就总是一个人在这小屋里吗？你不寂寞吗？"

"我这里有水声,有石磨声,有鱼,有花,有你们来;你们说呢？"

"你也是不寂寞的！"

"你们这些乖孩子哟！"

她于是从炕角的口袋里抓出大把的黄豆来,在火盆里爆了,分给我们,我们吃得很香,一直呆到天快要黑了,才想到要回家去。

田野上,风还在溜溜地吹,几棵柿树,叶子早落了,裸露着一树的黑枝,像是无数伸抓什么的手。这柿树,也在索要着失去的什么吗？

回头看看那水磨坊,老女人还站在那里看着我们,我们突然都这么想：

今天夜里,"幸福鸟"是住在哪一朵云上呢？那里是不寂寞的,是快乐的,它应该飞去啊！

它飞去了,带着我们的名字,我们在那个白的天上,一定也是快乐的了。

可是,我们都盼望"幸福鸟"有一天能再飞回来,让我们在它上面再写上这水磨坊老女人的名字呢。

作于1981年1月25日午

一棵小桃树

　　我常常想要给我的小桃树写点文章,但却终没有写就一个字来。是我太爱怜它吗?是我爱怜得无所谓了吗?我也不知道是什么怪缘故儿,只是常常自个儿忏悔,自个儿安慰,说:我是该给它写点什么了呢。

　　今天的黄昏,雨下得这般儿地大,使我也有些吃惊了。早晨起来,就淅淅沥沥的,我还高兴地说:春雨贵如油,今年来得这么早!一边让雨湿着我的头发,一边吟些杜甫的"随风潜入夜,润物细无声",甚至想去田野悠悠地踏青呢。那雨却下得大了,全不是春的温柔,一直下了一个整天。我深深闭了柴门,临窗坐下,看我的小桃树儿在风雨里哆嗦。纤纤的生灵儿,枝条已经慌乱,桃花一片一片地落了,大半陷在泥里,三点两点地在黄水里打着旋儿。啊,它已经老了许多呢,瘦了许多呢,昨日楚楚的容颜全然褪尽了。可怜它年纪儿太小了,可怜它才开了第一次花儿!我再也不忍看了,我千般儿万般儿地无奈何。唉,往日多么傲慢的我,多么矜持的我,原来也是个孱头儿。

　　好多年前的秋天了,我们还是孩子。奶奶从集市上回来,带给了我们一人一颗桃子,她说:都吃下去吧,这是一颗"仙桃";含着桃核儿做一个梦,谁梦见桃花开了,就会幸福一生呢。我们都认真起来,全含了桃核爬上床去。我却无论如何不能安睡,想这甜甜的梦是做不成了,又不肯甘心不做,就爬起来,将桃核儿埋在院子角落的土里,想让它在那蓄着我的梦。

秋天过去了,又过了一个冬天,孩子自有孩子的快活,我竟将它忘却了。一个春天的早晨,奶奶打扫院子,突然发现角落的地方,拱出一个嫩绿儿,便叫道:这是什么呀?我才恍然记起了是它:它竟从土里长出来了!它长得很委屈,是弯了头,紧抱着身子的。第二天才舒开身来,瘦瘦儿的,黄黄儿的,似乎一碰,便立即会断了去。大家都笑话它,奶奶也说:这种桃树儿是没出息的,多好的种子,长出来,却都是野的,结些毛果子,须得嫁接才成。我却不大相信,执著地偏要它将来开花结果哩。

因为它长得太不是地方,谁也不再理会,惹人费神的倒是那些盆景儿了。爷爷是喜欢服侍花的,在我们的屋里、院里、门道里,摆满了各种各样的花草。春天花事一盛,远近的人都来赞赏,爷爷便每天一早喊我们从屋里一盆一盆端出来,一晚又一盆一盆端进去,却从来不想到我的小桃树。它却默默地长上来了。

它长得很慢,一个春天,才长上二尺来高,样子也极委琐。但我却十分地高兴:它是我的,它是我的梦种儿长的。我想我的姐姐弟弟,他们那含着桃核做下的梦,或许已经早忘却了,但我的桃树却使我每天能看见它。我说,我的梦儿是绿色的,将来开了花,我会幸福呢。

也就在这年里,我到城里上学去了。走出了山,来到城里,我才知道我的渺小:山外的天地这般儿大,城里的好景这般儿多。我从此也有了血气方刚的魂魄,学习呀,奋斗呀,一毕业就走上了社会,要轰轰烈烈地干一番我的事业了;那家乡的土院,那土院里的小桃树儿便再没有去思想了。

但是,我慢慢发现我的幼稚、我的天真了,人世原来有人世的大书,我却连第一行文字还读不懂呢。我渐渐地大了,脾性儿也一天一天地坏了,常常一个人坐着发呆,心境似乎是垂垂暮老了。这时候,奶奶也去世了,真是祸不单行。我连夜从城里回到老家去,家里人等我不及,奶奶已经下葬了。看着满屋的混乱,想着奶奶往日的容颜,不觉眼泪流了下来,对着灵堂哭了一场。天黑的时候,在窗下坐着,一抬头,却看见我的小桃树了:它竟然还在长着,弯弯的身子,努力撑着的枝条,已经有院墙高了。这些年来,它是怎么长上来的呢?爷爷的花事早不弄了,一垒一垒的花盆堆在墙根,它却长着!弟弟说:那桃树被猪拱折过一次,要不早就开了花了。他们曾嫌长得不是地方,又不好看,想砍掉它,奶奶却不同意,常常护着给它浇水。啊,小桃树儿,我怎么将你遗在这里,而身漂异乡,又漠漠忘却了呢?看着桃树,想起没能再见一面的奶奶,我深深懊丧对不起我的奶奶,对不起我的小桃树了。

如今,它开了花了,虽然长得弱小,骨朵儿也不见繁,一夜之间,花竟全开了呢。我曾去看过终南山下的夹竹桃花,也去领略过马嵬坡前的水蜜桃花,那花儿开得火灼灼的,可我的小桃树儿,一颗"仙桃"的种子,却开得太白了、太淡了,那瓣片儿单薄得似纸做的,没有肉的感觉,没有粉的感觉,像是患了重病的少女,苍白白的脸儿,又偏苦涩涩地笑着。我忍不住几分忧伤,泪珠儿又要下来了。

　　花幸好并没有立即谢去,就那么一树,孤孤地开在墙角。我每每看着它,却发现从未有一只蜜蜂去恋过它,一只蝴蝶去飞过它。可怜的小桃树儿!

　　我不禁有些颤抖了:这花儿莫不就是我当年要做的梦的精灵儿吗?!

　　雨却这么大地下着,花瓣儿纷纷零落去。我只说有了这场春雨,花儿会开得更艳,香味会蓄得更浓,谁知它却这么命薄,受不得这么大的福分,受不得这么多的洗礼,片片付给风了,雨了!我心里喊着我的奶奶。

　　雨还在下着,我的小桃树千百次地俯下身去,又千百次地挣扎起来,一树的桃花,一片,一片,湿得深重,像一只天鹅,眼睁睁地羽毛剥脱,变得赤裸的了,黑枯的了。然而,就在那俯地的刹那,我突然看见那树儿的顶端,高高的一枝儿上,竟还保留着一个欲绽的花苞,嫩黄的,嫩红的,在风中摇着,抖着满身的雨水,几次要掉下来了,但却没有掉下去,像风浪里航道上的指示灯,闪着时隐时现的嫩黄的光、嫩红的光。

　　我心里稍稍有了些安慰。啊,小桃树啊! 我该怎么感激你,你到底还有一朵花呢,明日一早,你会开吗? 你开的是灼灼的吗? 香香的吗? 我亲爱的,你那花是会开得美的,而且会孕出一个桃儿来的;我还叫你是我的梦的精灵儿,对吗?

1981 年 3 月 14 日

冬　花

　　七寸宽的,一尺长的,一件印刷品,嵌在银箔花边的玻璃框里,挂在西安画册店里出售了。我看见它的时候,它蒙着一层灰尘,已经长久没人问津。我心儿就楚楚地伤感起来:这么一件艺术珍品,在这么大个西安,竟没有多少人去欣赏!但我毕竟又十分地庆幸,立即便掏钱买回来了。

　　这是一幅日本名画,作者是东山魁夷。我得到它的那天,是一九八〇年九月十三日的黄昏。

　　我把这幅画挂在房子中央,我认为是上品妙物。那些流行小说,我只是读一遍罢了;那些热闹电影,我只是看一遍就罢了。但这幅画,一个简单的风景小品,我却看不厌腻;深深理解了绘画之所以是绘画,小说不能代替,电影不能代替;它却能表现小说、电影不能表现的东西。

　　那画儿描绘的是一个冬夜。天上有一轮月亮,满满圆圆的,又在中天,可见是十五夜晚的子时。没有一点杂云,也没有一颗星星,占去了画面的二分之一的空间。月亮却是不亮,淡极,白极,不是小说里常常描写的是一个玉镜儿,或者是一个灯笼;妥妥帖帖的应该是一个气球;也不实在,或者只是虚幻着的一团白光罢。冬天的夜里童话的世界吗?整个画面的颜色是种昏黄。那二分之一的下面盈盈的是一棵老树,或是核桃树,或是七八十年前植的苦楝,树冠呈着扇形,隆地而起的半圆。树枝一动不动的,没有一片叶子,没有一个小花小果,连一只栖鸟儿也没有;枝条错综复杂,有点儿像中国农民画的"连理枝"。全树一色灰白,虽然不是晶莹般地透明,但比夜色亮多了,不知道是落了银粉,还是挂了微霜?

画面上再没有什么了,朦胧而又安静,虚空而又平和,我只能说出它的物理成分,却道不出它的情调;或许我意会了,苦于用语言不能表达。我怕最伟大的文学家也说不出来,可任何一个平凡的人却能感觉出这是冬夜。

多么冷的一个夜晚啊,月亮欲明未明,世界在朦胧中虚去了,淡去了,只有树存在。我突然间觉得,这个地方,我是熟悉的,但是什么地方,什么时间,我却又不知道。我已经发冷,瑟瑟价抖动起来,感到衣裳太单太薄了,似乎不可忍耐了。

这是什么缘法呀,画儿,我一见到你,我就想哭呢。

那是几年前的一天,我正烦乱,心绪不收,踽踽到大街上去了。行人是匆匆的,他们像是都寻到了快活;我站在热闹之中,却显得更加孤独和寂寞,就逃进那画册店去。这画是挂在墙上的,我一眼就看见了,停下脚步,痴痴呆呆,像在千里之外突然遇见了知音,像浪迹的灵魂突然寻到了归宿,一时气沉丹田,膝腿发软,双手松松地垂下来了……

这正是我思我想的冬天!我真想就睡在这树下,像树枝儿一样僵硬,让大地就在身下,让霜泛在身上,月光照着,一起蛰去,眠过这整整的一个冬天,直到来春的"惊蛰"的那声响雷。

这幅画儿挂在我的房中,我把它像佛殿的菩萨一样供着,每每心烦意乱,就面画而坐,它似乎是安宁我的神灵,我于是得到了慰藉,得到了解脱;我觉得我是唯一能理解它的了。

有这么一回,我正看着,偶尔间在画的左角,发现了小小的两个字:冬花。这是画的题字,却竟使我大吃一惊,而且从此陷于疑惑了。那题字笔画寥寥,而且我一直未能注意。它怎么是"冬花"呢? 冬天是不可能有花的,画面上又没有画花,何以是花呢?

我是不知道的了。月下树下是没有一个人,东山魁夷又在日本,问谁去呢? 我苦闷了三天,终于看出这树是长在河边的,或者场畔的,那么,这几步之外,该是有村,有人的了。这得要去问那人了。

人呢? 在这沉沉夜里,人恐怕掩了柴门,埋了炭火,已经睡了。昨日里刮了一天风,飘走了树上最后一片叶子,今夜里,才冷得这般干,这般清;那人如何消得长夜,推开了那扇窗子,看着这树了。他是在想:今夜里有月亮了,这么地满圆;白天里发光的叫太阳,月亮是夜的太阳吧? 夜本来是极黑的,夜的太阳出来了,黑里才有了白光。这树,是枯了吗? 但昨天的风里,它并没有掉下来,它静静地在冬夜里,沉思了,默想了,或许正在做一个长长的梦,梦见春天的花、春天的叶、春天的果呢。生物学家讲:树有多高,根有多长,它在地面上是一个枝的半圆,地下的那根该是另一个半圆了,在向纵深掘进,在积蓄力量。地上地下,一个满满的圆,是贡给暮老的冬天的一个花圈? 是献给新的春天的一个花环? 那人一定是在唱了:

黑黑的天空一轮月亮,
那是夜的太阳,
孤独的太阳,孤独的灵魂,
冬夜从此不再漆黑。

茫茫的大地一棵树木,
那是冬的花蕾,
寂寞的花蕾,寂寞的灵魂,
冬天从此有了颜色。

啊,冬天并不是死寂的,冬天有花呢。这是那人看见的,也是他告诉我的。这个不知名儿的、不见脸儿的人,揉着睡眼,打着哈欠,伸舒了身骨,怕要走下炕来,步出门去;而他终没有时间走进这画里来,又去忙他的事儿了:去修理春耕的农具,去精选春播的种子……

啊,我真想唤出那人来了! 尊敬的,你肯出来吗? 带我一块度过冬天,说给我些冬天的童话,教给我些春耕的劳作,我一定要叫着你是老师,好吗?

1981 年 4 月 2 日于天水

池　　塘

　　那时候,我很幼小,正是天真烂漫的孩子,父亲在一次运动中死了,母亲却撇下我,出门走了别家。孤零零的我,就被祖母接到了乡下的老家。祖母已经年迈,眼花得不能挑针,终日忙着为人洗衣,小棒槌就在捶布石上咣当咣当地捶打。我先是守在一旁,那声响太是单调,再不能忍,就一个人到门前的池塘寻乐去了。

　　池塘里有着生命,也有着颜色,那红莲,那白鹅,那绿荷……它们生活它们的,各有各的乐趣;我却不能下水去,只是看那露水,在荷叶上滚成碎珠,又滚成大颗,末了,阳光下一丝一缕地净了,那鱼群,散开一片,又聚起一堆,倏然全然逝去,只有一个空白了。它们认不得我,我却牢牢记住了它们,摇着岸边的一株梧桐,落一片叶儿到它们身边,我觉得那便是我了,在它们之中了,千声万声地唤它们是朋友呢。

　　到了冬天,这是我很悲伤的事,塘里结了冰,白花花的,我的朋友再不见了。我沿池塘沿儿去找,却只有几根枯苇,在风里飘着芦絮,捉到一朵了,托在手心,倏忽却又飞了,又去捉回,又再飞去……祖母知道我的烦恼,一边捶着棒槌,一边抹泪,村里人却都说我是怪孩子,在寻找什么呢?

　　时间一天天过去,池塘里起了风,冰一块块融了。终有一日,我正看着,就在那远远的地方,似乎有了一个嫩黄黄的卷儿,蓦地,在好多地方,也都有了那样的卷儿。那是什么呢?我一直守了半晌,卷儿终未展开。祖母说:"啊,荷叶要出来了!"我听了,却悲伤了起来,想池水这么绿,绿得发了墨,却染不了荷叶的嫩黄,它是患了什么病吗?一个冬天里是在水里病着吗?我只知道草儿从石板下长上来,是这般颜色,这般委屈,这水也有石板一样的压迫吗?

但它终于慢慢舒展开了,一个圆圆的、平和的模样,平浮在水面就不动了。三日,五日,那圆就多起来,先头的呈出深绿,新生的还是浅绿,排列得似铺成的石板路呢。池塘里开始热闹,我的朋友又都出现,融融的,又该是一个乐园了。

没想这晚,起了风雨,哗哗啦啦喧嚣了一夜,天未亮,雨还未住,我便急忙去塘边了。果然池水比往日满了,荷叶狼藉着,有的已破碎,有的浸沉水里,我不禁呜呜啼哭起来了。

就在这时候,有一声尖叫,是那么的凄楚,我抬头看去,是一只什么鸟儿,肥胖胖的,羽毛并未丰满,却一缕一缕湿贴在身上,正站在一片荷叶上鸣叫。那荷叶负不起它的重量,慢慢沉下水去,它惊恐着,扑扇着翅膀,又飞跳上另一片荷叶,那荷叶动荡不安,它几乎要跌倒了,就又跳上一片荷叶,但立即就沉下水去,没了它的腹部,它一声惊叫,溅起一团水花,又落在另一片荷叶,斜了身子,酥酥地抖动……

我不觉可怜起来了,它是从树上的窠里不慎掉下来的呢,还是贪了好奇,忘了妈妈的叮嘱,来欣赏这大千世界了?可怜的小鸟!这个世界怎么容得你去?这风儿雨儿,使你如何受得了呢?我纵然儿在岸上万般儿同情,又如何救得你啊?!

　　突然,池的那边游来了一只白鹅,那样的白,似乎使池塘骤然明亮起来,极快地向小鸟游去了。它是要趁难加害吗?我害怕起来,正要捡一块石子打它,白鹅却游近了小鸟,一动不动地停下了。小鸟立即飞落在它的背上,缩作一团,伏在上面。白鹅叫了一声,像只小船,悠悠地向岸边游去,终于停在岸边一块石头边。小鸟扑棱着翅膀,跳下来,钻进一丛毛柳里不见了。

　　我深深地呼出了一口气,感觉到了雄壮和伟大,立即又内疚起来,惭愧冤枉白鹅了,就不顾一切地奔跑过去,抱起了它,大声呼唤着,奔跑在这风中雨中……

1981 年 5 月 19 日于西安

哭 婶 娘

　　婶娘，你死的时候，我是在西安，远隔你千里，生不能再见一面，死不能扶你入棺，死者你走得不会心甘，生者我活得不能安宁，天地这般儿残酷，使我从来没有想到，而却重重地惩罚到我的头上了。如今我站在你的坟前，我叫你一声"婶娘"！不知你可听见？我知道人总是要死的，但我却怎么也受不了你死的打击！

　　小的时候，我的父母在外地教书，过了满月，就留我在老家让你经管。夜夜我衔着你的空奶头睡觉，一把屎，一把尿，从一尺五寸拉扯我长大。我自幼叫你是娘，心里曾经这么想过：等我成人了，挣了钱了，一定好好报答你的恩情，给你买好吃的，买好穿的。但是，我长大了，工作了，工资微薄，又忙着筹备结婚，只给你买过一双棉鞋，只说婚后了，缓过几年，先不生养孩子，先不置做家具，一定报答你，没想你竟这么早便死去了。你才五十一岁，全不是该死的年纪啊！唉，都怪我太相信人的寿命了，人真是不如一棵草，真是不能掌握自己，造成我一生不可挽回的遗恨。

　　在你死的那天，我本来是在写作的，但写不上半页纸，心就慌得不行。我想这种现象以前是没有过的，一定是心电感应，怕是家里有了什么事了。我第一个想到的就是奶奶，她老人家已经七十三岁，常年瘫在床上，莫不是她要下世了？一天里惶惶不可终日，到了晚上,果然有人喊我"电报"!一听电报,我腿就软了,可接到一看,却是你死的消息。这怎么能使我相信呢?可电报明明白白写着是你,我当下就昏过去了。我担心会死的老人没有死,死的偏偏就是不应死去的你,这使谁能不伤心断肠呢?

你是命苦透了的人,古书上讲,人生福苦是平分的,早年苦了,晚年必是有福,可你却全是受苦!才过门的那些年里,咱那儿封建意识多,你只能是不敢多言的小媳妇。亏你在娘家上过几年学,能为人写个书信,县上便让你去乡政府工作,你却让伯父去了。你只说男人家在外干事,也是正事,你要在家服侍双老。可伯父一工作,又慢慢当了干部,就变心了,要和你离婚。你哭得要死,家里人也骂伯父,但伯父还是死了心,从此和家里断了关系,再不回来了。可怜你为了伯父,伯父却抛弃了你。你成寡妇,你却舍不得这家老人,老人也舍不得你这媳妇,你就一直在咱家过下来,那时候,你才三十岁,三十岁上你就守寡,熬了二十多年,只说苦要出头,福要来了,你却这么就死去了!好人没有好报,是这人世没有是非曲直呢,还是容不得你这等良善?

你一生没儿没女,一直带我在你身边。我上了大学后,你来信说你太寂寞,白日里上工、服侍老人,也就罢了,只是到了晚上,就不能入睡,三点就醒了。我看了信,伤心得直哭,想你这么爱娃疼娃的人,却没娃娃疼爱,只恨我怎么就长大了呢?后来你又来了信,说你要了一个小女,村里人都说你傻,怎么不要一个大点的,偏要受拉扯罪?可是我是理解你的。你要我给小妹起个名儿,我叫她是"慰儿",意思是来安慰你的,你几次来信感激我,说那名儿起得好。如今慰儿已长大四岁,可爱的模样,眉儿眼儿十分像你。咱这一家人,人口不旺,爷手里是兄弟五人,父手里是兄弟二人,到了我们这辈,就只有我和慰儿。你死了,孝子盆本是我来摔的,可我不在,只好让慰儿替着,可怜你走得这么孤单!等我披星戴月赶到家里,因为天热,不能久放,你已经埋了。家里一片狼藉,奶奶被人扶着,哭得昏死了过去,刚救活过来,慰儿又哭得昏过去了。我扶老携幼,不知该如何安慰他们,想奶奶长年瘫在床上,你平日端吃端喝,小慰儿还年幼,你平日疼热疼冷,你这一走,这一家人可就散了架啊,婶娘!

往日里,我的父母在外,月月将钱寄了回来,你在家主事。你为了这个家,劳心劳神,别人没吃过的苦你吃了,别人没受过的累,你受了,可你从来没有怨言。"文化大革命"那些年,我的父母进了牛棚,再没有钱寄回,家里粮食短缺,你在外东借西借,顿顿还是将热饭递到奶奶手里,我的手里。记得那年春上,奶奶生日,家里又揭不开锅了,你从外边借回一元钱,买了三斤豆腐。豆腐做好,你一筷子夹给奶奶,一筷子夹给我,我让你吃,你说你嫌豆腐有一股豆味儿,反胃。婶娘,我那时真傻,还以为那是真的,就三口两口扒吃了豆腐,后来在厨房里,却见你吞着野菜吃,我才知道你是哄了我。我后悔地哭起来,你却笑了,说我懂事,让我以后长大有钱了,再给你买多多的豆腐吃。可到现在,我一块豆腐也还未给你买了吃,你却死了。

那一年里,你在家管老管小,一颗心还牵着我的父母,常常为他们伤心落泪。正月初十那天,你把奶奶托付给邻居,就领我去二百里外的县上找我的父母。咱们身无一文,一路上讨吃要喝,你总是让我坐在村口,你去沿门讨要。后来我见你受人欺负,我要去讨,你说:"你年幼,受不了人家冷脸白眼的。"咱们就这么赶到外县,打听我父母关在一个小学校里受训。咱们去向门口站岗的说情,人家不让进去,你哭着,下了跪,一直缠到天黑,人家才同意一个人进去。你就让我去了,我见到了我的父母,他们被打得遍体鳞伤,让我不要说给你。我走出来,看见你扒在栅栏大门口往里看,你个子低,脚下垫了石头,双手努力地往上攀,一见你这模样,我没在我的父母面前哭,却哇的一声向你哭了。你也哭了,却又安慰我,说我是这个家的独苗,万万不敢伤出个毛病来。

婶娘,咱们回到家里,我却不能再去上学,同学们都骂我"狗崽子",我和他们打,又打不过,常常回家来满脸是血。你从此就不让我到学校去,在家教我学习,我真不明白,你那时还有这份心思?!我心灰了,常常不学,你发现了,狠狠地打了我一巴掌,我哭了,你也哭了,紧紧抱着我,说:"平儿,你爸妈不在,你要不好好学习,我怎么向他们交代呀?孩子,好人总是好人,学业不可丢了,咱是正经人家,可不能自己先竖不起竿子了!"婶娘,也就从那以后,我才认真地读起书来,我今日之所以上了大学,参加了工作,还不都是你教育的结果?我有了文化,写成了书本,人都夸誉我的聪明,但谁会知道这一切是你给了我的呢?

后来,父母果然平了反,我也上了大学,临走的时候,你哭哭啼啼送我一程又一程,对我说:"平儿,我没有儿,你就是我的儿,你今天有了出路,你要好好记住这是多么不容易!到社会上了,首先要好好做人,万万不可有害人之心。"我记着你的话,可是,婶娘,我却怎么也不明白,你老老实实做了一生好人,可你却怎么没能有好人的报应?我在学校,我的父母月月给我寄钱,可你还是要给我钱,我知道那是父母给你的,要你买衣服的,你却通通寄给了我。你时常做新鞋给我邮来,大学生都穿皮鞋和胶底鞋,可我却喜欢穿你做的鞋。你来信说,只要我喜欢,可以供我的鞋,一直到我有了孩子。可是如今,我还没有结婚,我就再也穿不上你那结实的,硬帮子布鞋了。

大前年的冬天,你要了慰儿,慰儿生了病,一时看不好,你抱着她到城里来住院。我那时正谈恋爱,领了女朋友去看你,你喜欢得夜里不让我们回校,硬要给我的女朋友买一双袜子。我说你手里钱紧张,你却硬不,还对她说了好多话,要她好好管着我,说我爱吃辣子,做饭不要忘了。婶娘,我们都笑你太细心,你却笑着说:"不要以后娶了媳妇忘了我呀!"婶娘,我们原准备过一个月就结婚,婚后就回来看你,在家孝顺你,你却再也吃不上我给你做的饭了,再也喝不上你侄媳妇给你烧的水了啊!

去年冬天,你又到城里一次来看我,我却出了差,你就又回去了。我回来后,遗憾了几天,怨你怎么就不给我打个电话,其实那次出差并没有走远,一个电话过去,一个小时我就回来了。可你就是没有打,怕影响我,就留下信走了。信上说:"平儿,本是来看你一面,你又不在,我也不能多呆了。我给你奶买了一条皮褥子,再给你买一只暖水壶放在门房。西安比咱那儿冷,那里又没有热炕,夜里就用暖壶暖暖被窝。灌上水了,一定要用布包上,别让烫了身子。"我读着信,放声哭了。婶娘,这暖水壶现在还在,你却走了,往后冬日的夜里,我怎么抱着这暖水壶去睡呢?我一见那暖水壶,怎么会不想到你而肝肠俱断呢?

你死了,死得这么快!家里人说,你是患了癌症,先是头疼,你以为是感冒了,并不在意,也不愿花钱看看,想扛一扛过去。后来整天发低烧,你剪短了头发,只说是热得㖄,但是,那低烧并没停止,一日不济了一日。可你还是没有告诉奶奶,没有告诉我的父母,也不给我说明,只是没黑没明地劳累,终于在前一个月睡倒了。医生来诊断,才说是患了癌症,已经到了后期。婶娘,你这病,全是劳累下的,你是让这个老的老、少的少的家劳累坏了。你生到世上,只是为着别人,别人却疏忽了你自己,你也疏忽了你自己啊!没有你,就没有我,没有这个家,如今死了你,苦了我,苦了家,苦了这村,苦了这人世的良善。你没了别人的同情、帮助,你一样能活得下去,别人没了你,却是这么地难过、孤独、痛不欲生。你是个平凡的女人,你成全了我,也培养了我做人的品德,你这品德是人世永存的。

奶奶痛哭了你几日,身体越发虚弱了,我的父母决定接她老人家到他们单位去度晚年。我坚决要领小慰儿跟我到城里去,我管她生活,管她上学,将来管她成人出嫁。我们后天就走,但是一家人都走不痛快,想我们都要走了,只留下你在这里,就不禁又哭成一团。但是,我又想,你是不会生气的,你要是活着,你也会同意的。因为你是舍不得这块故土,当年伯父走了,你没有走,这二十多年里,你没有走,你死了,也要守在这里的。可你相信,我们会永远记住你的,每年会回来看你的,你就安安地睡吧,婶娘!

1981 年 5 月 20 日晚草于静虚村

退　　婚

时间:八十年代的一个春天的早晨。

地点:一座在"文化大革命"中武斗场上新建的大楼上。

人物:年迈力衰的母亲。

时髦翩翩的女儿。

(幕启:她们已经谈论了好长时间了。)

母:啊,孩子,千万不能说出那样的话呢!你们不是热恋了好长时间吗?你们准备结婚的电视机、录音机、洗衣机、电冰箱,他不是已经给买齐了吗?

女:妈妈,我是农夫,农夫,爱情王国里的农夫!你懂吗?我耕耘着地,我播下了种子,我是日日夜夜盼望着来年的收获。是的,我会收获到粮食,同时也会收获到禾草。但是,妈妈,难道我播下种子的时候,想到的是要收获禾草吗?只有粮食丰收了,禾草也便就丰收了,可我却要收获的尽是禾草,我是为了收获禾草而播下了这颗种子!我是一个多么蹩脚的、悲惨的农夫啊,妈妈!

母:这话怎么说呢?

女:你知道我们第一次约会的情形吗,妈妈?那天,王阿姨告诉了我一切,让我七点钟去城河沿边的树林子去见他,我真是羞极了,妈妈!当我在这妙龄时期,我常常琢磨着爱情这个字眼,我不知道那是什么精灵了,那是一颗什么样奇异的种子,来自哪里,又如何落在我的处女地上,生出个什么样的芽苗?如今,它突然间来到了,使我吃惊,迷惘,手脚无措,我将不再是天真幼稚的孩子了吗?我将从此步入人生另一个谜一般和梦一般的阶段吗?一整天里,我什么也不能干了,冲动像一颗炸弹将我粉碎在天空,再也落不下来!我打扮着我自己,我知道像我这样的人是不需要打扮的,但我不可思议我一次又一次打扮自己。六点钟,我向城河沿走去,盼望着看到那片树林子的绿,但是,看见那片绿了,我却害怕了。我拧着自己,恨着自己,给自己鼓气,但还是不敢走去。啊,就在那片绿里,有一个年轻的人儿,在急切切地等我吗?他一定是有了心电感应,知道我是来了吗?我隐身在一棵树后,树激动得哗哗直抖,我蹲在草窝里,听见了蟋蟀在叫,叫得那么好听,那是喝饱了露水抒唱的生命之歌,青春之歌!但我又惊慌起来了,害怕他听见了这歌声,知道是我来了。我看见了蝴蝶在一朵花上飞起,薄翼款款闪动,茸茸的细腿上携挂着粉团……但我又害羞起来了,想这一定是他派来的色的使者、香的使者,来迎接我的?我用手捂住了它,又怕捂坏了,赶忙又放开了它,让它穿过花丛飞去了。这时候,我什么也听不见了,树林子里一片寂静,好像一切都在看着我,一切都在等待着我,每一棵树都是仪仗兵士。我出了一头一身的汗,想象着他:他是怎么在看我,怎么激动得说不出话来,那时候,满树的露珠会一下子在夕阳里闪光,我看着他的眼光,那么清澈,那么深邃,是头顶的天空,却一时使我看不清眼睛到底在哪儿。他叫一声"亲爱的",我像一株含羞草,颤抖着萎缩了,偎在他怀抱,我们在亲吻了。啊,空气里充满着他的气息,那是他的甜蜜的吻,我却如何不能分辨他的嘴在哪儿了!我大叫着,要在草地上打滚了,压倒了那草,那花,那露……可是妈妈,我终于见到他了,他却慌作一团,不敢看我,也不让我看他,低了头,只是不语,不动。末了,憋红了脸,只是说:

"你来了?"

"我来了。"

便是沉默。

"啊!……"

"啊?"

又是沉默。

"你见过老虎?"

"没有。"

"我也没有。"

母:那是老实,孩子!你难道喜欢花里胡哨的油皮吗?他第一次到咱家来,我就看出那是个老实人呢。

女:我是明白这一点的,妈妈,要不,我怎么就原谅了他,和他还是谈起来了?爱情第一次来到我的心中,妈妈,你知道吗,那竟是像天雨一样,倾盆而下,一下子泛滥了整个大地,我激动着,我珍惜着,我是经过"文化大革命"运动过来的,什么都腻了,我想钻进爱情中去,让爱情之水浮动我,萌生我,滋润我一颗干渴的心;让爱情之火去燃烧我,锤炼我,熔冶我一颗冰僵的心。匆匆地第一次见过他后,我心儿不再安宁,脸儿一直发烧,我打开了心灵之窗,迎接爱情的鸟儿飞来,我是一朵盛开的牡丹,迎接那蜜蜂儿来采;我是一柄白白的蒲公英,让风儿架了我去。我感到我的心是一列火车,轰轰隆隆地鸣叫奔驰,我感到我的心是一丛毛柳,将成群成片的鸟儿骤然吸进去,又让它们带着歌儿撒满天空。我给他写了信,第一封情书,表示了我的心情。我盼着他的来信,我想象他的信上一定要说:"我们靠在那合欢树下初恋,我感觉到那树弯曲了,那是我们的爱情的分量太重了!我们去那公园湖里荡舟,我感觉那水倾斜了,那是我们爱情的分量太重了!你是我黎明的苍穹的天边第一道彩虹,你是我中秋的夜晚白云烘托出的第一瞬间的满月,你是我的一首歌子,你是我心中意会口不能道出的思念!"妈妈,我终于盼来了他的信!我是多么快活,多么疯狂,我故意先不打开它,放纵着我的幻想,酝酿着我的诗句,一次又一次吻它,贴在胸口,感觉胸口那里是一口泉眼,水在汩汩地要往外涌,那是一窝鸽子,扑棱棱要往外飞。可是,打开了,你听听,那是什么情书呢,他写道:

"你的脸真白,白得像白面。

"你的眼真大,大得像鸡蛋。"

母:他是文化水平有些低,这你要谅解他,人哪能十全十美呢?可他对你都是一片真情哩!他不是一块和你去商店吗,亏还就能参谋你买衣服,懂得那么多衣服式样。他手也巧,大立柜也会做,落地台灯呀,沙发呀,也会做,也会裁缝。你说什么,他就干什么,什么不依着你、顺着你呢?

女:得了,妈妈,我真烦死他这一套了!他只会做,买东西,陪我去看戏,看那些推理的、打斗的电影,那有什么意思呢?你瞧,我们那次上街去,正好碰见一家画展,我们走进去看画,那儿正展出了东山魁夷的风景画。妈妈,你见过他的画吗?那才真正是艺术珍品,他运用了日本传统绘画的手法,又吸取了中国和西欧艺术的特点,创造出了日本画中从未曾有过的新的形式。那境界是那样恬静幽美,你像是在山高月小的山溪边夜行,陡然之间,你听到了袅袅渺渺的钟声,你像是漠漠沙原上苦苦跋涉的旅人,倏忽走进了一座佛殿,闻到了那香火淡淡的余荃。它展现在你面前的是青的世界,你的荒凉的寂寞得以充实,你的无尽的烦乱得以平和,你灵魂得以安宁,俗念得以净化。妈妈,当我站在那幅题为《冬花》的画面前,我不知怎么了,步儿再也迈不动,眼睛潮湿了,感到了一阵森骨的寒冷。那天空是一轮月,不是镜片儿的锃亮,也不是气球儿的轻薄,蒙蒙的,昏昏的,就浮在空中。那地上的古树,是核桃树吧,是老槐树吧,是那么安静,那么沉稳,夜是子时,霜已结晶,全凝了它的茎、它的枝,可怜怜没一片响叶,没一朵艳花,连一只鸟儿也不肯歇落。它是我吗?妈妈,它真是我!但是,当我久久凝视着它的时候,我突然醒悟到,这树并没有死,它是在冬夜里沉思呢!我感觉到了,那树的枝头,春天的气息已经到来,已经在皮下,在木质里流动了,那秋日脱落的叶柄之处,伤口已经要愈合,汁液溢出,聚起了一圈木瘤,准备着雪后春风到来时的新生。那地下的根呢,也是这地上的枝一样长,一样的密吧,为了春风中的枝叶的新生,它是在向何方掘进,是在吸取着何种养分?我不觉大叫起来,可是他呢,却显得毫无表情,在一旁闷声儿抽烟,显得不耐烦,又看着我,做出一种宽容的神气。我当下差不多就要气昏了,靠在那墙上,小腿软下去，他扶住我，问我怎么啦，说全是这种无聊的画儿疲倦了我……妈妈，你瞧瞧，他就是这样的人啊！

母：你一直在说些什么呀，孩子？那画我也是看过的，那确实是没有意思的画，何况这又与他有什么不是呢？他不是仅仅不爱它罢了，那又有什么了不起的事呢?！

女：那怎么没有什么呢？难道让我以后只是回家去了做做饭，睡睡觉，生孩子，当衣服架子吗？哼，他还是个十分自私自利的家伙！

母：他不是挺大方吗？

女：他只是在我的吃的、穿的上大方罢了！可谁稀罕那些呢？除此之外，我要干什么，他都要干涉，我什么都属于他的了，这实在使我忍受不了！妈妈，你想想，人是什么？人是流通感情的高级动物，有它的思维、它的幻想、它的追求、它的探索！我跟他在一起，我实在是腻透了！我就一个人到田野去，在那条土路上，骑我的自行车，喜欢去追赶天边的那道地平线。啊，那是多么美妙的有诗意的境界！路是漫漫的，像蔓延在大地上的一道河流，有时泛滥开来，宽阔无比，有时拘束起来，仄仄斜斜。我骑在车上，看那天边有一道白光，太阳正要从那里升起，白光里燃起了火的光芒，那光是诱人的、激动人心的，我拼着命儿奔去，但那白光依然不大，不小，横亘在天边。这么一次，又一次，这么一天，又一天，我明白了我要走向地平线的企图是虚妄的，我要拥抱太阳的希望是飘渺的，但它却并没有使我烦心懒意。我想，如果真要我有一天企图达到了，希望实现了，那我将一日也不可再呆在这世界了！正是这么永远不可到达,永远不可拥抱,我才千百次、万百次地来企图、希望,每一次又神奇地是一次新的内容,每一次都有一次新的激动。

母:孩子,你这是发疯了?

女:是的,妈妈,他就这么斥责过我,他每次见我去田野,就要陪伴着我。我真恨死了他,处处躲着他。我又去游泳了,在那无色无味的水里,我想怎么游就怎么游,我去请教任何人,求人家教我更多的姿势。有一个人,他是水边的常观,我也是水边的常观,我们认识了,一块沉在水底,一块又浮在水面,又一块躺在池岸。他那风中的一头的黑发,那一身健壮的肌肉,给我了力的旋律、生命的交响。这个时候,我们深深感到了自然的美、不修饰的美。游泳池,妈妈,这是自然的归返地!丑的、美的,不用衣服去装饰,不用粉脂去化妆,我们站在那里,让太阳照着,让风吹着,大声地击水,说,笑;一切在无遗地表现自己,一切达到了美的境界和诗的天国。这是多么自由自在啊!我们互拍下这一时刻,留下了不可忘却的珍贵纪念,啊!

母:那个人是谁,叫什么名字?

女:不知道,何必要知道他是谁呢?他叫什么名字又和我有什么关系呢?

母:那怎么能行呢,孩子!

女:吴实就嫉恨起那个人了,他拿着我的照片,说我是流氓。妈妈,你瞧瞧这照片,这是流氓吗?

(照片:一个只穿了三角奶罩和三角裤头的裸体。)

母:啊,你,你真是个流氓!

女：什么?!

母：流氓,高级流氓!

女：这怎么是流氓?

母：我一切都明白了,出现的一切矛盾、是非,这完全都是怪你。我坚决不同意你和吴实退婚,坚决不同意!

女：哎呀,我该怎么和你们说话呢?! 我的话呢,我的嘴呢? 天呀,我只说世界这么广阔,我是一只快乐的小鸟,我可以任意飞翔,到这棵树上,也到那棵树上,到处都是停歇我的绿枝青叶,我走到哪里,风就为我而轻柔,花就为我而放香,水就为我而流动,我是这个树林子里的精灵,骄子,天使!……可是,可是,世界就是这么地不肯容我? 爱情原来是我手中的一把笊篱,一滴水也捞不到! 希冀原来是天上的云雾,聚集得那么沉重,蓄着水分,携着雷电,陡然间却又散失净尽! 留在水中的,只是那个冰冷冷的月魂? 留在镜中的,只是那个清淡淡的花影? 人就是这么孤独,这么不好理解吗?! 他不能理解我,妈妈你也不能理解我,而我又是多么不理解你们啊!!

1981 年 6 月 4 日草于静虚村

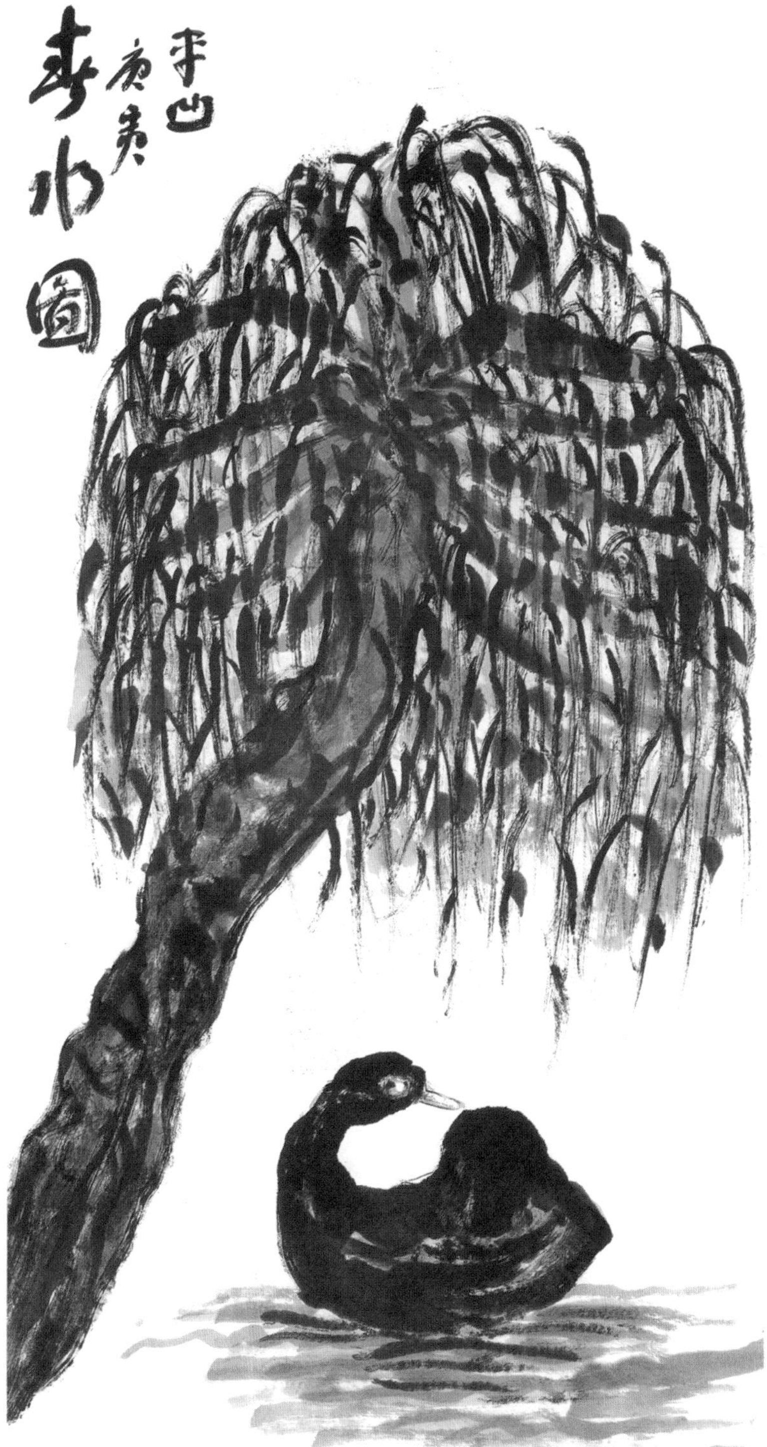
春水图
庚寅
平山

静中開花

天上的星星

大人们快活了,对我们就亲近,虽然那是为了使他们更快活,我们也乐意呢;但是,他们烦恼了,却要随意骂我们讨厌,似乎一切烦恼都要我们负担,这便是我们做孩子的,千思儿万想儿,也不曾明白。天擦黑,我们才在家捉起迷藏,他们又来烦了,大声呵斥,只好嗫嗫地出来,在门前树下的竹席上,躺下去,纳凉是了。

闲得实在无聊极了。四周的房呀,墙呀,树的,本来就不新奇,现在又模糊了,看上去黝黝地似鬼影。天上月亮还没有出来,星星也不见,昏亮亮的一个大大的天空。我们伤心了,垂下脑袋,不知道这夜该如何过去,痴呆呆儿守着瞌睡虫爬上眼皮。

"星星!"妹妹突然叫了一声。

我们都抬起头来,原本是无聊得没事可做,随便看看罢了。但是,就在我们头顶,出现了一颗星星,小小的,却极亮极亮,分明看出是有无数个光角儿的。我们就好奇起来,数着那是四个光角儿呢,还是五个光角儿,但就在这个时候,那星的周围里,又出现了几个星星,这是那么一瞬间,几乎不容觉察,就明亮亮地出现了。啊,两颗,三颗……不对,十颗,十五颗……奇迹是这般迅速地出现,愈数愈多,再数亦不可数,一时间,漫天满空,一片闪亮,像陡然打开了百宝箱,灿灿的,灼灼的,目不暇接了呢。我们只知道夜夜天上要有星星,但从没注意到这么出现,那是雨天的池塘,霎时浮了万千水泡?又是无数沉睡的孩子,蓦地睁开了光彩的眼睛?它们真是一群孩子呢,一出现就要玩一个调皮的谜儿啊!这些鬼精灵儿,从哪儿来的?是一个家族的兄妹,还是从天涯海角集合起来,要开什么盛会了呢?

夜空再也不是荒凉的了,星星们都在那里热闹,有装熊的,有学狗的,有操勺的,有挑担的,也有的高兴极了,提了灯笼一阵风似的跑……我们都快活起来了,一起站在树下,扬着小手。星星们似乎很得意了,向我们挤弄着眉眼,鬼鬼地笑。

过了一会儿,月亮从村东口的那个榆树桠子里升上来了。它总是从那儿出来,冷不丁地,常要惊飞了树上的鸟儿。先是玫瑰色的红,像是喝醉了酒,刚刚睡了起来,蹒跚地走。接着,就黄了脸,才要看那黄中的青紫颜色,它就又白了,白极白极的,夜空里就笼上了一层淡淡的乳白色气。我们都不知道这月亮是怎么啦,却发现那些星怎么就少了许多,留下的也淡了许多,原是灿灿的亮,变成了弱弱的光。这竟使我们大吃了一惊。

"这是怎么啦?"妹妹慌慌地说。

"月亮出来了么。"我说。

"月亮出来了为什么星星就少了呢?"

我们面面相觑,闷闷不得其解。坐了一会儿,似乎就明白了:这漠漠的夜空,恐怕是属于月亮的,它之所以由红变黄,由黄变白,一定是生气星星们的不安分,在吓唬着它们哩。

"哦,月亮是天上的大人了。"妹妹说。

我们都没有了话说。我们深深懂得做大人们的威严，又深深可怜起这些星星了：月亮不在的时候，它们是多么有精光灵气，月亮出现了，就变得这般猥琐了。

我们突然又回想起了一切：原来天上并不甚好，月亮睡着了的时候，它才让星星出来，它出来了，就要星星退去。那纷纷扬扬的雪片，五个角的，七个角的，全是薄亮亮的，不就是星星的尸骸吗？或许，就燃起晚霞的大火来烧它们，要不，星星为什么从来就没有叶，也没有根，只是那么赤裸裸的星颗呢？

我们再也不忍心看那些星星了，低了头走到门前的小溪边，要去洗洗手脸。谁也不言语，默默想着我们做孩子的不幸：是我们太小了，太多了吗？

溪水浅浅地流着，我们探手下去，才要掬起一抔来，但是，我们差不多全看见了，就在那水底里，有着无数的星星。

"啊，它们藏在这儿了。"妹妹大声地说。

我们赶忙下溪去捞，但无论如何也捞不上来，看那哗哗的水流，也依然冲不了它们。我们明白了，那一定是星星不能在天上，偷偷躲藏在那里了。我们就再不声张，不让大人们知道，让它们静静地躲在那里好了。

于是，我们都走回屋里，上床睡了。却总是睡不稳，害怕那躲藏在水底的星星会被天上的月亮发现吗？可惜藏在水底的星星太少了，那无数的还在天上闪着光亮。它们虽然很小，但天上如果没有它们，那会是多么寂寞啊！

大人们骂我们不安生睡觉了。骂过一通，就打起鼾声。我们赶忙爬起来,悄悄溜到门外,将脸盆儿、碗盘儿、碟缸儿都拿了出去;盛了水,让更多更多的星星都藏在里边吧。

1981年6月15日晚于静虚村

云　雀

小小的时候,我眼见过一个奇妙的现象,便不敢忘去;一直到现在,我已是垂垂暮年了,但仍还百思不得其解呢。

我们的隔壁,是住着一位老头的。他极能养鸟,门前的木架上,吊下各式各样的鸟笼,里边住着云雀、绿嘴、画眉、黄鹂儿……尽是些可怜可爱的生灵儿。整天整天里,我们就守在那鸟笼下,听着它们鸣叫。叫声很是好听,尤其那只云雀,像唱歌一样,打老远就能听见,使人禁不住要打一个麻酥酥的颤儿了。

时间一长,那云雀声就不比以前那么脆了,老头便给它吃最好的谷,喝最清的水,稍不鸣叫,就万般逗弄,于是它就又叫起来了。但它叫起来的时候,总是在笼里不能安宁,左一撞,右一碰的,常常把黄黄的小嘴从笼格里挤出来,盯着高高的云天,叫得越发哑了。

"它唱得太疲劳了。"我们都这么说,便去给老头建议,不要逗弄它了吧。

但是,每每黎明的时候,它就又叫起来了,而且每个黎明都叫。我们爬起来,从窗口里看去,天刚刚发亮,云升得很高很高,老头并没有起床呢。于此才明白别人不逗弄它,它还是每天要叫的,依然嘴挤在笼格外边,翅膀扑闪着,竟有几根茸茸的羽毛掉了下来。

"它在练嗓子吗?"妹妹说。

"不,它那嗓子已经哑了。"我说。

"那它为什么还要唱呢?"

"谁知道呢? 你听,它是在唱一支忧郁的歌吗?"

细细听起来,果然那叫声充满了忧郁,那往日里悠悠然的叫声原来是痛苦的呼喊呢?!

"是它肚子饥了,渴了吧?"妹妹又说。

我们跑过去,要给它添些食儿,却看见笼里,满满地放着一盘黄谷、一盘清水:这便又使我们迷糊了。

"一定是向往着云天吧。"

我们这么不经意地说过,立即便觉得是很正确的了。想,它未被老头捉住之前,它是飞在天上的,天那么空阔,天便全然是它的;黎明的时候,它一定是飞得像云一样地高,向黑暗宣告着光明。如今,黎明来了,它却飞不出去,才这么发疯似的抗议了! 我们在笼下捡起那抖落下的羽毛,深深地感到它的可怜了。

我们把这想法告诉给老头,老头笑我们可爱,却终没有放了它去。它每天还是这么叫着,唱那一支忧郁的歌。

我们终于不忍了,在一个黎明,悄悄起来,拆开了笼的门,放它出去了。它一下子飞到了柳树梢上,和柳梢一起激动,有些站不稳,几乎就要掉下来了,但立即就抖抖身子,对着我们响亮地叫了一声,倏忽消失在云天里不见了。

老头发觉走失了云雀,捶胸顿足了一个早上,接着就疑心被人放走的,大声叫骂。我们听了,心里却充满欢乐,觉得干了一件伟大的事情。

云雀飞走了,我们却时时恋念着它,当看着那笼里的绿嘴、黄鹂、画眉,就想它这个时候,是在天的哪一角呢?在云的哪一层呢?它该是多么快活,那唱的,再也不是忧郁的歌了,而是凌云之歌、自由之歌、生命之歌了啊!

一天过去了,两天过去了,突然,我们在那棵柳树上,却发现了它。它样子很单薄,似乎比以前消瘦多了,也疲倦多了;在风里,斜了翅膀,上下怯怯地飞。我们惊喜地呼唤它,但立即就赶走了它,怕那老头发现了,又要捉它回去。

但是,就在第四天的早上,我们刚刚醒来,突然就又听到了云雀的叫声。赶忙跑出门,看那柳树,柳树上没有它。老头却在大声地喊叫我们了:

"啊,云雀,还是我的那个云雀!"

我们看时,老头正提着那个鸟笼。笼门已经重新封了,云雀果然就在里边,一声一声地叫。这使我们大惊失色,责问他怎么又捉了它,老头说:

"哪里!是它飞回来的。这鸟笼一直在那里空着,它就飞回来了呢。"

"这怎么可能呢?"我们说。

"怎么不可能呢?"老头说,笑得更得意了,"我已经喂它两年了,这笼里多舒服啊!"

我们走近去,云雀呆在那里,急急地吃着那谷子,喝着那清水,好像它一直在饿着,在渴着,末了,就静静地卧下来,闭上了眼睛,作着一种疲乏后的休息。

我们默默地看着它,这只美丽的云雀,再没有说出话来。

1981年7月22日作于静虚村

落　　叶

窗外,有一棵法桐,样子并不大的,春天的日子里,它长满了叶子。枝根的,绿得深,枝梢的,绿得浅;虽然对列相间而生,一片和一片不相同,姿态也各有别。没风的时候,显得很丰满,娇嫩而端庄的模样。一早一晚的斜风里,叶子就活动起来,天幕的衬托下,看得见那叶背上寥寥的绿的脉络,像无数的彩蝴蝶落在那里,翩翩起舞,又像一位少妇,风姿绰约的,作一个妩媚媚的笑。

我常常坐在窗里看它,感到温柔和美好。我甚至十分忌妒那住在枝间的鸟夫妻,它们停在叶下欢唱,是它们给法桐带来了绿的欢乐呢,还是绿的欢乐使它们产生了歌声的清妙?

法桐的欢乐,一直要延长一个夏天。我总想那鼓满着憧憬的叶子,一定要长大如蒲扇的,但到了深秋,叶子并不再长,反要一片一片落去。法桐就消瘦起来,寒碜起来,变得赤裸裸的,唯有些嶙嶙的骨。而且亦都僵硬,不再柔软婀娜,用手一折,就一截一截地断了下来。

我觉得这很残酷,特意要去树下捡一片落叶,保留起来,以作往昔的回忆。想:可怜的法桐,是谁给了你生命,让你这般长在土地上?既然给了你这一身的绿的欢乐,为什么偏偏又要一片一片收去呢?!

来年的春上,法桐又长满了叶子,依然是浅绿的好,深绿的也好。我将历年收留的落叶拿出来,和这新叶比较,叶的轮廓是一样的。喔,叶子,你们认识吗,知道这一片是那一片的代替吗?或许就从一个叶柄眼里长上来,凋落的曾经那么悠悠地欢乐过,欢乐的也将要寂寂地凋落去。

然而它们并不悲伤,欢乐时须尽欢乐;如此而已,法桐竟一年大出一年,长过了窗台,与屋檐齐平了!

我忽然醒悟了,觉得我往日的哀叹大可不必,而且有十分的幼稚呢。原来法桐的生长,不仅是绿的生命的运动,还是一道哲学的命题在验证:欢乐到来,欢乐又归去,这正是天地间欢乐的内容;世间万物,正是寻求着这个内容,而各自完成着它的存在。

我于是很敬仰起法桐来,祝福于它:它年年凋落旧叶,而以此渴望着来年的新生,它才没有停滞,没有老化,而目标在天地空间里长成材了。

1981 年 8 月 16 日作于静虚村

品　　茶

　　西安城里，有一帮弄艺术的人物，常常相邀着去各家，吃着烟茶，聊聊闲话。有时激动起来，谈得通宵达旦，有时却沉默了，那么无言儿呆过半天；但差不多十天半月，便又要去一番走动呢。忽有一日，其中有叫子兴的，打了电话，众朋友就相厮去他家了。

　　子兴是位诗人，文坛上负有名望，这帮人中，该他为佼佼者。但他没有固定的住处，总是为着房子颠簸。三个月前，托人在南郊租得一所农舍，本应是邀众友而去，却突然又到西湖参加了一个诗会，得了本年度的诗奖。众人便想，诗人正在得意，又迁居了新屋，去吃茶闲话，一定是有别样的滋味了。

　　正是三月天，城外天显得极高，也极青。田野酥软软的，草发得十分嫩，其中有蒲公英，一点一点地淡黄，使人心神儿几分荡漾了。远远看着杨柳，绿得有了烟雾，晕得如梦一般，禁不住近去看时，枝梢却并没叶片，皮下的脉络是楚楚地流动着绿。

　　路上行人很多，有的坐着车，或是谋事；有的挑着担，或是买卖。春光悄悄儿走来，只有他们这般儿悠闲，醺醺然，也只有他们深得这春之妙味了。

　　打问该去的村子，旁人已经指点，问及子兴，却皆不知道，讲明是在这里住着的一位诗人，答者更是莫解，末了说：

"是×书记的小舅子吗?那是在前村。"

大家啼笑皆非,唱叹良久,凄凄伤感起来:书记的小舅子村人尽知,诗人却不知为然,往日意气洋洋者,原来是这样的可怜啊!

过了一道浅水,水边蹲着一个牧童,正用水洗着羊身。他们不再说起诗人,打问子兴家,牧童凝视许久,挥手一指村头,依然未言。村头是一高地,稀落一片桃林,桃花已经开了,灼灼的,十分耀眼。众人过了小桥,桃林里很静,扫过一股风,花瓣落了许多。深走五百米远,果然有一座土屋,墙虽没抹灰,但泥搪得整洁,瓦蓝瓦蓝的,不曾生着绿苔。门前一棵荚子槐,不老,也不弱,高高撑着枝叶,像一柄大伞。东边窗下,三根四根细竹,清楚得动人。往远,围一道篱笆,篱笆外的甬道,铺着各色卵石,随坡势上下,卵石纹路齐而旋转,像是水流。中堂窗开着,子兴在里边坐着吟诗,摇头晃脑,得意得有些忘形。

众人呼叫一声,子兴喜欢地出来,拉客进门,先是话别叙情,再是阔谈得奖。亲热过后,自称有茶相待,就指着后窗说:好茶要有好水,特让妻去深井汲水去了。

从后窗看去,果然主妇正好在村口井台上排队,终轮到了,扳着辘轳,颤着绳索,咿咿呀呀地响。末了提了水罐,笑吟吟地一路回来了。

众人看着房子,说这地方毕竟还好,虽不繁华,难得清静,虽不方便,却也悠暇,又守着这桃花井水,也是"人生以此足也"。这么说着,主妇端上茶来,这茶吃得讲究,全不用玻璃杯子,一律细瓷小碗。子兴让众人静静坐了,慢慢饮来。众人窃窃笑,打开碗盖,便见水面浮一层白气,白气散开,是一道道水痕纹,好久平复了。子兴说,先呷一小口,吸气儿慢慢咽下,众人就骂一句"穷讲究",一口先喝下了半碗。

君子相交一杯茶,这么喝着,谈着,时光就不知不觉消磨过去,谁也不知道说了多少话,说了什么话,茶一壶一壶添上来,主妇已经是第五次烧火了。不知什么时候,话题转到路上的事,茶席上不免又一番叹息,嘲笑诗人不如弃笔为政,继而又说"阳春白雪,和者盖寡",自命清高。子兴苦笑着,站起来说:

"别自看自大,还是多吃茶吧!怎么样,这茶好吗?"

众人说:

"一般。"

"甚味?"

"无味。"

"要慢慢地品。"

"很清。"

"再品。"

"很淡。"

子兴不断地启发,回答者不使他满意,他有些遗憾了,说:

"这是龙井名茶啊!"

这竟使众人都大惊了。他们住在这里,一向是喝着陕青茶,从来只知喝茶就是喝那比水好喝一点的黄汤,从来不知茶的品法;老早听说龙井是茶中之王,如今喝了半天了,竟没有喝出特别的味儿来,真可谓蠢笨,便怨恨子兴事先不早说明,又责怪这龙井盛名难副,深信"看景不如听景"这一俗语的真理了。

"好东西为什么这么无味呢?"

大家觉得好奇,谈话的主题就又转移到这茶了。众说不一,各自阐发着自己的见解。

画家说:

"水是无色,色却最丰。"

戏剧家说:

"静场便是高潮。"

诗人说:

"不说出的地方,正是要说的地方。"

小说家说:

"真正的艺术是忽视艺术的。"

子兴说:

"无味而至味。"

评论家说:

"这正如你一样,有名其实无名,无乐其实大乐也!"

众人哈哈一笑,站起身来,说时间不早了,该回家去了,就走出门来,在桃林里站了会,觉得今日这茶品得无味,话也说得无聊,又笑了几声,就各自散了。

作于1981年9月17日午西安

访　　梅

小时候,对于我们这些孩子,冬天实在是单调的日子;春天夏天的花花绿绿的色彩,全然消失了,甚至连一只花翎的鸟儿也飞绝了。到处是一片白。游戏也懒得去做,顶多是去大场踢毽子,踢上一气,也索然无味。只好呆在家里的火塘边看那红光,看着看着,那火烧到旺处,却也成了白色。正难熬着,听奶奶说,舅爷要来家了。这使我们十分高兴,盼了整整十天,差不多要失望了,他才姗姗来了。

舅爷是个画家,住在远远的大城里,听奶奶说,他的名气老大,在国外也办过画展。但我们翻看他的画集,却并不佩服他,他的画简单极了,每幅画都懒得去画满,往往就是那么几块几笔水墨,那蚂蚱,似乎并不就是蚂蚱;那小鱼,似乎并不就是小鱼,我们当时就哧地笑了,觉得跟我们的画差不多呢。于是乎,他来后的第二天,我们就不敬而远之了,随便着和他对话,笑上几声,缠他讲城市的故事,日子也觉得有些生气。但是,他却提出要出外作画去,大雪天里,天地一片儿白,有什么可画的呢?我们很有几分疑惑,更有了几分好奇,便闹嚷嚷地厮跟了他去。

从窄窄的雪巷里蹚出去,过了大场,一直往村后的小山包上走去。山包上雪落得很厚,夏天里,我们在这里捉毛老鼠的那片乱坟,什么凹的凸的地也没有了;夜里打着手电,悄悄来掏灰鸽子的树上,没了窠儿,也没有一片叶子。这里有什么可画的呢?舅爷拣着一块石头坐下,眯缝了那双眼睛,左看看,右看看,看远又看近。足足那么了半个时辰,就拿出画夹,开始画起来了。我们一眼一眼看,看着看着,果然天地单调,画面更单调。

"单调吗?"舅爷说。

"单调极了,"我们说,"我们给你寻些能画的色彩吧。"

"找些什么色彩呢?"

"譬如梅花,那花是多么红呢!"

舅爷笑了,叮咛我们小心去寻。

"去吧,舅爷等着你们寻来最美的东西。"

我们跑去了,先是到了东边,那是一慢斜坡,稀稀地站着几株柿树,如今光裸裸的,没有一颗红艳艳的果子,铁似的枝条,衬在雪里,似乎在作着沉思。再往远去,有一簇村庄,屋顶蓝铮铮的瓦没见了,村前那口满是绿荷的池塘没见了,村口跑出一头毛驴,也是满身潮了霜,灰不溜丢的。

我们又跑到山包北边,下去一里,便是清阳河了。往日里,那是个大草坝,上面有着青茵茵的草,草里长着花,黄的,红的,紫的,蓝的。我们把羊赶上去,羊在啃草,我们就采花编着花环,傍晚回家,我们脖子上挂着花环,羊脖子上也挂着花环。可如今,什么也没有了,雪埋得平平的,偶尔看得见一从草尖冒上来,那已经干枯了,霜冻得很硬,一有风就喔嘟嘟响。

我们又跑到山包西边,心想这儿一定是会有梅的,因为长着密密的树。但是,我们细细地在树林子里找了,并没有什么梅的,甚至连别的什么颜色的东西也没有。我们一下子都坐在雪窝里,觉得这冬天里,实在是没有什么可画的色彩了,一时之间,又觉得舅爷可笑:连色彩都没有,还谈得上什么美吗?真后悔不该这么跑了山包的几面坡,更后悔压根儿就不该跟着舅爷到这里来呢。

可是,我们转回到舅爷那儿,他却已画了四张画,虽然又是那么几笔,树并不就是那树,桥并不就是那桥。看见了我们,说:

"孩子,寻到了吗?"

"什么也没寻到。"

"只是白的吗?"

"只是白的。"

"好了,找到了。"

"找到了?找到什么了?"

"找到了只是白的。"

"白的有什么意思?"

"你们想想,天是什么?天是云。云是什么?云是蒸汽。蒸汽是什么?蒸汽是水。水是什么?水是白的。天上地下,哪一样不是白色的呢?白色是最美的色彩呢!"

"那么说,"我们一时狐疑了,"什么东西里,什么时候难道都有美吗?!"

"对了,孩子!美是到处都有的,但美却常常被人疏忽了。你们总是寻那大红大绿,可红得多了,可以使你烦躁;绿得多了,可以使你沉郁;黄得多了,可以使你感伤,只有这白色是无极的,是丰富的,似乎就无极得无有,丰富得荒凉了呢。"

我们都哑然了,虽然听得并不甚明白,但毕竟惭愧起来,而且自那以后,愈来愈加深了理解,深深地后悔辜负了多少个冬天,使多少个美好的东西毫无意义地无知地消磨过去了。

            作于 1981 年 9 月 25 日

夜游龙潭记

×年×月×日,携弱妻幼女,告假往商洛龙驹寨拜友。夜里住在寨东山湾下的村子,时已下了几日暴雨,偶尔晴空,一觉醒来,见月亮出得满圆,悄悄临窗照着;正想这月儿出得奇怪,却听见一种轰轰闷音,沉沉的,又有一些清脆韵律,恰似老驴拽动一台石磨,有磨石声,也有驴铃声。一时疑惑不解,未能入睡;翻身走出门来,见村里的柿树,红叶尽落,满村巷铺了一层。去后院寻朋友打问,他却也已起来,曰:龙潭瀑布。

这便又使我奇了,我走过多少名山大川,见过的瀑布全不是这般儿声响,便忍不住要去看看。朋友说瀑布就在村后山中,并不甚远,向导我就去了。村后就是湾里,一道白水淌下来,却悄然无声,柔弱弱的,像一位寂寞的寡妇,使人添几分悲凄;知这水闹时喧嚣,静时平和,又是同别处不一样了。步行一里,路逼仄起来,是凿在崖畔的,上载危岩,下临河谷,蛇行而上,树影落在上面,款款浮动,恍惚路移而恐于举步。正踟蹰间,脸上有了感觉,凉湿湿的,我惊慌着:又下雨了?朋友已经前去,立在一块石头上叫着:"到了!那是瀑布水沫。"

果然,石崖走过,看见前面一色白茫,上接月空,漠漠不见源头;下注深谷,濛濛亦不辨终底。月下看不见那水汽的五光十色,也不见飞腾的霓虹彩环,满世界只有一个乳白色的谜!朋友说,这便是龙潭了,潭底渊博,下有无数支立的磐玉,形成洞穴,水注下去,嗡嗡轰轰的声响中就有了锵音,夜静可传十余里地呢。我听得出奇,欲要下潭亲眼儿看看,又恐深处危险;朋友竟牵我从瀑布旁的石梯而上了,说:咱们去荡舟好了。

山上还有舟荡,这更使我奇了。随那百十多层石梯上去,又到了一处山坡。山坡上满是老柏,奇形怪状,俨然是一山人物:繁枝如慈母的,怒虬如强盗的,挺拔如伟岸丈夫的,弯曲如阿谀小人的……从柏林中穿过,正感叹这无言又无声的芸芸人间,方觉自己站在一片淼水边上了。原来在瀑布石台上,两岸窄窄的黑崖间,矗起了一座水泥大坝,将水蓄成一个偌大的水库;暴雨涨溢,翻过滚水坝梁,难怪瀑布那么壮观,它的源头竟是如此大一个深湖了!

"你知道吗?"朋友一直向我提问,侃侃夸耀着这潭水,"这里有一个神话故事呢,传说当年楚军入秦,潭中出现一匹龙驹马,项羽得了,这便是乌骓。"

噢,天下闻名的乌骓,原是出于这里?!古人曰,山不在高,有仙则名,水不在深,有龙则灵;这里瀑布比别处神奇,莫非原因在此?我站在坝顶,尽力往下看去,却什么也看不出来,想:难道这潭里只出了一个乌骓,是否能再跃出一个?是潭里已无龙无驹了,还是少了知马伯乐不再显世呢?

朋友早跑近水边,解了树根系着的小舟,在那里叫我了。我走下去,这舟长不满三尺,宽不足尺五,两人进去,一前一后,恰身而坐,但觉四面空洞,月光水影,不可一辨。桨起舟动,奇无声响,一时万籁静寂,月在水中走呢,还是舟在湖上移,我自己却早已不知身到了何处,欲成仙超尘而去了。

舟到湖心,骤然起了山风,库区是几道沟岔,风从各沟扫来,在湖面纠缠,方向不可捉摸,霎时水兴浪涌,满湖星斗碎玉烂银了般,我们一时骇然,奋力撑划,不能掌握,舟在水中颠簸旋转,正艰难,偶尔看见左前边有一小石岛,我们拼命儿向那里靠,几欲靠近,几次又冲脱。我大惊失色,害怕一时失了平衡,葬身水底,又怕舟撞石块,摔个粉碎,只叫苦今晚要吃亏了。朋友一个努力跃身,当的一声,将手中的桨钩住了石岛上的一个石坎儿,小舟剧烈的一个颤抖,悠悠靠近了。

我们慌忙跳上小岛,待要系那舟时,舟已飘然而去,没了踪影,小岛四面唯是一片空白。小岛并不见大,十米方圆,我们相依相偎。一身湿水,被风一吹,冻得簌簌价抖,听满湖啸嚣,如千军万马厮杀战场,我身骨儿都吓得软了,只念叨这水库里竟还有这么个救生岛,可这么四面水围,如何下场呢?朋友安慰我,说这本是南坡半崖伸出的一个石嘴,平日并不见水,暴雨起洪,水位高了,才淹成这个模样,就让我呆着,他去南边探那石嘴脊梁了。

我瓷眼儿呆着,便见小岛的尖端儿上,孤孤地长着一株野枣刺,已经无枣无叶,黝黑的、铁条似的枝条,千百万次地在风中倒伏,响着锵啷啷的铜的声音,但又千百万次地直起身来终未断去。我不觉惊异起它来,觉得草木坚强,人却可怜,一时又觉惊悟:这么一个小岛上,孤孤长它一株,是专意儿给我以灵魂,给我以力量来的吗?

朋友探路过来,说石嘴脊梁上水很浅,但高低窄陡,需得小心。慢慢涉水上了南岸,欲想从原路返回,已是不可能了,朋友就扶我攀援南山坡,从那边的小路上绕道回去了。

返回家里,妻女还在酣睡,我便再没去就寐,愈想愈奇,捻灯就记下这次夜游;写毕,天并未明,妻女依然还在昏睡中。

陈　　炉

　　从铜川往东南去,有一脉山,其实并不可称作山的,没有树,也没有明石,是渭北的黄土塬的沟壑。沟底极深极深,终年却不见流水;弯弯曲曲地往深处去,沿途的埝壁上都凿有窑洞,上载危崖,下临深谷,窑门口吊着印花布帘,洞前丈余见方的场地上,有小儿敲着瓷盆儿嬉闹着。走到十余里,沟道宽起来,壑势平缓,这儿一洼,那儿一塄,是极不规矩的凹凸,长短不一的瓷管儿竖在那里,青烟就端端冒出来,而且有了鸡啼。这便是一个村了。屋舍院落看不见,人家都住在塄下:凿洞而入,迎门盘炕,将烟囱在塄上的什么地方。再往深走,沟壑却慢慢束了,愈束愈窄,愈窄愈深,末了,一个山嘴,全然挡了去路。路面上不再是黄的虚土,有了碎瓷片儿,一闪一亮的。正疑惑间,"晃晃晃"的,山嘴那边闪出一头毛驴来,有妇人赶着,驴驮上一边是瓷盆,一边是瓷碗;打问道路,她用鞭往弯后一指,笑笑的,一路悠然去了。挥步儿转过山弯,眼前豁然一亮,神奇般地出现一个偌大天地,这便是到了陈炉了。

　　陈炉,渭北的瓷城,一个很有特色的富极美极的地方。

　　早年的山头上,曾有过一座窑神庙的,相传每年正月二十日,奠太上老祖,香火十分昌盛。如今庙宇已经倒塌,荒草里还残留着几块断碑,黄土垢蒙,青苔复掩,费力擦洗,上边寥寥笔文,隐约可辨,曰:"周至八年,重修几次"。北宋末年,金兵入侵中原,铜川黄堡镇"十里窑场"皆"原料之便",数百年"延传不衰"。陈炉的陶瓷究竟名气多大,销路多广,至今谁也说不甚清,只是这里遍地坩土,原是狭窄的沟壑,硬挖掘烧去,阔出了宽二里、长五里的盆地来呢;年年月月有,日日夜夜,挑子、毛驴、拉车、汽车,运着瓷器出山而去,瓷器养活了陈炉的人,也养活了一沟上下的人;走遍陕北陕南,八百里秦川,家家都有着陈炉的货了。

陈炉人是富裕的,从盆地口看去,三面山坡,一台一台,尽是窑洞;拾级而上,一直摆至山顶,渭北的人家,大凡住得分散,窑洞依地势而建,一家一处,从没有陈炉这般集中,而且,窑洞皆是土凿,门面不加修饰。这里却家家砖砌洞门,一律的耐火红砖,白灰搪抹,一层一层的,使黄土山坡有了几分生动。走进沟中,挨山根往上看去,那白色的门面就不见了,是一面一面墙壁,全是瓮儿砌的,盆儿砌的,碗儿砌的,自不说那厨房、院墙,便是那厕所,也是外瓷儿,经风,耐雨,又不易倒,每每太阳一照,满山满谷一片光亮,莹莹的是水晶世界呢。

走进村去,一层窑洞,原来竟是一条自然的巷道,虽是只有半边,出奇也正是这半边:上面人家门前的场地,便是下面人家的窑顶,层层叠起来,可谓人上有人,巷上有巷。墙壁是瓷的,台阶是瓷的,水沟是瓷的,连地面也是瓷片儿竖着一页一页铺成的。站在这里,一声呐喊,响声里便有了瓷的律音,空清而韵长,使人油然想起古罗马的城堡,或是古战场情景,试想如果导演一部武打的电影,那斗打起来,是极为精彩而有趣的。这么一条巷一条巷到山顶,便没了窑洞,两排屋舍,相对而列,形成一条正儿八经的街道来。过山风却硬,早晚街头风响着哨子,人不能久站。

但是,每逢二、六日子集会,这街上就人车拥挤,远近百二十里的人,用毛驴驮了粮食、油、盐、酱、醋,穿的,用的,一揽子杂物什品,从四面塬上、八方沟岔赶来。陈炉人,也早早在街两边摆了盘儿、碗儿、坛儿、罐儿。集旺开来,叫嚷声、手拍瓷器声、高声讨价声、毛驴嘶叫声,乱哄哄地直要闹到天昏。但是,外地更多人,差不多在街上交易一通了,就分头走进每条巷去,每家人家去。立即,这面坡上的人,喊着和那面坡上的人对话,买卖人检查瓷器优劣,全是用手击敲响声,坡上坡下,这儿响几声当当当,那儿响几声叮叮叮,彼此不绝。一场交易好妥了,买主们就将拴在窑口的毛驴拉过来,卸下一袋两袋粮食,装上盆盆碗碗,然后,蹲下来吸烟,但从不讨水喝。这里山高缺水,若要讨一口水,主人心里不悦,又觉不忍,常常就送给一只碗去,说:"啊,没茶叶啦,有茶叶的话,我去沟下给咱担些水上来泡茶喝呀!"

山沟下的二里路边,确实还有一口泉呢,鸡窝大个池子,周围长着蝎子草、白蒿,清凌凌聚起那么一掬,每掬一次,只能舀出半桶水来,于是乎,整个陈炉的人就都挑了水桶来排队,常常就在那儿打闹起来。如今,水的问题解决了,政府从外地抽了水来,但这里依样没有浪费水的习惯:吃饭极少吃菜,一顿饭,两个馒头,一碟辣子也便算了;洗脸水总是刚刚盖住盆底,依墙侧着,一家人,老的洗了,少的洗,脸洗湿了,水也便完了。

这地方水这么缺贵,山坡上那挂着的一片一片地,种下五升,收获一斗,亏得弄这瓷器,他们自称是捏泥搬坯。翻开每户的家谱,爷是捏泥的,儿也是捏泥的,生下孙子还是捏泥的。旧社会,夏秋二季,在地里忙活,一把庄稼打上场了,就合伙开窑,三家的,五家的,匠工,旋工,佐工,有艺的出艺,无艺的卖力。外地嫁来的媳妇,过门三天,就要去学捏泥,生儿生女,四岁五岁便给传艺。常常是牙牙幼童去作坊给大人送饭,老子在旁吃完一碗,儿子就已做碗十几个。一窑货烧成了,人熏得漆胶墨染般似的,就拿着去街上买粮食。粮价时涨时落,运气好的,换来一担几斗,粮价提了,总得几斗几升。若到年馑了,瓷就卖不出去,他们狠着心,宁可整车整车往沟里倒着次一等的瓷品,不去降价出售。末了,瓷器愈不值钱,窑就封了。

陈炉人永远记着那糟心的日子。

如今,陈炉的小窑,再也看不到,沟底的坪场上,一排一摆的大窑,是一个个规模不小的工厂。家家老少成了工人了,吃到国家的标准粉了。但这里的工人,却一样农民的打扮,他们不习惯炒菜,吃饭不习惯坐桌子。车间里,儿子在那里揉泥,泥是黑色的,细腻的,揉面似的揉好了,交给老子。老子那么年纪,扳了电闸,皮带带动一扇石磨,哗哗地飞转,泥堆上去,双手往上拥,往上拥,捏个窝儿,手趁泥,泥趁手,泥管儿眨眼长上来,手便伸进去,泥要长即长,欲圆便圆,立即便是▽形的盘儿碗儿、O形的罐儿盆儿、S形的瓶儿壶儿,似乎已不是在下苦了,是在表演魔术哩。媳妇呢,在一旁旋着泥坯,孙子来回穿插地搬运。他们大声说话,东家长,西家短,唱着"社火"曲儿,儿子唱不对了,媳妇羞笑一通,这当儿,孙子和爷爷就逗着花嘴,胡乱骂趣。下班了,家家在窑前坐地,一边喝着茶,一边听那对面坡沟里倒瓷片的响声,那一块瓷片儿,一个音符,倒下去,丁丁零零,当当锵锵,满沟如鸣佩环,律清韵远。

陈炉真是个好地方,名气一天天大起来,游客也一天天多起来,规模也便越发扩大,工艺也便越发提高。他们已经不满足了粗瓷,又恢复发展着青瓷。那真是上品物件,其色温温如也,其声铿铿如也,上有刻花,饰为植物、动物、人物、自然形态和几何纹样,图案生动,刀刻流畅,欧瓷虽长于艳丽,景瓷虽长于细致,但却不可相匹比呢。

辛酉年初春,我们一行四人在陈炉呆了一天,记下此文。临行,依依不舍,购得一只插花玉瓶、一套青瓷牡丹花碗。从此玉瓶置在案头,春插桃花,冬插红梅,夜来灯下作文,暗香浮动;沏一碗清茶,汁液儿青淡,茶底儿牡丹款款,香醇味长,顿时心清神明,文章也自觉有了风韵。

夜在云观台

三年前,我从学校毕了业,莽撞撞入了社会,经了好多世事,人情却未练达,心便恓恓起来。在家读了些吉摩的书,只是一心儿恋那山水;便借着休假日期,自往丹江泛舟而游。到了山阳县,听得有一处胜地,便打问路径,一路寻着逍遥去了。

先是逆着鲁羊河而上,河面很宽,水没过膝盖,两岸杨柳如堵墙一般,间或空出一段,看见岸上人家:一幢竹楼,半匝篱笆,有鸡的几声细吟。走上半天,河水愈来愈浅,人家也见得稀少,末了,绿树围合了河面,只有一道净水从树下石板上流出,旋着轮状,自生自灭。眼见得天色晚下来,心想有胜地必有人家,便信步走去觅宿。

进了绿树林子,在浅水中的石头上跳跃着走了一气,便见有了一条道路,道路两边不再是杨柳,挤满了竹,粗者碗口粗,细者恰有一握,出奇地都是出地一尺,便拐出一个弯来,然后端端往上钻去。时有风吹过来,一声儿瑟瑟价响,犹如音乐从天而降。竹林过去,便见一座石山梁,山梁赤裸,不长一棵树木,也没一片草皮,沿山梁脊背凿着一带石阶。阶宽六寸,刚好放下脚面,阶距却一尺,步登一阶有余,跨两阶不足,需是款款慢上,不敢回头下看。这么上不到一半,便气喘吁吁,害怕得起了一身的鸡皮疙瘩。

好容易登到最后一阶,软坐下来,小腿还在抖抖跳动不已,正感叹天地造物奇特,倏忽听得有什么响动,时而似云外闷雷,时而又觉在身下,四下看时,才见东西山梁两边,各有了两渠水悠悠去了。源头正从山湾后而来,在这山梁下凿分洞而过,水色翻白,山梁后侧刻着斗大的隶书:滚雪。

一时倒忘了疲倦,我踏着源头走去,山势陡然窄得多了,拐过又一弯处,竟是一大潭渊。水青得发黑,幽幽地如一泓石油。潭上有一架大拱桥,弯弯地撑着两边山崖,像是一把张口钳,又像是一张拉紧的弓,似乎稍一松动,那山崖便要合拢。走上桥去,立即看见水里有了黑影,像在上镜中的梯子,愈往上走,那黑影愈拉得长,风动波起,那桥那人就在潭底晃动,自觉脚下的桥面也在动了,再不敢挪步。

我大惊失色,立在桥上,听山鸟在两边林里喧闹,偶尔一条两条鱼跃起,在水面上打得啪啪响,愈觉得静得可怕了。山色更暗起来,山根有了雾,先是一抹,接着繁衍成一个带状,霎时间爬上桥头。我一时不知何处有着人家,忽见潭上边的一块巨石上,端坐了一位老者:盘脚搭手,垂钓静观。我忙叫了几声,那老者竟不应不动。

我慌忙跑过拱桥,随那边一条小路跑去,却见眼前兀然一座大坝,尽是大块青石砌起,两边又是杨柳青竹,只有风声竹声树声。我站在那里,茫然不知所措。我悔不该一个人竟到了这里,实在是太可怕了!顿时周身冷汗,头发一根根竖了起来,拔腿又往回路跑去,却见林中路分出几条岔道,奔来拐去,自不辨了东南西北。

忽在远处,有了一点光亮,忙跑近一看,才发现是一处院落,门掩着,后屋的台阶上,有人在灯下剖鱼——正是那垂钓的老者呢。

"老伯!"我站在他的面前问,"这是什么地方?"

老者抬头看看,用手指着耳朵,示意耳朵不灵了。我大声又说了一遍,老者叫着:

"这便是云观台啊!"

云观台是风景胜地,如何没有游人,又如何没有什么人家?我大声问一句,老者答一句,好不容易才弄明白:这里是云观台水库,五年前建成的,守库人一共四个,今早到县上办事,去了三人,明日方能返回,就剩下这眼花耳聋的老者了。老者知道我远路而来,就安顿我在东厢房里住下,又沏了一壶茶,说:"这是山上产的雀舌茶,煮的是这水库的水,你尝尝,味儿不错呢。"

我打开茶碗盖,果然一层白气,吹了一口,白气散去,水面上显出皱皱的纹痕,那雀舌浮在碗中,不漂也不沉,色并不浓,一股清香钻进鼻来。呷过一口,满嘴醇甘,我连声赞好。老者笑而不语,又剖他的鱼去了。

"喝完,好生睡吧。明日尝尝我们水库里的鱼。"

我独坐在房里品茶。新月初上,院里的竹影就投射在窗纸上,斑斑驳驳,一时错乱,但干的扶疏,叶的迷离,有深,有浅,有明,有暗,逼真一幅天然竹图。我推开窗便见窗外青竹将月摇得琐碎,隔竹远远看见那潭渊,一片空明。心中就又几分庆幸,觉得这山水不负盛名,合该这里没有人家,才是这般花开月下,竹临清风,水绕窗外,没有一点儿俗韵了。

我没了睡意,挑帘儿走了出来,老者还在剖鱼,我便对他夸道这地方绝妙,恨不能长住这里,看雾聚雾散,观花开花落,浪迹山水,乐得悠然。老者先是含笑,再是不语,末了狐疑起来,说:"照你这等心绪,这山水也会使你厌烦的哩!"

"哪里,住在这里,就不开会了。"

"还有什么好处?"

"起码不多和人打交道吧。"

老者突然呵呵大笑起来:"年轻人,你要知道,人是合群的,是热闹的,是鱼就应该到海里去,是虎就应该到林里去,要不,虎也要成了犬呢!"老者说完,又呵呵大笑不已,我却无言可答。老者端了灯,提着剖好的鱼进房里去了,院子里还留着那笑的余音。老者在房里又说道:

"年轻人,要说这云观台风光,你还没有到那最绝的地方去呢,凭这夜色,你去那大坝上看看吧,那儿更是没个人影,才是清静哩!"

我突然想起了来时的惊恐,猜想那大坝之上,湖水浩渺,万籁俱寂,是何等可怕的境界,心里便怯了许多。

老者又走了出来,站在月光下说:"你去看看大坝里的水也好哩,那里边蓄了上百万个立方的水,静得落个树叶也能听见。可水蓄在这里,为的就是流下山去,水都恋着山下的田地庄稼,何况人呢,你要寻什么,又要想摆脱些什么?你走到哪儿,不是脚下都带着影子吗?你走了一路,哪一夜月亮不相随着你呢?"

我蓦然有些醒悟了,刹那间感觉到了我的幼稚、我的浅薄、我的可笑。我真想走过去握住老者的手,叫他一声"老师",脚下却挪不开来,一股热辣辣的东西涌上脸面,只见那身后的竹帘影儿,静静地垂在新月里,那老者的笑声徐徐地浮动着,悠悠远去了……

白　夜

我常常有这么个怪现象:做过的梦,过了不久,便就实现了。今天冒了大雪,从城里去秦岭办事,半夜在山根下了火车,走了十几里路,黎明的时候,赶到这村口。雪是不下了,却觉得这儿好眼熟!想来想去,蓦地记得这似乎是我一个月前梦里去过的地方呢。

那梦里就是这个样子的:没有月亮,没有星星,落了叶的树,黑了枝的线条,睡了的房子,黑墙的三角和斜面;除此都是雪白的了。夜,不是黑的概念了,白得朦胧,白得迷离,是一个古老的童话,一个单纯和朴素的木刻版画啊。

这使我十分地害怕了,不知道这是有了什么神鬼儿作祟,还是所谓的生物电感应所致呢?我裹紧了衣服,再不敢想那梦的事,也不敢在这野外多呆一会,急匆匆要走进村去,寻一户人家。

村子里静悄悄的,没有一个人影,也没有一只狗咬。从巷道里过去,雪落得很深,一脚踩下去,没了小腿,却没有一点声息。走进一家,院子里平静静的,一直走近门口,门被雪封了半边,只看见那黑色的门环,一动未动,像画上的一般。轻轻一推,门关着,我只好又退出来。反身看去,那脚印却就消失了。

再往巷子深处走,两边墙上的雪堆偶尔就掉下来,直埋了我的大腿。绕进一家篱笆,脚下依然没声无息,那门又是被雪封了,严严实实的,推也无法推了。

我退在了巷道里,听见了自己打的嗝儿;倏忽间,头发根根竖起来了:这个山村要被大雪埋掉了!天黎明了,山民们还这么沉睡不醒,是他们的懒惰,还是雪的温暖下使他们失去了黎明醒来的本能,而遭了如此的不幸吗?

我无目的地向巷的一头跑去了,感到了孤独,感到了寂寞,感到了恐惧,想这一场大雪,是天上云朵的脱落吗?这么个地方,为什么就要有这么个村庄,这么个村庄为什么偏要住了人呢?!

可怜的人啊,在大自然面前,多么无能为力!我深深地后悔这次夜行,我狠命地跑去,步子却迈不开去,似乎谁在拉扯着我的衣襟,我预感到我已是电影里死前那种慢镜头,很快就要倒下去,埋在雪底,然后是一个平静的雪景……

突然,铃响了。很响的铃声。整个白夜似乎都在颤抖了一下,我兀自站住了,不清楚怎么会有了铃声。我觅着铃的声音,跑了过去。

巷口的那边,一个高地,飘着一丝铃的余韵。跑近去,是一座院落,院前一株老树。门开着,树上垂一根绳索,绳索顶端是一口铃,绳还在摇着,人却是没影的。

我疑惑着,四面看时,就见树远去五米的地上,一个黑色的窟窿边,正弯腰站着一个人,一个很老的人。

"大伯!"我叫着,声音有些发抖了,"铃是你敲的?"

"学校的铃我敲了十几年了。"

"快,大伯!"我说,"你知道吗,村里家家的门被雪封了,人要捂死在里边了。"

老人却哈哈地笑起来了:

"你是外地人吧,雪怎么会捂死人呢?每年冬天都有这天气,大雪下来,常要埋了门窗,人们觉得暖和,就会误了起床。亏得我住得高,在风头上,雪是落不住的。这就是我们这里的白夜啊!"

"白夜?"

"是的,白天的黑夜,黑夜的白天。"

这真是诗意的语言,奇妙的山地。我心松了下来,却还惊惑不解,回望着这白夜下的山村,心有余悸地说:

"这雪太可怕了,把什么都埋住了。"

"那不见得,你瞧这井,不管多大的雪,它能盖住吗?"

老人直起腰来,却提了一桶水,原来那黑色的窟窿竟是一口水井,水并不深,用手就可以拔绳打水了。我走近去,在白夜里,井上腾着丝丝的热气,竟在那井壁口上,看得见长着一个小小的竹笋。

我说:

"这种白夜,会有多少天呢?"

老人说:"断断续续一个月吧。"

"一个月?那人不冻坏吗?"

"不,冻死的只是细菌,只是脆弱的生命。这白夜要是哪年少了,春上人才要害病呢。你知道吗,这个村里人都长寿到八十多岁哩。"

"可这地方,毕竟是太寂寞了。"

"耐过寂寞的,才是伟大哩,同志!"

老人对他的教学的语言,似乎很得意了,那么映着眼诡笑了一下,提了水桶,就蹒跚地向校门走去了。

我站在这白夜里。长久地站着,做着遐想,似乎悟出了几分东西,却还有几分疑惧,便又向村里跑去了。

村巷里,果然有了人走动,有的人家正打开了门,雪却像一堵墙挡在门口,出来不得,便见烧热了锅,那么端着,一下就钻出来了。然后,一家人全站在院下里,乐得大叫:

"好雪,好雪,明年麦子要丰收了!"

看着这白夜的地方,看着这一个个憨厚的山民,原来他们是那么平和,那么乐哉,那么一切无所谓,我突然觉得这是实实在在发生的事呢,还是我又在做着什么梦了。但无论如何,我是感到了脸在发烧。

1981 年 9 月 30 日夜于静虚村

对　　月

月,夜愈黑,你愈亮,烟火熏不脏你,灰尘也不能污染你,你是浩浩天地间的一面高悬的镜子吗?

你夜夜出来,夜夜却不尽相同:过几天圆了,过几天亏了;圆的那么丰满,亏的又如此缺陷!我明白了,月,大千世界,有了得意有了悲哀,你就全然会照了出来的。你照出来了,悲哀的盼着你丰满,双眼欲穿;你丰满了,却使得意的大为遗憾,因为你立即又要缺陷去了。你就是如此千年万年,陪伴了多少人啊,不管是帝王,不管是布衣,还是学士,还是村儒,得意者得意,悲哀者悲哀;先得意后悲哀,悲哀了而又得意……于是,便在这无穷无尽的变化之中统统消失了,而你却依然如此,得到了永恒!

你对于人就是那砍不断的桂树,人对于你就是那不能歇息的吴刚?而吴刚是仙,可以长久,而人却要以短暂的生命付之于这种工作吗?!

这是一个多么奇妙的谜语!从古至今,多少人万般思想,却如何不得其解,或是执迷,将便为战而死,相便为谏而亡,悲、欢、离、合,归结于天命;或是自以为觉悟,求仙问道,放纵山水,遁入空门;或是勃然而起,将你骂杀起来,说是徒为亮月,虚有朗光,只是得意时锦上添花,悲哀时火上加油,是一个面慈心狠的阴婆,是一泊平平静静而溺死人命的渊潭。

月,我知道这是冤枉了你,是曲解了你。你出现在世界,明明白白,光光亮亮。你的存在、你的本身就是说明着这个世界,就是在向世人作着启示:万事万物,就是你的形状,一个圆,一个圆的完成啊!

试想,绕太阳而运行的地球是圆的,运行的轨道也是圆的;在小孩手中玩弄的弹球是圆的,弹动起来也是圆的旋转。圆就是运动,所以车轮能跑,浪涡能旋。人何尝不是这样呢?人再小,要长老;人老了,却有和小孩一般的特性。老和少是圆的接榫。冬过去了是春,春种秋收后又是冬。老虎可以吃鸡,鸡可以吃虫,虫可以蚀杠子,杠子又可以打老虎。就是这么不断的否定之否定,周而复始,一次不尽然一次,一次又一次地归复着一个新的圆。

所以,我再不被失败所惑了,再不被成功所狂了,再不为老死而悲了,再不为生儿而喜了。我能知道我前生是何物所托吗?能知道我死后变成何物吗?活着就是一切,活着就有乐,活着也有苦,苦里却也有乐;犹如一片树叶,我该生的时候,我生气勃勃地来,长我的绿,现我的形,到该落的时候了,我痛痛快快地去,让别的叶子又从我的落疤里新生。我不求生命长寿,我却要深深祝福我美丽的工作,踏踏实实地走完我的半圆,而为完成这个天地万物运动规律的大圆尽我的力量。

月,对着你,我还能说些什么呢!你真是一面浩浩天地间高悬的明镜,让我看见了这个世界,看见了我自己,但愿你在天地间长久,但愿我的事业永存。

作于1981年11月29日静虚村

静

去年秋季,我去兴庆宫公园划了一次船。去的那天,天阴,没有太阳,但也没有下雨,游人少极少极的。我却觉得这时节最好了,少了那人的吵闹,也少了那风声雨声;天灰灰的,路见些明朗,好像一位端庄的少妇,褪了少女的欢悦,也没上了年纪的人的烦躁,恰是到了显着本色的好处。

同游的是我的妻,她最是懂得我;新近学着作画,是东山魁夷的崇拜者。我们租得一只小船,她坐船首,我坐船尾;这船就是我们的,盛满了脉脉的情味。桨在岸上一点,船便无声地去了。我们蓦地一惊,平日脚踏实地的一颗心,顿时提了起来,一时觉得像飞出了地球的吸引层,失去了重量,也失去了控制,一任飘飘然去了。

船箭一般地飞去了四五米,突然一个后退,一瞬间地停止了,像一个迷离离的梦,突然醒了,觉得凭一只木船,身已在了水上。心倒妥妥地落下来,默默看着对方,都脸色苍白,脖颈上的筋努力地用劲,便无声地笑了。妻说:古人讲羽化而登仙,其实大致如此,并不会轻松的。这话倒也极是。

倏忽间,船就打旋起来,像一片落下的柳叶,便见光滑的水面有了波纹,像放射了电波,一个弧圈连着一个弧圈,密密的,细细的,传到湖心。以前只认为水是无生命的,现在却是有了神经;神经碰在了岸上,又折回来,波纹就不再是光洁的弧线,成了跳跃的曲线,像书写的外文,同时有一股麻酥酥的滋味袭上心头了。桨继续划动着,起落没有声息,无数的漩涡儿悠悠地向四边溜去,柔得可爱,腻得可爱,妻用手去捉拿,但一次也没有成功。

我们调正了方向,向湖心划去,妻终是力小,船老向一边弯,末了就兜着圈儿。她坐在船尾来,我们紧挨着,一起落桨,一起用力,船首翘起来,船尾似乎就要沉了,但水终没有涌进后舱。我们身子深深往下落,正好可以平视那湖面。水和天并没有相接,隔着的是一痕长堤,堤边密密地长了灌木,叫不上名儿,什么藤蔓缠得黏黏糊糊。堤上是枫树和垂柳,枫叶呈三角模样,把天变成像撒开的小纸片儿,垂柳却一直垂到树下,像是齐齐站了美人,转过身去,披了秀发,使你万般思绪儿,去猜想她的眉眼。湖面上,远处的水纹迅速地过来了,过来了,看了好久,那水纹依然离得我们很远,像美人的眨着的脉脉的眼,又像是嘴边的绽着的羞涩涩的笑。我们终于明白那柳之所以背过去,原来将眉眼留在了水里。

船到湖心,我们便不再划,将桨双双收在舱里,任船儿自在。妻便作起画来,我仰躺在船里,头枕在船帮,兀自看着天。天也是少妇的脸,我突然觉得天和这水,端庄者对端庄者,默默地相视;它们是友好的,又是距离着,因为它们不像月亮绕太阳太紧,出现月圆月缺,它们永远的天是天,水是水,千年万年。我还要再想下去,突然一时万念俱灰,空白得如这天,如这水一般的了。

划了两个钟头,湖面上依然没有第二只船,一切都是水,灰灰的,白白的。我一时想做些诗,来形容这水的境界,却无论如何想不出来。我去过革命公园的湖,那水里有了茸茸的绿藻,绿得有些艳了;也去过莲湖公园的湖,那里生了锈红的浮萍,红得有些俗了;全没有兴庆宫公园的湖来得单纯,来得朴素。我只好说,兴庆宫公园湖里的水,单纯得像水一样,朴素得像水一样。

诗没有做成,我起身去看妻的画,她却画了一痕土岸,岸上一株垂柳,一动不动的一株垂柳,柳条自上而下,像一条条拉直的线。柳的下方,是一只船,孤零零的一只船。除此都空白了。我说,我看懂了这画,我不必要再做诗了,她真是东山魁夷的弟子,是最深知这兴庆宫公园的湖水了。

作于1981年10月5日夜静虚村

弯榆杂感

西安街巷,很是讲究端直的,不合规矩者,全都重新修建:拆除两旁房舍,挖掘路边树木。几年的时间,街巷崭新起来,路边又新植了嫩绿的法桐,人便誉称之"井字城"了。

我很赞成这种修建,虽然曾经混乱过一时。

偶尔去北大街一家剧院看戏,去得早,闲着无事,便到近旁商店去玩。出了商店,却看到一株孤立的榆树。

树已苍老了,弯弯扭扭地倚墙长着。枝叶却茂盛,但没几分丰姿,也很少绿色,树身上只是钉有牌子,上写着:公厕在内。

路人皆不留意,我却好奇起来,围着弯榆走了一匝,量得是一搂粗。皮鳞斑斑,用手一抠,便可揭下一片,像害了牛皮癣病的模样。

这不是百年物事,也恐怕有了五六十年的树龄了吧;在这修建得焕然一新的北大街上,它竟安然无恙。

我想,这一定是当年街上的树。街是弯曲的,两边都栽了这种榆,夏聚麻雀,秋结蛛网。或许,它太弯扭,没有被栽在路边,随便被栽在路道外,任它自生自灭。没想竟活了;活着就活着,也没人多少理会。

但是,路面要改建,端端的、直直的路边两排树木,全被伐去了,它因为离路远点,就免遭于难,一直活了下来吧。

没有作用的,不能成材的,弯榆,它活得很旺了。

如今夜里,它飒飒作响,倒给人有了一点凉爽,厕所门口的灯光照过来,一伙人在那里下棋。

我不禁有了感慨:天地生物,可谓宏宽量大也,既有干又直又端的栋梁,也有干又弯又扭的歪材,充充盈盈,丰满着这个世界。治世之中,方可见直见弯,乱世之中,直不一定就是好,弯不一定就是不好。这弯榆正是弯得无用,便得了长寿,那路边直榆,也正是直得有用,反倒不知早已化了哪家灶里的灰烬?

这是否仅是造化的安排?自然物固然有此际遇,在人类社会,在艺术世界,难道就没有这种现象?

我不懂艺术,然而想必艺术家、艺术品也是有直有弯吧,他们的生长发展,情况又是怎样?……

我彷徨于街头,不知道这弯榆还要在这里活吗,还要活得多久?只盼望新街两边的小法桐,尽快长大,使这么一条崭新的街面上,终有一日,会有人感到了这弯榆毕竟是太碍眼了……

作于 1981 年 10 月 25 日静虚村

雨花台拣石记

在南京住了一些日子,要回去了,总想买些什么东西带给亲人,蓦地记得应该去雨花台拣些石子;同行四位朋友都极响应,便挑个雨后的天气,悠悠地去了。

雨花台在城南的山上,说是山,其实没有山的气势,温温柔柔的样子。正是初夏,树木长得很旺,但全不是萎萎缩缩的,树干撑得很高,向着天空,一劲儿拥挤,绿就像静浮的云,给人一种飘逸之感。走进去,多是不见天日,也不见地面上如水藻交错一般的阴影;透过树外炎炎的烈日,看一丝一缕的升腾得正紧,便觉阴处整个空气都是深而不暗的绿。间或露出一块天来,太阳射下的不是一种红光,白得刺眼,看得见它的边缘,犹如没规没则、顶天立地的白的固体。这景象使我们十分惊奇,喜欢从绿里跑向白里,但必是要眯了眼,三步两步地迅速穿过。

山上没有巉岩怪石,但石子却是多极,又没有什么水流漫过,石子又都小而圆滑。在绿里,觉得是走进了海底,石子或伏在草下,或嵌在花间,晶莹柔软得可爱;看那山弯处涌流下来的石子流道,白光里,却灿灿烁烁,似乎陡然到了宝石世界。一时眼花缭乱,如在南京城里看那少女,都炫目鲜艳,却说不出哪个是好,哪个不好。我们乐得手舞足蹈起来,却不小心,全都滑倒了,就索性躺在石子上,千声万声地惋惜没有带了照相机来。

约摸下午两点,我们分头拣起来。那石子委实精妙,有的发红,长者如枣,小者如豆;有的发黄,深的蛋黄深,浅的橘皮浅;有的发绿,绿得腻腻的,绿得厚厚的;有的则发黑了,叩之泠泠作响;有的紫蓝紫蓝的,如熟透了的桑葚,似乎摸着染色,闻着有香气呢。那石子上更奇的有了线纹:水波形的、流云形的、木纹形的、鸟兽形的、花草形的……

我们只知天下石子,雨花台的最好,可如何也想象不出好到这种境界!这里的石子,颗颗都是工艺妙品,怪不得谁也无法解释这是天神的珍珠库呢,还是地鬼的玛瑙室,只是这般奇特,这般丰富,叫它是雨花落下而成的石子了。

从前山走到后山,口袋里便装得满满的。我得意得很,觉得是最富有的人了,捧着石子,走一步,看一眼,看一眼,赞一声,每一颗石子,都给我一个形象,一个梦一样颤酥酥的遐想。我忘记了生活一切的烦闷,只是平和,只是安宁,只是崇高的诗和音乐。姗姗地走到山弯处,朋友们分而聚合了,个个都是孩子般地快活,一起摊开口袋,你看我的,我瞧你的,对着太阳照照,贴在耳边磕磕,滋味是乡下媳妇翻那针线包袱,一遍一遍没个够数。终于有人叫着:"口渴了!"大家才发觉真的渴极了,就去弯下的亭子里。

亭子里有卖茶的。喝茶之间,朋友特意买了一碗清水,将石子放了进去,那奇妙的现象又发生了:石子更加晶莹,线纹越发清晰,绿的了如葡萄,手指一弹,便要溅出汁来;那红的犹是了琥珀,明明白白看见了线纹不是在表面,而一直含在里面哩。我一时心切切起来,觉得他们拣的,好的竟比我多,索要了许久,都拒不割爱。我就又提议再找一会儿,大伙也都乐意,便又分头满山跑开去了。

好不容易,在一棵开得极艳的小野花下,发现了一颗很好的红石子,我激动得全身都颤起来了。于是我明白了一个秘诀,那小野花下,必是有好的石子。是什么原因我就不知道了。这方法竟使我收获了不少。每得一颗绿的,就倦倦想那黄的,得了那黄的,就又盼那紫的;满足了一种欲望,就又企图更美妙的欲望。但往往使我长时间地苦恼、焦急,骂自己运气不好。终是到了太阳西下的时候了,仍是没有得到那如墨如漆一般的黑石子。

到了最后,朋友们重新在后山头相聚,你有了红的,却缺了绿的、紫的,他有了黄的,却短了白的、蓝的。他们没有的,我全有了,我所缺的,那如墨如漆的黑石子,他们却全都有;这终使我气恼。天黄昏得厉害了,大伙说是回吧,我却不行,还要坚持再去坝子里再拣拣。朋友们就骂我贪得无厌,说我黄红绿蓝紫,样样有了,唯少了个黑的,还这般不知足!但我仍是不肯死心,虽然坐在那里吃着干粮,却唉声叹气,惹得他们又是一顿攻击。

突然间,身后有了说话声,语气很低,但这边却听得十分清楚,回头看时,远近却是无人,声音正从后侧的一丛山字柏树后传来的。只听一个在说:"老师,这几年来,越弄越苦恼呢。"另一个就说:"就是,画出一幅,觉得高兴,但很快就又苦恼了,恨自己弄不出个大名堂来,常常想就地打滚哭一场。"一人就又说:"瘦猪哼哼,肥猪也哼哼,我们苦恼,你也苦恼?你的画省上、全国都获了奖,又办了个人画展,你还苦恼什么呀?!"前边说话的人便说道:"这不是故意说的,确实苦恼得很呢!今日老师来,就盼能点石成金哩。"一个苍老的声音便说道:"他说的苦恼,我理解。别说是他,我也苦恼得很呢!"便有三四个声音叫道:"你也苦恼?"那苍老声说:"可不。愈是画得好,愈是苦恼哩。人总是要追求更大的成绩的,在追求当中能没有苦恼吗?"三四个声音就又叫了:"那么,要干番事业,就得一辈子苦恼?"苍老声便说道:"是的,可乐在其中,谁的苦恼最大,谁的乐趣也最大。"

那边哑了声,我们这边也哑了声,你看着我,我看着你,却无言可言了。

我们站起来,要过去看看那是些什么人物,好好再听听一番教导。那树后一阵响动,便见一行五人起身走过树丛,飘飘下山去了,前边是个老者,后边是四个青年,都夹着画夹。

朋友们齐声叫道:"说得有理!"我便又提出再拣一会石子,他们全都默然点头,哈哈笑了一通,分头一直拣到天黑。

这是一九八一年六月初九的事,同拣石子的,是写诗的李清、写小说的商子、写评论的王琦,还有一个写散文的和青,年且十七,是个秀发女子。

作于 1981 年 10 月 29 日 西安

两　代　人

一

　　爸爸,你说:你年轻的时候,狂热地寻找着爱情。可是,爸爸,你知道吗?就在你对着月光,绕着桃花树一遍一遍转着圈子,就在你跑进满是野花的田野里一次一次打着滚儿,你浑身沸腾着一股热流,那就是我;我也正在寻找着你呢!

　　爸爸,你说:你和我妈妈结婚了,你是世上最幸福的人。可是,爸爸,你知道吗?就在你新喜之夜和妈妈合吃了闹房人吊的一颗枣儿,就在你蜜月的第一个黎明,窗台上的长明烛结了灯彩儿,那枣肉里的核儿,就是我,那光焰中的芯儿,就是我。——你从此就有了抗争的对头了!

二

　　爸爸,你总是夸耀,说你是妈妈的保护人,而善良的妈妈把青春无私地送给了你。可是,爸爸,你知道吗?妈妈是怀了谁,才变得那么羞羞怯怯,似莲花不胜凉风的温柔,才变得绰绰雍雍,似中秋的明月丰丰盈盈?又是生了谁,才又渐渐褪去了脸上的一层粉粉的红晕,消失了一种迷迷丽丽的灵光水气?

三

爸爸,你总是自负,说你是妈妈的占有者,而贤惠的妈妈一个心眼儿关怀你。可是,爸爸,你知道吗?当妈妈怀着我的时候,你敢轻轻撞我一下吗?妈妈偷偷地一个人发笑,是对着你吗?你能叫妈妈说清你第一次出牙,是先出上牙,还是先出下牙吗?你的人生第一声哭,她听见过吗?

爸爸,你总是对着镜子忧愁你的头发。你明白是谁偷了你的头发里的黑吗?你总是摸着自己的脸面焦虑你的皮肉。你明白是谁偷了你脸上的红吗?爸爸,那是我,是我。在妈妈面前,咱们一直是决斗者,我是输过,你是赢过,但是,最后你是彻底地输了的。所以,你嫉妒过我,从小就对我不耐心,常常打我。

爸爸,当你身子越来越弯,像一棵曲了的柳树,你明白是谁在你的腰上装上了一张弓吗?当你的痰越来越多,每每咳起来一扯一送,你明白是谁在你的喉咙里装上了风箱吗?爸爸,那是我,是我。在妈妈的面前,咱们一直是决斗者,我是输过,你是赢过,但是,最后你是彻底地输了。所以,你讨好过我,曾把我架在你的脖子上,叫我宝宝。

四

啊,爸爸,我深深地知道,没有你,就没有我,而有了我,我却是将来埋葬你的人。但是,爸爸,你不要悲伤,你不要嫉恨,你要深深地理解;孩子是当母亲的一生最得意的财产,我是属于我的妈妈的,你不是也有过属于你的妈妈的过去吗?

啊,爸爸,我深深地知道,有了我,我就要在将来埋葬了你。但是,爸爸,你不要悲伤,你不要忌恨,你要深深地相信,你曾经埋葬过你的爸爸,你没有忘记你是他的儿子,我怎么会从此就将你忘掉了呢?

1982 年 2 月 18 日夜于静虚村

登鸡冠山

我的故乡丹凤县城北二里地,有一座山,没有脉岭,也没有漠坡,齐巉巉的,平地里陡然崛了起来;山上没有奇松古柏,没有寺院庙宇,全然裸露着石头;山顶亦无尖锥模样,等距离地分开着无数的齿形。春天,商州川里还是黄褐,它却晕染了一种迷迷离离的绿雾,走近看时,却出奇地没有一片绿叶,当县城南边河畔的柳絮如雪一样纷飞了,它却又出奇地黝黑得如铁。夏天里,白云常住在那山顶石隙里,一旦漫出来散步,大雨就要到了。最是那天晴日暖的早晨,太阳出来,照在那齿峰上,赤红得炽热,从此便有了鸡冠山的艳称。

鸡年初秋,一个阴雨初晴的黎明,天很闷热,我独自攀登鸡冠山。在山根的时候,看得见山上的路很多,等走上去,才知道那路没有一条可以走通。那全是牛羊踩出来的,路面上重重叠叠地有着各式各样的蹄印。我从一片荆棘丛中穿过,挂破了衣服、裤子,忽地扑棱棱一声怪叫,吓得我出了一身冷汗,原来是石壁下的几只蝙蝠在飞。我不敢往上走了,犹豫了一会儿,看看山顶,已不是十分远了,便硬着头皮又往上攀登。眼看着就到顶了,云雾却突然起来了,先是一团一堆的,被风涌着,弥漫过来,使我辨不了东西上下。我不得已又停下来,一等云雾散去,急急又往上爬,心里只有一个信念:此时此刻,要下已不可能,要脱离困境,只能往上,往上。

终于上到山顶,太阳还没有出来,天却已大白了。山顶上原来竟是很平的场地;平就是陡的终极,这使我很奇异,推想这种感受,领悟的人又能有多少呢?从山上看下去,县城被层层的山箍着,如一个盆儿,这是往日住在县城里不能想象的,而且城中的楼很小,街极细,行人更觉可笑,那么一点,蠕蠕地动。万象全在眼底,我觉得有些超尘,将人间妙事全看得清清楚楚。

这当儿,太阳出来了,光华四射,宇宙朗朗。齿形的丛峰一下子赤红起来,我兴奋地爬上最高的那个齿上,面对红日,做着遐想:天下已经大白,这是雄鸡的功劳,可是,呼唤黎明的雄鸡在哪儿,是到地底下去了,留下了这朵鸡冠吗?这伟大的鸡,它的功劳正是在于天下大白前的巨鸣,如今虽然沉默,但它是真正的不荒寂的。

1982 年 3 月静虚村

十八碌碡桥

我家门前的河上,有一座桥,桥西的路一直通到深深的大山沟去,桥东过去三里,却便是极繁华的县城。来往的人天天从桥上走,却谁也不停下来看看这桥,甚至连这么想也不曾有。

桥很不起眼,没有水泥制板,没有栏杆,虽是石的,也不是虹形月样的飞拱;仅仅十八个碌碡,砌三个桥墩,上边用木头碎石泥土铺铺垫垫罢了。河面宽宽的,流沙的河水蔓蔓延延;桥显得凝重而十分拙朴了,竟使人疏忽了它的存在,更无人知道它该是哪年哪月的物事了。

秋天里,陡然间下了几天暴雨,山皮尽都剥脱去,洪水涌下来,水痕的脚爬到了河谷上一人多高的崖壁上。桥便在冲击中没了。从此,荒寂的山沟与繁华的县城失去交通,人们远远从山沟来,站在河岸,遥遥望着县城的高楼、烟囱,顿足兴叹。突然间,都感觉到了桥的伟大!我们四处觅寻着桥的旧址,那路面、路边的杨柳、碎石,全然不见了,连那十八个碌碡,也没了踪影。后来水落下去,满河谷皆是漠漠白沙,只是那断桥的两边,有几根斜吊的木头。这情景虽然比桥在时有了些诗意,却使人不忍心将诗吟出。

桥断了十多日,我们再耐不住这种可怕的隔离,齐心合力要重新修桥。苦于物资不十分方便,发动力量沿河滩去找断桥的材料,但是,那些凿得四楞见线的小块砌石,顺河跑了十里,一无所得。木头也没有,只在八里外的下滩里,淤泥中露出一个木桩,掘出来,是当时桥头的那棵老柳。碌碡是最珍贵的了,下了功夫要找到,可在下河滩摸来挖去,不见一个。我们都泄气了。一个退休的老教师知道了,拿来一本书,说书上写着一个故事:古时候一个石狮子被水冲了,后来在上河滩发现的。我们就半信半疑地又往上河滩的泥里沙里水里去找。奇怪得很,竟然找着了,并且在一个地方,囫囵囵的十八个碌碡,一个不少。

人们都跑来看稀罕,瞧着这粗粗糙糙的、蠢蠢笨笨的碌碡,肃然起敬。谁也说不清这是为什么:这么大的洪水,一切都在顺水而去了,它竟逆流而上?!这般的愚样,却有这般的大智;有老太太就跪下磕头,说碌碡是镇河的宝。我们就说这桥一定还要用碌碡来修,只有这十八个碌碡才能撑起这座桥。于是,桥很快就又修起来了。

荒寂的山沟与繁华的县城接通了,桥上汽车也过,马车也过,本地人也过,外地人也过。外地人过了也便过了,记忆中不会有任何印象;我们本地人却每每走到桥上,就都要跑过去,看那河谷石壁上的水痕。后来新编地方志,第四本里,就记下了这十八个碌碡。

作于 1982 年 3 月 28 日静虚村

三月十一日过留坝县

壬戌三月十一日,我和宁克中从汉中搭车向北,车愈往沟里走,山愈往一处挤,路瘦得是勒出的一条白线。到了留坝县城,出现一个满是绿树的圆形坝子,才知道是二百里的长线,艰难难地吊起这个宝葫芦了。

我们一住下旅店,店里的开水打来却泡不开茶;以为水不开,问服务员,回答说:水是早晨烧开的,来客少,放凉了。喝不成了茶,就只好漱洗了,分头在各自房间休息。我睡不着,光听见自己打嗝儿,起来便到街上去转悠。走到街上,老宁却早也到了那里。这时候,太阳正坐在西边山尖,燃烧得很旺,突然坠下去,似乎能听见山那边有锵啷一声;看看表,才三点二十五分,城里却没有几个人在走。左右的商店门都大开着,拣一家两层楼进去,一楼是三个服务员,两个顾客:一个买了一包烟,一个看看又出去了。走到二楼上,三个服务员,顾客还是两个:一个是一岁的婴儿,一个是抱婴儿的姑娘。三个服务员瞧见我们,却盯着,问:"买什么吗?"我们摇摇头,她们却问从哪儿来,到哪儿去,是不是来过留坝?问得我们乏味,赶忙走下来,站在大门口,看街上来往过去了七个人。后来,东边一辆自行车过来,西边一辆自行车也过来,走到街心,却相撞了;但没有骂,从地上爬起来,互相笑笑,各自又骑走了。

我们点着了香烟,一边走着,一边吸,从新街东走到街西,拐进旧街,从西街又走到东街,开始往旅店走。像在古刹中,又像走在子夜,我们能听见各自的出气声。总疑心身后有人跟着,回了几次头,却没有人,才知道是自己脚抬一步,那街道上就响一下回音,嗡嗡有些律韵。一时间,觉得这里,处处都装了扩音器,用不着大声,说悄悄话也传得很远。一直到了旅店,那支香烟终已燃到手指,只好不忍地扔掉。

我随老宁到他的房子里去说话儿,老听见墙根有蛐蛐叫,声音很中听,赶过去找,那声音又在屋外叫;一直寻到后院的花坛里,蛐蛐叫得十分热闹,就坐下来听到天黑。后来,风起了,在脸上显得很硬,身寒不敢久坐,就又走回房子,仄在床上说话:

"这里人和人不吵架呢。"

"是的,心里哪儿会有胡思乱想呢?"

这一夜,两人睡得很踏实,第二天竟忘了起床时辰。

作于 1982 年 3 月 28 日静虚村

读　　山

在城里呆得一久,身子疲倦,心也疲倦了。回一次老家,什么也不去做,什么也不去想,懒懒散散地乐得清静几天。家里人都忙着他们的营生,我便往河上钓几尾鱼了,往田畦里拔几棵菜了,然后空着无事,就坐在窗前看起山来。

山于我是有缘的。但我十分遗憾,从小长在山里,竟为什么没对山有过多少留意?如今半辈子行将而去了,才突然觉得山是这般活泼泼的新鲜。每天都看着,每天都会看出点内容;久而久之,好像面对着一本大书,读得十分地有滋有味了。

其实这山来得平常,出门百步,便可蹚着那道崖缝夹出的细水,直嗓子喊出一声,又可以叩得石壁上一片嗡嗡回音。太黑乱,太粗笨了,混混沌沌的;无非是崛起的一堆石头:石上有土,土上长树。树一岁一枯荣,它却不显出再高,也不觉得缩小;早晚一推窗子,黑兀兀地就在面前,午后四点,它便将日光逼走,阴影铺了整个村子。但我却不觉得压抑,我说它是憨小子,憨得可恼,更憨得可爱。这么再看看,果然就看出了动人处,那阳面、阴面,一沟、一梁,缓缓陡陡,起起伏伏,似乎是一条偌大的虫,蠕蠕地从远方运动而来了,蓦然就在那里停下,骤然一个节奏的凝固。这个发现,使我大惊,才明白:混混沌沌,原来是在表现着大智;强劲的骚动正寓以屑屑的静寂里啊!

于是,我常常琢磨这种内在的力,寻找着其中贯通流动的气势。但我失望了,终未看出什么规律。一个山峁,一个山峁,见得十分平凡,但怎么就足以动目,抑且历久?一个崖头,一个崖头,连连绵绵地起伏,却分明有种精神在团聚着?我这么想了:一切东西都有规律,山则没有;无为而为,难道无规律正是规律吗?!

最是那方方圆圆的石头生得一任儿自在,满山遍坡的,或者立着,或者倚着,仄、斜、蹲、卧,各有各的形象,纯以天行,极拙极拙了。拙到极处,却便又雅到了极处。我总是在黎明,在黄昏,在日下、雨中,以我的情绪去静观,它们就有了别样的形象,愈看愈像,如此却好。如在屋中听院里拉大锯,那音响假设"嘶,嘶,嘶",便是"嘶"声,假设"沙,沙,沙",便是"沙"声。真是不可思议。

有趣的是山上的路那么乱!而且没有一条直着,能从山下走到山顶,能从山顶走到山底,常常就莫名其妙地岔开,或者干脆断去了。山上啃草的羊羔总是迷了方向,在石里、树里,时隐时现。我终未解,那短短的弯路,看得见它的两头,为什么总感觉不到尽头呢?如果将那弯线儿拉直,或许长了,那一定却是感觉短了呢,因为城里的大街,就给人这种效果。我早早晚晚是要看一阵山上的云雾的:陡然间,那雾就起身了,一团一团,先是那么翻滚,似乎是在滚着雪球。滚着滚着,满世界都白茫茫一片了,偶尔就露出山顶,林木蒙蒙地细腻了,温柔了,脉脉地有着情味。接着山根也出来了。但山腰,还是白的,白得空空的。正感叹着,一眨眼,云雾却倏忽散去,从此不知消失在哪里了。

如果是早晨,起来看天的四脚高悬,便等着看太阳出来,山顶就腐蚀了一层红色,折身过山梁,光就有了棱角,谷沟里的石石木木,全然淡化去了,隐隐透出轮廓,倏忽又不复存在,如梦幻一般。完全的光明和完全的黑暗竟是一样看不清任何东西,使我久久陷入迷惘,至今大惑不解。

看得清的,要算是下雨天了。自然那雨来得不要太猛,雨扯细线,就如从丝帘里看过去,山就显得妩妩媚媚。渐渐黑黝起来,黑是泼墨地黑,白却白得光亮,那石的阳处、云的空处、天的阔处、树头的虚灵处……一时觉得山是个莹透物了,似乎可以看穿山的那边,有蓄着水的花冠在摇曳,有一只兔子水淋淋地喘着气……很快雨要停了,天朗朗一开,山就像一个点着的灯笼,凸凸凹凹,深深浅浅,就看得清楚:远处是铁青的,中间是黑灰的,近处是碧绿的,看得见的那石头上,一身的苔衣,茸茸的发软发腻,小草在铮棱棱挺着,每一片叶子,像长着一颗眼珠,亮亮地闪光。这时候,漫天的鸟在如撕碎纸片的自由,一朵淡淡的云飘在山尖上空了,数它安详。

我总恨没有一架飞机,能使我从高空看下去山是什么样子。曾站在房檐看院中的一个土堆,上面甲虫在爬,很觉有趣,但想从天上看下面的山,一定更有好多妙事了。但我却确实在满月的夜里,趴在地上,仰脸儿上瞧过几次山。那是月亮还没有出来,天是一个昏昏的空白,山便觉得富富态态;候月光上来了,但却十分地小,山便又觉得瘦骨嶙峋了。

到底我不能囫囵囵道出个山来,只觉得它是个谜,几分说得出,几分意会了则不可说,几分压根儿就说不出。天地自然之中,一定是有无穷的神秘,山的存在,就是给人类的一个窥视吗?我趴在窗口,虽然看不出个彻底,但却入味,往往就不知不觉从家里出来,走到山中去了。我走月也在走,我停月也在停。我坐在一堆乱石之中,聚神凝想,夜露就潮起来了,山风森森,竟几次不知了这山中的石头就是我呢,还是我就是这山中的一块石头?

作于 1982 年 4 月 29 日夜静虚村

延安杜甫川牡丹山记

山上长牡丹,这便稀奇,一山上下都长牡丹,便又稀奇,长牡丹的山不在洛阳,不在苏州,而在千里赤褐的陕北高原,这就更是稀奇。正因为这片牡丹不去公园占却富贵,偏执意亲恋荒原,热闹寂山,所以一经发现,声名便天下震远;做工的,务农的,学文的,习武的,争相朝看:朝者不为看花艳,为着天地自然之元气也。

走十里不见一村,进村寻不着五家,门窗在坎壁上开凿,炊烟端端地在土塄上冒长,这便是杜甫川。川的两边,挤着无数的和尚,臃臃肿肿,却全然着一个一个光头,太阳下,丝丝缕缕往上蒸腾热气,这便是杜甫川的山。山上不长一树,支零破碎的一片片草皮,又被牛羊踩出小路织成的网状,这便是和尚头山上的坡。顺坡而下,逆沟水而上,没有龟纹,却成了干粉,有风如烟如火,无风虚土半尺,脚踩下去不见了鞋面,尘噗的一声如水一样四处飞溅,这便是网状草坡底下的路。沿路深入四十里,川越走越窄,山越走越挤,兀然突出三座郁郁秀山,北是北华山,南是南华山,中间特秀特高者,牡丹花山到了。

牡丹花山高而不险,媚而不俗,满山瘦柏、黑桦、青桐、枸子,沉重却不压抑。遍地潮土,酥浮并不起尘。牡丹每到五月,初五开红,初七开白,初九开紫,十一开黄,绣球般的、团蝶般的、盘状的、拳状的,娇、笑、羞、媚、含怒、欲语,闹哄哄从立夏直到小满。朝花人远近而来,来了以花水洗尘,身轻神怡,喝花茶清心,耳聪目锐。朝花人中,来路最远的,朝罢不走而住下的,要数我了:年年来休创作假,花绣苞便到,花谢尽才走。从此人熟花熟,和这里结了不解之缘,故三年写成两本散文,我自取名《野外集》《花源集》,以此纪念了。

我总是住在那山上庙里的,庙是花神庙,小小的,红梁绿窗。院中两株古柏,都一搂粗细,柏朵如伞,遮了半庭阴凉。院里院外,遍地牡丹,以致埋没了石阶。往左三十个石阶,上有一丛瘦柏,细而高长,如竹子的扶疏,中有一木亭,八角飞檐,四面来风。往右幽径而下,是一草亭,草已干白,缀满绿苔,中置一副石桌石凳,全被牡丹围住;静心而坐,看山下人家鸡鸣数声,听满山柏籽簌簌如雨洒落,读一句书文,吸一口香气,无酒自醉。黄昏里去山下小溪里洗涤,月上来,去路旁石泉里挑水,一副扁担,两只木桶,沿百十台石阶款款而上,两旁新植小松旧枝青黑,新枝嫩黄,四枝五枝一丛,一树一树如擎起了万支蜡烛;上一阶,思一句,到了庙中,取笔就写,写得轻而不佻,丽而不俗,自鸣得意也。

五月到了中旬,花事正盛,夜里就要落一场细雨。黎明醒来,窗外冷香习习,被里热香熏熏,出门便走,忘了系扣,不顾洗脸,一任脚儿信步。山土软如酵面,一脚下去,一个浅窝,但鞋底干净,不沾一星半点黄泥。先见满山白雾,五步外不辨路径,隐隐约约,丛柏露出梢来,如漫天黑龙奔走;间或便露出树身,碧青如涂了绿漆,起亮泛光。倏忽云就荡然无存,阳光在树间激射,风动处,便见到处红黄紫白,牡丹高低迎日,五彩斑斓。急切切扑近去,一时不顾安全,爬高上低,凑上脸去,拼命儿吸香,却不敢伸手去摸。中午时分,赏花人就拥上山来,那儿童多有不规,常要攀折,我便提了柏枝,上下奔走,见艳花就搭木围栏,见新芽就掘土为堰。顽童们便骂我"花奴"。骂得却好,只要有花,我便做奴,自此"花奴"二字倒做了我第五个笔名了。

接连十多日,花愈开愈多,愈多愈艳;平地上有,沟底里有,山头上有,岩壁上有,常是偶一抬头,阴暗暗的崖畔上,就鲜活活有了一棵,似乎愈是阴暗,愈是红亮。这些日子,我便丢了书笔,专意儿迷在山上,如痴了一般,卧听满山瘦柏咿咿吱吱在风里作响,似仙乐从天而降,那黄鹂声声鸣叫,声音里也似乎有着清香,有几次从花间爬起,一头花粉,竟被蜜蜂误入头发,蜇了三个四个红包。

爱花总梦想花能长在,越发觉得这黑柏杂木、荆棘荒草实在丑恶,万万不该在这里生存。呆得一久,那牡丹似乎专意儿要回答我吧,常常就在柏根下生出,荆丛里开花,而且更艳更香。我才悟出:美并不怕丑,美在丑里美更美。但牡丹并不傲贵,百花同时与它生长,那刺玫繁花坠枝,如万千粉蝶在那里聚集,枸子木也满树满枝绣着米粒大小的白苞,开放之后,如披了一身雪花,桑瓜瓜顶一朵黄绒,地英放一片淡蓝,甚至那林中空地上的地皮绿苔,也有了一点一点花的紫色。牡丹在鼓励着百种小花不要卑微,有颜就显,有香就放。游人多赏牡丹花容,我却赏到牡丹风格,便曾洋洋夸口:我更爱花,花更爱我,我于牡丹最知己!

四面山垭,全被朝花人踩出路来,那路不是通道,却是由无数细绳甩过来似的纷乱。人越来越多,只能排队上山,一批看过,一批再看,看完就叹,叹了诗兴便发。我便于亭中置墨置纸,让其书写。三日之内,亭里就已贴满,只好又拉了几道绳子,一道一道挂起,每到百首,就订一册,如今已有五册,存在花神庙内。但曾有人建议,荒草里长出牡丹,草会吸了养分,何不除去?我便与护山人忙了三天三夜,清理出一块地来,草则没草,但却从此少了一种味儿。随后又有人提议,石阶上不能长花,何不植些盆景陈列两边?我便又与护山人买了花盆三十,但移了牡丹进去,那花全无总根,一日还好,二日便谢,三日过后,便都枯死了。才知满山牡丹一个总根,只能让其自然,四处蔓延;痛心疾首,再也不敢忘却这次教训了。

夜里偶尔要会起了狂风暴雨,这便使我彻夜不得入睡,打了灯笼满山护守:才绣出的花苞怕折了茎,已绽了瓣的怕散了红;平地的给搭棚,风头的给扶棍,悬畔的给培土。有一夜将雨伞、草帽全用完了,我脱了上衣一头系在树上,一头用手拉住,护着一朵白牡丹直到天明。也有护不到的,五彩涂地,我默默捡起落瓣,洗净晒干,制作茶料,一杯一杯送上山人喝了,叮咛他们记住牡丹,让其精灵永存。

在山上住上一月,每每假期就满了,有时花已落了英,有时花容还未褪,总是依依不舍。临走之前,挑个月明风清之夜,护山人摆小宴送我,小宴设在花下,举杯对月对花,大发感慨,说今年走了,明年一定还来,但愿黄土高原上,这山永远不倒,山上牡丹永远茂盛,普天下世人永远爱花。说完,连饮数杯,草成此文……

作于1982年5月14日延安

西域有馬日行千里出汗為血

拾書在時值暑溽空寒氛汕骨
閒畫於乙亥冬平凹平四霄

庚寅年四写

延 安 街 市

街市在城东关,窄窄的,那么一条南低北高的慢坡儿上;说是街市,其实就是河堤,一个极不讲究的地方。延河在这里掉头向东去了,街市也便弯成了弓样:一边临着河,几十米下,水是深极深极的;一边是货棚店舍,仄仄斜斜,买卖人搭起了,小得可怜,出进都要低头。棚舍门前,差不多没有小桌矮凳,白日摆出来,夜里收回去。小商小贩的什物摊子,地点是不可固定,谁来得早,谁便坐了好处;常常天不明就有人占地了,或是用绳在堤栏杆上绷出一个半圆,或是搬来几个石头垒成一个模样。街面不大宽阔,坡度又陡,卖醋人北头跌了跤,醋水可以一直流到南头;若是雨天,从河滩看上去尽是人的光腿,从延河桥头看下去,一满是浮动着的草帽。在陕北的高原上,出奇地有这么个街市,便觉得活泼泼地新鲜,情思很有些撩拨人的了。

站在街市上,是可以看到整个延安城的轮廓。抬头就是宝塔,似乎逢着天晴好日头,端碗酒,塔影就要落在碗里;向南便看得穿整个南街;往北,一直是望得见延河的头了。乍进这个街市,觉得不大协调,而环顾着四周的一切,立即觉得妥帖极了:四面山川沟岔,现代化的楼房和古老式的窑洞错落混杂,以山形而上,随地势而筑,对称里有区别,分散里见联系,各自都表现着恰到好处呢。

街市开得很早,天亮的时候,赶市的就陆陆续续来了。才下过一场雨,山川河谷有了灵气,草木绿得深,有了黑青,生出一种铿蓝的气霭。东川里河畔,原是作机场用的,如今机场迁移了,还留下条道路来。人们喜欢的是那水泥道两边的小路,草萋萋的,一尺来高,夹出的路面平而干净无尘,蚂蚱常常从脚下溅起,逗人情性,走十里八里,脚腿不会打硬了。山峁上,路瘦而白,有人下来,蹑手蹑脚地走那河边的一片泥沼地,泥起了盖儿,恰好负起脚,稀而并不粘鞋底。一头小毛驴,快活地跑着,突然一个腾跃,身子扭得像一张弓。

一入街市,人便不可细辨了,暖和和的太阳照着他们,满脸浮着油汗。他们都是匆匆的,即使闲逛的人,也要紧迫起来,似乎那是一个竞争者的世界,人的最大的乐趣和最起码的本能就是拥挤。最红火的是那些卖菜者:白菜洗得无泥,黄瓜却带着蒂把,洋芋是奇特的,大如瓷碗小,小如拳头大,一律紫色。买卖起来,价钱是不必多议,秤都翘得高高的,末了再添上一点,要么三个辣子,要么两根青葱,临走,不是买者感激,偏是卖主道声"谢谢"。叫卖声不绝的,要数那卖葵子的、卖甜瓜的。延安的葵子大而饱满,炒得焦脆;常言卖啥不吃啥,卖葵子的却自个嗑一颗在嘴里了,喊一声叫卖出来。一般又不用称,一抓一两,那手比秤还准呢。瓜是虎皮瓜,一拳打下去,砰地就开了,汁液四流,粘手有胶质。

饭店是无言的,连牌子也不曾挂,门开得最早,关得最迟。店主人多是些婆姨,干净而又利落。一口小锅,既烧粉丝汤,也煮羊肉面,现吃现下。买饭的,坐在桌前,端碗就吃,吃饱了,见空碗算钱。然而,坐桌吃的多是外地人,农民是不大坐的,常常赶了毛驴,陕北的毛驴瘦筋筋的,却身负重载,被拴在堤河栏杆上,主人买得一碗米酒,靠毛驴站着,一口酒,一口黄面馍干粮。吃毕,一边牵着毛驴走,一边眼瞅着两旁货摊,一边舌头舔着嘴唇,还在说:好酒,好酒。

中午时分,街市到了洪期,这里是万千景象,时髦的和过时的共存:小摊上,有卖火镰的,也有卖气体打火机的;人群中,有穿高跟皮鞋的女子,也有头扎手巾的老汉,时常是有卖刮舌子的就倚在贴有出售洗衣机的广告牌下。人们都用鼻音颇重的腔调对话,深沉而有铜的音韵。陕北是出英雄和美人的地方,小伙子都强悍而显英俊,女子皆丰满又极耐看。男女的青春时期,他们是山丹丹的颜色,而到了老年,则归返于黄土高原的气质,年老人都面黄而不浮肿,鼻耸且尖,脸上皱纹纵横,俨然是一张黄土高原的平面图。

两个老人,收拾得臃臃肿肿的,蹲在街市的一角,反复推让着手里的馍馍,然后一疙瘩一疙瘩塞进口里,没牙的嘴那么嚅嚅着,脸上的皱纹,一齐向鼻尖集中,嘴边的胡子就一根根乍起来:

"新窑一满弄好了。"

"尔格儿就让娃们家订日子去。"

这是一对亲家,在街市上相遇了,拉扯着。在闹哄哄的世界,寻着一块空地,谈论着儿女的婚事。他们说得很投机,常常就仰头笑喷了唾沫溅出去,又落在脸上。拴在堤栏杆上的毛驴,便偷空在地上打个滚儿,叫了一声,整个街市差不多就麻酥酥地颤了。

傍晚,太阳慢慢西下了,延安的山,多不连贯,一个一个浑圆状的模样,山头上是被开垦了留作冬播麦子的,太阳在那里起着红光,河川里,一行一行的也是浑圆状的河柳,却都成了金黄色。街市慢慢散去了,末了,一条狗在那里走上来,叼起一根骨头,很快地跑走了。

　　北方的农民,从田地里走到了街市,获得了生活的物质和精神的愉快,回到了每一孔窑洞里,坐在了每一家土炕上,将葵子皮留在街市,留下了新生活的踪迹。延河滩上,多了一层结实的脚印,安静下来了。水依然没有落,起着浪,从远远的雾里过来,一会儿开阔,一会儿窄小,弯了,直了,深沉地流去。

访　　兰

　　父亲喜欢兰草,过些日子,就要到深山中一趟,带回些野兰来培栽;几年之间,家里庭院就有了百十余品种,像要做一个兰草园圃似的。方圆十几里的人就都跑来玩赏。父亲并不以此得意的,而且倒有了几分愠怒;时又进山去,便从此不再带回那些野生野长的兰草了。这事很使我奇怪,问他,又不肯说,只是有一次再进山的时候,要我和他一块:"访山去吧!"

　　我们走了半天,一直到了山的深处。那里有一道瀑布,几十丈高地直直垂下,老远就听到了轰轰隆隆地响,水沫扬起来,弥漫了半天,日光在上面浮着,晕出七彩迷离的虚幻。我们沿谷底走,便看见有很多野兰草,盈尺高的,都开了淡淡的兰花,像就地铺着了一层寒烟;香气浓烈极了,气浪一冲,站在峡谷的任何地方都闻到了。

　　我从未见过这么清妙的兰草,连声叫好,又动手要挖起一株来,想,父亲会培育这仙品的:以前就这么挖回去,经过一番培栽,就养出了各种各样的品类、形状的呢!

　　父亲却把我制止了,问道:"你觉得这里的兰草好呢,还是家里的那些好?"我说:"这里的好!""怎么个好呢?"我却说不出来。家里的确比这里的看着好看,这里的却比家里的清爽。"是味儿好像不同吗?"

"是的。"

"这是为什么？一样的兰草，长在两个地方就有了两个味儿?!"

父亲说："兰草是空谷的幽物，得的是天地自然的元气，长的是山野水畔的趣姿；一培栽了，便成了玩赏的盆景。"

"但它确实叶更嫩，花更繁更大了呢！"

"样子是似乎美了，但美得太甜，太媚，格调也就俗了。"

父亲的话是对的。但我却不禁惋惜了：这么精神的野兰，在这么个空谷僻野，叶是为谁长的，花是为谁开的，会有几个知道而欣赏呢？

"这正是它的不俗处。它不为被欣赏而生长，却为着自己的特色而存在着，所以它才长的叶纯，开的花纯，楚楚的有着它的灵性。"

我再不敢去挖这些野兰了。高兴着它的这种纯朴，悲痛以前为什么喜爱着它而却无形中就毁了它呢！

父亲拉我坐在潭边，我们的身影就静静地沉在水里；他看着它，也在看着我，说："做人也是这样啊，孩子！人活在世上，不能失了自己的真性，献媚处世，就像盆景中的兰草一样降了品格；这样的人是不会给社会有贡献的。"

我深深地记着父亲的话。从那以后，已经是十五年过去了，我一直未敢忘却过。

记于1982年5月31日五味村

张良庙记

汉中城北山高沟大,二百里深处有个留坝县,多不为人所到;出县城再往北四十里,是张良当年退隐处,更不为人所知。连绵的山峦一直排列到此,突然错落开来,向东一折,再往北甩去,窝出一个四合院式的山坳。坳边山石如蹲如卧,堆砌隆起,万般姿态像人工精心设计了似的。山石皆乳白色,凿之便为字壁;上有异竹,碧青青的透着紫色,一律出地一尺,便拐一个弯儿,又端端向上。山石下,多有细水,在竹石之中隐伏,悄然无声。往后就是崖壁,仰视不可见顶,全被古松遮掩,半腰又卧了白云,使人不知崖的巉巉,不知涧的深浅。楼、亭、台、榭,依山而筑,却尽藏在绿里,只浮出一檐半角;人进去,便不见身影,坐下静听,唯有鸟鸣数声。此山坳好在偏僻,被张良看中,但也亏在偏僻,却不被世人看中。据说留坝县的书记,历来最难委任,任了又多不呆三年五载。书记当官尚且如此,何况一般人呢?故几千年来,多不被人赏识、游览。如今都说山林野外幽静清净,空气新鲜,但人又多想方设法挤向城市,一旦在城市烦嚣甚了,想见山水,修起公园,但那么一块假山假水,又都蜂拥而至,又是十分烦嚣。可见人是图热闹的动物,常要舍其本,求其末,为时髦所驱动。站在山坳怅然良久,便写下这段文字,为张良庙山坳做广告,以白天下。

拐 杖 记

从张良庙再往深山走,有一个镇子,说是镇子,其实十几户人家而已。镇上有一作坊,专做拐杖,远销国内好多大城市。游张良庙时,夜宿在镇上,与作坊一老者谈起,他说:"这里没有什么值得稀罕的,只有产这拐杖。因为山深草莽,多长有荆子木、枸子木、鸡骨头木,这些杂木荆棘,不可能成材,但它们不择地而生,风吹,雪压,缺水,耐是都耐过了,却可怜几十年再长不成一握粗。这么荒荒落落,自生自长,木质倒也十分坚硬,正好能做拐杖了,又多有弯根、斜枝,以木形而做,扶手把上就可雕龙、刻凤,鱼、虫、花、鸟,随意着刀就成了。拐杖做出后,无意拿进大城市里,立即被人抢购,这使我们深山人万万没有想到。我们大多数的人从未去过大城市,不知道你们大城市的人竟这么喜爱。想想,大城市的人到了一定年纪,是不是都肚皮过肥,腿骨酥软,这拐杖便是这第三条腿了。你们有的是钱,担心的是寿,咱们深山的人却总是钱少,就多亏了你们这么周济了我们。你可回去后写写文章,说我们会记着你们大城市的人呢。"于是,我遵嘱将老者的话写在这里,让所有大城市的人都记着老者的话,当大腹便便地拄着拐杖悠悠散步的时候,也都记着支撑臃肿身躯行走的第三条腿,其实是深山里那些几十年无人知晓的杂木荆棘。

火水火鱼记

　　汉中城内东南角,有一湖,小极浅极,称池方宜。水却清澈异常,叶落进去终不沉底,水面也从未见过轮状的、网状的纹,平平静静,像一块圆圆的镜子。站在西边,就可照出东门方面的屋舍;站在北边,又可照见南门方面的楼台。有着日头的天气,可见鱼在水底,并不大的,黑着脊梁,像时兴酒杯底的花鸟,又像玻璃匣中嵌的标本。才一俯身,身影铺过去,鱼儿突然而散,再无踪迹,水面依然不动,白亮亮仍是一面镜子,倒会疑心那鱼儿是天上的鸟儿飞过的影子。这湖已不知哪朝哪代形成,一直都有着鱼,但从未见过鱼长大,历史上东门南门都曾有过好多次火灾,火灾一起,人就舀湖水去灭,总是湖涸了,鱼也死了。但不久,天并未落雨,湖水却满了,湖里也却又有鱼了。这样湖涸了又溢,鱼死了又生,一直到了今日。今年三月,我到这里,本城新县志编辑室的老赵又说起这事,直道这水儿出奇,鱼儿出奇,要我给这两种生灵起个名儿。我说,此水明知救火自亡,偏要蓄存,这是好水;此鱼情知水不久存,偏生于此水,这是好鱼。鱼有水方活,水有鱼不腐,全为着一个"火"字,天下每个城的门口都有这么种水和鱼,火灾就不可怕了,取火水、火鱼最好。老赵说:妙!遂在新县志中记之。

弦

我有一把琴,却是哑的,一根弦丝也没有了。孩提的时候,它是我的玩物,一天也不曾离过。当我进城之后,它便一直放在山地的老家,有一次墙上的钉子松了,它跌下来,琴身儿一毫未伤,弦丝儿却一根一根挣断了。从此我再没有见着它,也没有想起过它。二十年后,母亲从山地带了它来,我却突然哭了一场,爱得再也不肯释手了。

这天夜里,是十三日,月亮正待满圆,还缺着那么一角,却恰是到了好处。我就捧着琴到庭院,正襟危坐,要听着它的歌声。

四邻的人家都觉得稀奇,来院里静听,但什么声音也没有,就嗤之一笑了:

"画观色,琴听音;这无弦无音之琴,有什么可听的呢?"

我说:

"叩寂寞而求音,无声而声自在;今夜地上无月,光亮不是这么弥漫吗?"

"地上光亮,而月在天上,哑琴有声,弦在何处呢?"

"以情观月情满月,弦外有音弦在心。"

邻人更笑我痴,一哄而走散,去喝酒取乐了。我却笑邻人不是琴的知己,便更是听得入神入味;我才明白:哑琴虽然无弦,但歌是全蓄在肚里,它之所以断了弦丝,是特意要为我保留一本儿时的歌谱。

我果然听得出来,它是在唱我家门前的山路呢!那路是窄窄的,从山根一直往山顶上绕,不时就凌乱了,像一团细绳,分分合合,合合分分。走在上边的是我吗?背高高一捆柴火,像一座小山,下边是两条细细的移动的腿。荒草偶尔就没膝深了,前无去途,后无来路,一只小儿手掌般的蝴蝶倏忽飞出来了,俊俏俏在那里展一个彩色的春天……

我果然又听得出是唱村后的那条河了。十八个湾的,湾湾有一个绿澄澄的潭。我们赤条条潜下去,睁眼看那里的水草,半人多高,全然不曾倒伏,一根一根竖立;鱼儿偶尔一动不动地发呆,像浮在空中,无依无靠;石罅里的漩涡,眼瞧着中间有一个银亮亮的空心轴儿;斗大的石头,一只手就拎起来了……

我听出在田野上又是一片吵嚷了,是我们正放着烟灯呢。三张斗纸糊成个筐形,在里面吊了火纸盘儿,蘸了煤油,放了硫磺,燃着地上足烟,纸鼓得没有一个坑儿了,几乎不能按住,一声呼喊,八只手托起,猛地向空中一送,它就飞去了。愈飞愈高,只看出是一颗流动的星,我们便大呼小叫,尽夜儿追着跑。天明回来,头上的帽子却发觉早跑丢了……

是沙沙又在悄声唤我吗?她是隔壁刘叔的女儿。娘曾说:"长大了,让她做你的媳妇。"我们倒当真要做夫妻了,什么好吃的,她拿给我,什么好玩的,我送给她。有一次她哭了,怎么也劝不下,我倒生气了,说:"要再哭,你就是多么漂亮,我将来也不要你做媳妇了!"这话让娘听见了,逢人就说趣,羞得我三天不敢出门……

邻人们又来了,他们还要耍闹我,问我听出什么歌儿了,我把这些讲给了他们,他们竟面面相觑了:

"这才奇了!你是怎么个听的?"

"用心静听。"

"多少烦事缠身,倒有这么清闲心情?"

"愈是烦恼,愈是该要听了。"

他们就老实起来,再陪我坐下。但是,夜色沉沉,他们竟全睡了过去;一觉醒来,清露已经上来,问我又听到了什么。我讲了是奶奶又在桂树下说着的神话;荒野上捉住了流萤,用南瓜花包了,做黑夜里的灯笼;还有那迷迷离离的梦……他们依然什么也未听到。

邻人说:

"哑琴于你有歌,于我们则无;可惜我们心中没有你的那根弦呢。"

我说:

"这话错了。人人心里都有一根儿时的弦,只是你们还未找着罢了。"

邻人们都默默不语了,各自在自己心上寻找着各自的弦。差不多都已找着了吧? 一时院里鸦雀无声,谁也不曾睡去,谁也不再戏音谑笑;这么一直到了夜阑。末了,站起来,说果然听到了自己儿时的歌,只恨听得迟了,又怨对着哑琴不可弹出,不可和弦而唱,遗憾不已。

邻人遗憾,便只是遗憾,踽踽回去睡了。而我断了儿时之弦不能再续,回到房中无穷的诗文却涌在笔下;遂写下此文,一是为充实自己,二是为充实邻人,时正是一九八二年六月十一日夜子时也。

1982 年 6 月 11 日

大洼地一夜

我不敢忘记大洼地的一夜。

那是一九七九年的冬天,我跟着老于去打猎,一直到了秦岭深处。第三天里,一只皮毛极好的狐狸被我们打伤,却不肯倒下,我们便追了半天,黄昏的时候,翻过一座山梁,狐狸竟不见了。不能赶回去,我们便决定到山沟里的树林子去寻些干柴,要在梁畔里取暖过夜了。这当儿,月亮已经上来,雪地上一片白亮,我们一直向林子里走,来到了一块大洼地里。

大洼地的雪比山梁上厚多了,脚踩下去,就没了腿肚,走起来很是艰难。秋天的枯草全倒伏着,偶尔有一撮两撮露出还绣着白毛穗的茎尖,但冰得坚硬,一撞就脆折了。一切树木,几乎都是一搂粗的、两搂粗的百年物,叶已落尽,枝丫如爪一样扭曲,每一截曲处,每一个疤上,都驻着落雪,月光下黑森森地亮着点点白光,像怪兽的眼。枯朽的原木横七竖八地倒在地上,一半被雪埋着,一半斜仄着,满身的木耳和苔叶,茸茸地像长了毛似的。我们站在一棵枯了半边的古木下,不知道这洼地到底多么大,秃树过去,是一片黑黝黝的松柏,呈现着一个挨一个三角形状的小山模样,后边便是一片灰色,再后去,全然一个白色,什么也无法分辨了。

我们小心翼翼地站了一会,一时觉得身骨瘦起来,而且特别冷；赶忙就低头寻着干柴。干柴倒容易找，只要拖出一截枯木来，立即就能扳下一堆干枝，雪虽然在埋着，却干得很脆，发出嘎喇喇响声。很快集起一个大堆，我们拼足了全部力气，每人扛起了一大捆。站起来，小腿就哗哗地颤，扶定一棵树往上看，望不见树顶，我第一次感到我们太渺小了，简直像一片树叶。低头看洼地这么多干柴，我们尽一切力量，而充其量不过拿走微不足道的一点，又觉得像蚂蚁在粮仓里拖走一粒小米一样可怜。

我们开始向前挪步，便发现什么路也没有，也看不见任何走过的痕迹；一切都静下来，像死了一般可怕。这是一块从未有人来过，也从未有人知道的地方吗？难道我们的突然到来，不速之客使这个世界惊讶了？但我们立即恐惧起来，觉得正是这种寂静是有着什么目光在盯视着我们的一举一动，同时便听到了自己的呼吸声和每一脚起落的沙沙声。

霎时间我们全慌了，扛了柴捆急急往出奔走。但糟糕的事发生了！我们一时竟不知了归路，从一棵树下蹚雪到另一棵树下，又到另一个树下……跌了几跤，转来拐去，约摸半个小时过去了，最后发觉又转到刚才转到的树下。"中了迷糊鬼了！"我叫了起来，老于也吓呆了。两人丢下柴捆，我喊一声"喂！"，他喊一声"喂！"，四面便起了"喂喂"的回声。我们再不敢叫，洼地里又死一般寂静了。

"快划一根火柴！"我记得老年人曾说夜里行走会遇到这种迷糊鬼的，只要有火光，才会清醒过来。

老于把火柴划亮了，一团放射的光焰里，一切月色黑影都退却了，洼地里什么也看不清。我们就靠在一起，划掉一根，又划掉一根,十几根火柴划完了,我们冷静下来,终于看清来时的那棵枯了半边的古木,才手拉手从那里爬上山梁了。

回到梁畔,再不觉得冷,只感到离奇。我说还真有迷信呢,老于说,这是精神作用,划了火柴,是自己给自己壮了胆的。他说得有道理,我却晦气起这次出猎了:明明打伤了一只狐狸,但突然追过山梁就不见了!辛辛苦苦又在洼地里寻着了干柴,但却一根也未拿回来!这洼地是什么地方呢?我们常进深山打猎,可这样的洼地从未见过,难道这里是从未开发的元气混沌的天地大自然的真正一隅?!

"大自然于人是多么不可知啊!"我说。

老于却笑了,连声叫起妙来:"知道了大自然于人不可知,正是我们从此可知大自然了。"

"啊,神秘的大自然!"

"不,神秘的应该是人呢。"

"人?可是,我们在大洼地里什么也没有得到啊!"

"但我们的脚印不是从此留在那里了吗?"

记于1982年6月23日从静虚村到五味村

太 阳 路

小的时候,我们最猜不透的是太阳。那么一个圆盘,红光光的,偏悬在空中,是什么绳儿系着的呢,它出来,天就亮了,它回去,天就黑了;庄稼不能离了它,树木不能离了它,甚至花花草草的也离不得它。那是一个什么样的宝贝啊!我们便想,有一天突然能到太阳上去,那里一定什么都是红的,光亮的,那该多好,但是我们不能;想得痴了,就去缠着奶奶讲太阳的故事。

"奶奶,太阳是住在什么地方呀?"

"是住在金山上的吧。"奶奶说。

"去太阳上有路吗?"

"当然有的。"

"啊,那怎么个走呀?"

奶奶笑着,想了想,拉我们走到门前的那块园地上,说:

"咱们一块来种园吧,你们每人种下你们喜爱的种子,以后什么就会知道了。"

奶奶教了一辈子学,到处都有她的学生,后来退休了就在家耕务这块园地,她的话我们是最信的。到了园地,我们松了土,施了肥,妹妹种了一溜梅豆,弟弟种了几行葵子,我将十几枚仙桃核儿埋在篱笆边上,希望长出一片小桃林来。从此,我们天天往园地里跑,心急得像贪着嘴的猫儿。十天之后,果然就全发芽了,先是拳拳的一个嫩黄尖儿,接着就分开两个小瓣,肉肉的,像张开的一个小嘴儿。我们高兴地大呼小叫,奶奶就让我们五天测一次苗儿的高度,插根记标棍儿。有趣极了,那苗儿长得生快,记标棍儿竟一连插了几根,一次比一次长出一大截来;一个月后,插到六根,苗儿就相对生叶,直噌噌长得老高了。

可是,太阳路的事,却没有一点迹象。我们又问起奶奶,她笑了:"苗儿不是正在路上走着吗?"

这却使我们莫名其妙了。

"傻孩子!"奶奶说,"苗儿五天一测,一测一个高度,这一个高度,就是一个台阶;顺着这台阶上去,不是就可以走到太阳上去了吗?"

我们大吃一惊,原来这每一棵草呀,树呀,就是一条去太阳的路吗? 这通往太阳的路,满世界看不见,却到处都存在着啊!

奶奶问我们:"这路怎么样呢?"

妹妹说:"这路太陡了。"

弟弟说:"这路太长了。"

我说:"这路没有谁能走到头的。"

奶奶说:"是的,太阳的路是陡峭的台阶,而且十分漫长,要走,就得用整个生命去攀登。世上凡是有生命的东西,都在这么走着,有的走得高,有的走得低,或许就全要在半路上死去。但是,正在这种攀登中,是庄稼的,才能结出果实;是花草的,才能开出花絮;是树木的,才能长成材料。"

我们都静静地听着,站在暖和和的太阳下,发现着每一条路和每一条路上攀登的生命。

"那我们呢?"我说,"我们怎么走呢?"

奶奶说:"人的一辈子也是一条陡峭的台阶路,需要拼全部的力气去走。你们现在还小,将来要做一个有用的人,就得多爬几个这样的台阶,虽然艰难,但毕竟是一条向太阳愈走愈近的光明的路。"

1982 年 6 月 30 日追记于静虚村

五 味 巷

　　长安城内有一条巷：北边为头，南边为尾，千百米长短；五丈一棵小柳，十丈一棵大柳。那柳都长得老高，一直突出两层木楼，巷面就全阴了，如进了深谷峡底；天只剩下一带，又尽被柳条割成一道儿的，一溜儿的。路灯就藏在树中，远看隐隐约约，羞涩像云中半露的明月，近看光芒成束，乍长乍短在绿缝里激射。在巷头一抬脚起步，巷尾就有了响动，背着灯往巷里走，身影比人长，越走越长，人还在半巷，身影已到巷尾去了。巷中并无别的建筑，一堵侧墙下，孤零零站一杆铁管，安有龙头，那便是水站了；水站常常断水，家家少不了备有水瓮、水桶、水盆儿，水站来了水，一个才会说话的孩子喊一声"水来了"！全巷便被调动起来。缺水时节，地震时期，巷里是一个神经，每一个人都可以当将军。买高档商品，是要去西大街、南大街，但生活日用，却极方便：巷北口就有了四间门面，一间卖醋，一间卖椒，一间卖盐，一间卖碱；巷南口又有一大铺，专售甘蔗，最受孩子喜爱，每天门口拥集很多，来了就赶，赶了又来。巷本无名，借得巷头巷尾酸辣苦咸甜，便"五味，五味"，从此命名叫开了。

　　这巷子，离大街是最远的了，车从未从这里路过，或许就最保守着古老，也因保守的成分最多，便一直未被人注意过，改造过。

但居民却看重这地方,住户越来越多,门窗越安越稠。东边木楼,从北向南,一百二十户;西边木楼,从南向北,一百零三户。门上窗上,挂竹帘的、吊门帘的、搭凉棚的、遮雨布的,一入巷口,各人一眼就可以看见自己门窗的标志。楼下的房子,没有一间不阴暗,楼上的房子,没有一间不裂缝;白天人人在巷里忙活,夜里就到每一个门窗去,门窗杂乱无章,却谁也不曾走错过。房间里,布幔拉开三道,三代界线划开;一张木床,妻子,儿子,香甜了一个家庭,屋外再吵再闹,也彻夜酣眠不醒了。

城内大街是少栽柳的,这巷里柳就觉得稀奇。冬天过去,春天几时到来,城里没有山河草林,唯有这巷子最知道。忽有一日,从远远的地方向巷中一望,一巷迷迷的黄绿,忍不住叫一声"春来了"!巷里人倒觉得来得突然,近看那柳枝,却不见一片绿叶,以为是迷了眼儿。再从远处看,那黄黄的,绿绿的,又弥漫在巷中。这奇观儿曾惹得好多人来,看了就叹,叹了就折,巷中人就有了制度:君子动眼不动手。只有远道的客人难得来了,才折一枝二枝送去瓶插。瓶要瓷瓶,水要净水,在茶桌几案上置了,一夜便皮儿全绿,一天便嫩芽暴绽,三天吐出几片绿叶,一直可以长出五指长短,不肯脱落,秀娟如美人的长眉。

到了夏日,柳树全挂了叶子,枝条柔软修长如长发,数十缕一撮,数十撮一道,在空中吊了绿帘,巷面上看不见楼上窗,楼窗里却看清巷道人。只是天愈来愈热,家家门窗对门窗,火炉对火炉,巷里热气散不出去,人就全到了巷道。天一擦黑,男的一律裤头,女的一律裙子,老人孩子无顾忌,便赤着上身,将那竹床、竹椅、竹席、竹凳,巷道两边摆严,用水哗地泼了,仄身躺着卧着上去,茶一碗一碗喝,扇一时一刻摇,旁边还放盆凉水,一刻钟去擦一次。有月,白花花一片;无月,烟火头点点。一直到了夜阑,打鼾的,低谈的,坐的,躺的,横七竖八,如到了青岛的海滩。

若是秋天,这里便最潮湿,砖块铺成的路面上,人脚踏出坑凹,每一个砖缝都长出野草,又长不出砖面,就嵌满了砖缝,自然分出一块一块的绿的方格儿。房基都很潮,外面的砖墙上印着返潮后一片一片的白渍,内屋脚地,湿湿虫繁生,半夜小解一拉灯,满地湿湿虫乱跑,使人毛骨悚然,正待要捉,却霎时无影。难得的却有了鸣叫的蛐蛐,水泥大楼上、柏油街道上都有着蛐蛐,这砖缝、木隙里却是它们的家园。孩子们喜爱,大人也不去捕杀,夜里懒散地坐在家中,倒听出一种生命之歌、欢乐之歌。三天,五天,秋雨就落一场,风一起,一巷乒乒乓乓,门窗皆响,索索瑟瑟,枯叶乱飞,雨丝接着斜斜下来,和柳丝一同飘落,一会拂到东边窗下,一会拂到西边窗下。末了,雨戛然而止,太阳又出来,复照玻璃窗上,这儿一闪,那儿一亮,两边人家的动静,各自又对映在玻璃上,如演电影,自有了天然之趣。

孩子们是最盼着冬天的了。天上下了雪,在楼上窗口伸手一抓,便抓回几朵雪花,五角形的,七角形的,十分好看,凑近鼻子闻闻有没有香气,却倏忽就没了。等雪在柳树下积得厚厚的了,看见有相识的打下边过,动手一扯那柳枝,雪块就哗地砸下,并不生疼,却吃一大惊,楼上楼下就乐得大呼小叫。逢着一个好日头,家家就忙着打水洗衣,木盆都放在门口,女的揉,男的投,花花彩彩的衣服全在楼窗前用竹竿挑起,层层叠叠,如办展销。风翻动处,常露出姑娘俊俏俏白脸,立即又不见了,唱几句细声细气的电影插曲,逗起过路人好多遐想。偶尔就又有顽童恶作剧,手握一小圆镜,对巷下人一照,看时,头儿早缩了,在木楼里哧哧痴笑。

这里每一个家里,都在体现着矛盾的统一:人都肥胖,而楼梯皆瘦,两个人不能并排,提水桶必须双手在前;房间都小,而立柜皆大,向高空发展,乱七八糟东西一股脑全塞进去;工资都少,而开销皆多,上养老,下育小,两个钱顶一个钱花,自由市场的鲜菜吃不起,只好跑远道去国营菜场排队;地位都低,而心性皆高,家家看重孩子学习,巷内有一位老教师,人人器重。当然没有高干、中干住在这里,小车不会来的,也就从不见交通警察,也不见一次戒严。他们在外从不管教别人,在家也不受人教管:夫妻平等,男回来早男做饭,女回来早女做饭。他们也谈论别人住水泥楼上的单元,但末了就数说那单元房住了憋气:一进房,门砰地关了,一座楼分成几十个世界。也谈论那些后有后院、前有篱笆花园的人家,但末了就又数说那平房住不惯:邻人相见,而不能相逾。他们害怕那种隔离,就越发维护着亲近,有生人找一家,家家都说得清楚:走哪个门,上哪个梯,拐哪个角,穿哪个廊。谁家娶媳妇,鞭炮一响,两边楼上楼下伸头去看,乐事的剪一把彩纸屑,撒下新郎新娘一头喜,夜里去看闹新房,吃一颗喜糖,说十句吉祥。谁说不出谁家大人的小名、谁家小孩的脾性呢?

他们没有两家是乡党的,汉、回、满,各种风俗。也没有说一种方言的,北京、上海、河南、陕西,南腔北调,人最杂,语言丰富,孩子从小就会说几种话,各家都会炒几种风味菜,除了外国人,哪儿的来人都能交谈,哪儿来的剧团,都要去看。坐在巷中,眼不能看四方,耳却能听八面,城内哪个商场办展销,哪个工厂办技术夜校,哪个书店卖高考复习资料,只要一家知道,家家便知道。北京开了什么会,他们要议论;某个球队出国得了冠军,他们要欢呼;哪个干部搞走私,他们要咒骂。议完了,笑完了,骂完了,就各自回家去安排各家的事情,因为房小钱少,夫妻也有吵的,孩子也有哭的。但一阵雷鸣电闪,立即便风平浪静,妻子依旧是乳,丈夫依旧是水,水乳交融,谁都是谁的俘虏;一个不笑,一个不走,两个笑了,孩子就乐,出来给人说:爸叫妈是冤家,妈叫爸是对头。

  早上,是这个巷子最忙的时候。男的去买菜,排了豆腐队,又排萝卜队;女的给孩子穿衣喂奶,去炉子上烧水做饭。一家人匆匆吃了,但收拾打扮却费老长时间:女的头发要油光松软,裤子要线棱不倒,男子要领齐帽端,鞋光袜净,夫妻各自是对方的镜子,一切满意了,一溜一行自行车扛下楼,一声丁零,千声呼应,头尾相接,出巷去了。中午巷中人少,孩子可以隔巷道打羽毛球。黄昏来了,巷中就一派悠闲:老头去喂鸟儿,小伙去养鱼,女人最喜育花。鸟笼就挂满楼窗和柳桠上,鱼缸是放在走廊、台阶上,花盆却苦于没处放,就用铁丝木板在窗外凌空吊一个凉台。这里的姑娘和月季,突然被发现,立即成了长安城内之最,五年之中,姑娘被各剧团吸收了十人,月季被植物园专家参观了五次。

  就是这么个巷子,开始有了声名,参观者愈来愈多了。一九八一年冬,我由郊外移居城内,天天上下班,都要路过这巷子,总是带了油盐酱醋瓶,去那巷头四间门面捎带,吃醋椒是酸辣,尝盐碱是咸苦。进了巷口,一直往南走,短短小巷,却用去我好多时间,走一步,看一步,想一步,千缕思绪,万般感想。出了南巷口,见孩子们又拥集在甘蔗铺前啃甘蔗,吃得有滋有味,小孩吃,大人也吃。我便不禁两耳下陷坑,满口生津,走去也买一根,果然水分最多,糖分最浓,且甜味最长。

记于1982年7月2日静虚村

燕　　子

不见了燕子,已是一九七八年的光景;我常常在城里觅寻,但每每却都失望了。商场的大厅里它自然不肯去的,那高达十几层的楼顶上,我爬上去了,也不曾见它的窠儿筑着,我也专意到公园过了一次,那水光山色里,也没它的足迹。啊,可亲的燕子,难道你是在地球上灭绝了吗,还是不肯到这大城市里来?这么苦着我,使我夜夜梦着你的倩影和呢喃的低吟,而哀愁儿不能自已!

记得在乡里的时候,天一暖和,它就来了,住在我家低低的草屋的梁上,一直到天气变冷的深秋了,才要离去。它是穿着一件黑外衣的,总是把头裹得严严,似乎是一个寡妇,整日呢呢喃喃,一副懦弱而固执的模样。我刚刚会爬,光着屁股在土窝里滚,尿下了,又用手去和泥玩。后来,稍稍大点,就去放牛;我摘过草莓子吃,也趴在河里喝水,也坐在阳坡上捉虱,甚至跟着奶奶,一块去山坡上的庙中烧香磕头呢。可走到哪里,燕子总陪伴了我,当我念叨着"虱多钱多"、"眼不见为净"的话时,燕子就不住地细语,别人听不懂那是说些什么,我是听明白了:它是懂得我们的,常常只要学着一声呢喃的叫声,它就会飞到我们手掌上来呢。

在我的童年、幼年里,饲养过猫儿、狗儿,但猫儿容易背叛,狗儿又多恶事,唯有燕子是最好的了。在这四山之间的地方,它给了我乐趣,也给了我得意。我年年盼着它来,它果然也就来了。一直过了好多年,它还是它的老样儿,年年还记着这么个草屋呢。

我长成大人了,从乡里到大城市里求学,我却深深地羞愧起儿时的愚昧,时常想起来,就感到脸红。然而,燕子,它还住在我家的木梁上吗?它还在说着那些永不改音的古老的话吗?我想把这一切的变化、一切的见识,诉说给它,但却再也寻不着它了。

终有一日,市里开会,会址是一座七层楼的大会议室,摆设十分讲究。我靠近那面一人多高的玻璃窗前,正听着报告,突然有了一片呢呢喃喃的叫声,神经立即触动了。举头看时,那窗外的半空,灰白色里,翻动着无数的黑点。啊,燕子,是我可亲的燕子!它竟到城市里来了,来得又是那么的多!在这个世界上,它是无处不去的;往日我怨恨它的不来,原来是我的少见多怪了!

燕子越来越多了,组成了一个燕子阵,使夕阳晚照的天,也不明朗起来。但是,却没有一只是冲着这座七层楼来的。我探出头看去,四面都是高楼大厦,燕子盘旋成一团,全是绕着右侧的一座并不高大的鼓楼飞的,在那鼓楼的顶上、檐下、栏里、阶内,出出进进,鸣叫不已。

这竟使我疑惑不解了。会议刚一休息,我就走到凉台上,想:鼓楼并不高大,也不艳丽,因年久失修,梁上已没了雕,栋上也没了画,连那临风叮当的挂铃也没有了,那有什么可吸引的呢?

"它为什么不到四周的高楼大厦上来?"

"高楼大厦是现代化的。"旁边有人说。

"现代化的为什么它就不来?"

"它是留恋古老的。"

我不大理会,便喔起嘴来,作弄出儿时学会的燕鸣声,但它们纷纷从我身边飞过,却没有一只落下来,尽趋着鼓楼而去了。

"咳,"我长叹了一口气,"它们把我也忘了。"

"是你忘了你。"

是的,是我忘了我了,我再不是那么个流着黄涕的孩子了,我长成大人,我有了知识,它认得的只是过去的我!但我自豪,我得意,我终究不是往日的我了。可它,我的燕子,面对这现代化的建筑,无动于衷,疯狂儿恋着鼓楼,是因为只有这一处鼓楼,才是它们有情物,它们呢呢喃喃,只有将这永世不变的语言说给鼓楼,控诉、抗议这么大个城市里,再没有了它们的去处吗?!

啊,燕子,我不禁悲伤起来了:时至今日,还这么固执,这么偏见,不肯落脚在新的建筑,硬要向腐朽欲倾的鼓楼飞去,那么,城市将永远不会是你的天地了,现代建筑愈来愈多,你不是便要真的消亡了吗?咳,我该怎么说呢,我可怜的燕子,我可悲的燕子!

1981年8月3日夜草于静虚村

老人和鸟儿

这个山城,在两年前的一场洪水里被淹了,三天后水一退,一条南大街便再没有存在。这使山城的老年人好不伤心,以为是什么灭绝的先兆,有的就从此害了要命的恐慌病儿。

但是,南大街很快又重建起来,已经撑起了高高的两排大楼,而且继续在延长街道,远远的地方吊塔就衬在云空,隐隐约约的马达声一仄耳就听见了。

新楼前都栽了白杨,一到春天就猛地往上抽枝。夜里,愈显得分明,白亮亮的,像冲天射出的光柱。鸟儿都飞来了,在树上跳来跳去地鸣叫,最高的那棵白杨梢上,就有了一个窠。从此,一只鸟儿欢乐了一棵树,一棵树又精神了整个大楼。

老人是躺在树梢上的那个窗口内的床上。长年那么躺着,窗子就一直开着;一抬头,就看见远处的吊塔,心里便想起往日南大街的平房,免不了咒骂一通洪水。

老人在洪水后得了恐慌病儿,住在楼上后不久就瘫了。他睡在床上,看不到地面,也看不到更高的天,窗口给他固定了一个四方空白。他就唠叨楼房如何如何不好:高处不耐寒,也不耐热。儿女们却不同意,他们庆幸这场洪水,终有了漂亮的楼房居住。他们在玻璃窗上挂上手织的纱帘,在阳台上栽培美丽的花朵,阳光从门里进来可以暖烘烘地照着他们的身子,皮鞋在水泥板地面上走着,笃笃笃地响,浑身就有了十二分的精神。

"别轻狂,那场水是先兆,还会有大水呢。"老人说。

"不怕的!水还能淹上这么高吗?"

"这个山城要灭绝的……"

儿女们说不过他,瞧着他可怜,也不愿和他争吵。每天下班回来,就给他买好多好吃的、好穿的,但一放下,就不愿意守在他床前听他发唠叨。

"我要死了。"他总要这么说。

"爸爸!"儿女们听见了,赶忙把他制止住。

"是这场洪水逼死了我啊!"

有一天,他突然听到一种叫声,一种很好的叫声。什么在叫,在什么地方叫?他从窗口看不到。

这叫声天天被老人听到,他感到越发恐慌,一天天消瘦下去,眼眶已经陷得很可怕了。

"爸爸,你怎么啦,需要什么吗?"儿女们问。

叫声又起了,嚯儿嚯儿的。

"那是什么在叫?"

儿女们趴在窗口,就在离窗口下三米远的地方,那棵白杨树梢下的鸟窠里,一只红嘴鸟儿一边理着羽毛,一边快活地叫。

"是鸟儿。"

"我要鸟儿。"

"要鸟儿?"

儿女们面面相觑,不知道该怎么办。

"我要鸟儿。"老人在说。

儿女们为了满足老人,只好下楼去捉那鸟儿。但杨树梢太细,不能爬上去。他们给老人买了一台收音机。

"我要鸟儿。"老人只是固执。

有一天,鸟儿突然飞到窗台上,老人看见了,大声叫道,但儿女们都上班去了,鸟儿在那里叫了几声,飞走了。

老人把这事说给了儿女,儿女们就在窗台上放一把谷子,安了小箩筐,诱着鸟儿来吃。那鸟儿后来果然就来了,儿女们一拉撑杆儿,鸟儿被罩在了箩筐里。

他们做了一个精巧的笼子,把鸟儿放进去,挂在老人的床边。

那个窗口从此就关上了。老人再不愿意看见那高高的吊塔,终日和鸟儿做伴,给鸟儿吃很好的谷子,喝清净的凉水,咒骂着洪水给鸟儿听。鸟儿在笼子里一刻也不能安分,使劲地飞动,鸣叫。老人却高兴了,儿女们回来便给讲了好多他童年的故事。

一天夜里,风雨大作,老人的恐慌病又犯了,彻夜不敢合眼,以为大的灾难又来了。天明起来,一切又都平静了,什么都不曾损失,只是那个杨树梢上的鸟窠,好久没有去编织,掉在地上无声地散了。

老人的病好些了,还是躺在床上,不住地用枝儿拨弄笼中的鸟儿。

"叫呀,叫呀!"

鸟儿已经叫得嘶哑了,还在叫着。儿女们却庆幸这只鸟儿给老人带来了欢乐。

草于1982年8月25日静虚村

黄 土 高 原

　　沟是不深的,也不会有着水流;缓缓地涌上来了,缓缓地又伏了下去:群山像无数偌大的蒙古包,呆呆地在排列。八月天里,秋收过了种麦,每一座山都被犁过了,犁沟随着山势往上旋转,愈旋愈小,愈旋愈圆。天上是指纹形的云,地上是指纹形的田,它们平行着,中间是一轮太阳;光芒把任何地方也照得见了,一切都亮亮堂堂。缓缓地向那圆底走去,心就重重地往下沉;山洼里便有了人家。并没有几棵树的,窑门开着,是一个半圆形的窟窿,它正好是山形的缩小,似乎从这里进去,山的内部世界就都在里边。山便再不是圆圈的叠合了,无数的抛物线突然间地凝固,天的弧线囊括了山的弧线,山的弧线囊括了门窗的弧线。一地都是那么寂静了,驴没有叫,狗是三个、四个地躺在窑背,太阳独独地在空中照着。

　　路如绳一般地缠起来了:山垭上,热热闹闹的人群曾走去赶过庙会。路却永远不能踏出一条大道来,凌乱的一堆细绳突然地扔了过来,立即就分散开去,在洼底的草皮地上纵纵横横了。这似乎是一张巨大的网,由山垭哗地撒落下去,从此就老想要打捞起什么了。但是,草皮地里能有什么呢?树木是没有的,花朵是没有的,除了荆棘、蒿草,几乎连一块石头也不易见到。人走在上边,脚用不着高抬,身用不着深弯,双手直棍一般地相反叉在背后,千次万次地看那羊群漫过，粪蛋儿如急雨落下，嘭嘭地飞溅着黑点儿。起风了，每一条路上都在冒着土的尘烟，簌簌的，一时如燃起了无数的导火索，竟使人很有了几分害怕呢。一座山和一座山，一个村和一个村，就是这么被无数的网罩起来了。走到任何地方，每一块都被开垦着，每处被开垦的坡下，都会突然地住着人家，几十里内，甚至几百里内，谁不会知道那条沟里住着哪户人家呢？一听口音，就攀谈开来，说不定又是转弯抹角的亲戚。他们一生在这个地方，就一刻也不愿离开这个地方，有的一辈子也没有去过县城，甚至连一条山沟也不曾走了出去；他们用自己的脚踏出了这无数的网，他们却永远走不出这无数的网。但是，他们最乐趣的是在二三月，山沟里的山鸡成群在崖畔晒日头，几十人集合起来，分站在两个山头，大声叫喊，山鸡子从这边山上飞到那边山上，又从那边山上飞到这边山上。人们的呐喊，使它们不能安宁，它们没有鹰的翅膀可以飞过更多的山沟，三四个来回，就立即在空中方向不定地旋转，猛地石子一样垂直跌下，气绝而死了。

土是沙质的，奇怪的是靠崖凿一个洞去，竟百年千年不会倒塌。或许筑一堵墙吧，用不着去苫瓦，东来的雨打，西去的风吹，那墙再也不会垮掉，反倒生出一层厚厚的绿苔，春天里发绿，绿嫩得可爱，夏天里发黑，黑得浓郁，秋天里生出茸绒，冬天里却都消失了，印出梅花一般的白斑。日月东西，四季交替，它们在希冀着什么，这么更换着苔衣?！默默的信念全然塑造成那枣树了，河滩上，沟畔里，在窗前的石碌子碾盘前，在山与山弧形的接壤处，突然间就发现它了。它似乎长得毫无目的，太随便了，太缓慢了，春天里开一层淡淡的花,秋天里就挂一身红果。这是最懂得了贫困,才表现着极大的丰富吗?是因为最懂得了干旱,那糖汁一样的水分才凝固在枝头吗?

冬天里,逢个好日头,吃早饭的时候,村里人就都圪蹴在窗前石碾盘上,呼呼噜噜吃饭了。饭是荞麦面,汤是羊肉汤,海碗端起来,颤悠悠的,比脑袋还要大呢。半尺长的线线辣椒,就夹在二拇指中,如山东人夹大葱一样,蘸了盐,一口一截,鼻尖上,嘴唇上,汗就骨骨碌碌地流下来了。他们蹲着,竭力把一切都往里收,身子几乎要成一个球形了,随时便要弹跳而起,爆炸开去。但随之,就都沉默了,一言不发,像一疙瘩一疙瘩苔石,和那碾盘上的石磙子一样,凝重而粗笨了。窗内,窗眼里有一束阳光在浮射,婆姨们正磨着黄豆,磨的上扇压着磨的下扇,两块凿着花纹的石头顿挫着,黄豆成了白浆在浸流。整个冬天,婆姨们要呆在窑里干这种工作,如果这磨盘是生活的时钟,这婆姨的左胳膊和右胳膊,就该是搅动白天和黑夜的时针和分针了。

山峁下的小路上,一月半月里,就会起了唢呐声的。唢呐的声音使这里的人们精神最激动,他们会立即放下一切活计,站在那里张望。唢呐队悠悠地上来了,是一支小小的迎亲队,前边四支唢呐,吹鼓手全是粗壮汉子,眼球凸鼓,腮帮满圆,三尺长的唢呐吹天吹地,满山沟沟都是一种带韵的吼声了。农人不会做诗,但他们都有唢呐,红白喜事,哭哭笑笑,唢呐扩大了他们的嘴。后边,是一头肥嘟嘟的毛驴,耸着耳朵,喷着响鼻,额头上,脖子上,红红绿绿系满彩绸。套杆后就是一辆架子车,车头坐着一位新娘,花一样娟美,小白菜一样鲜嫩。她盯着车下的土路,脸上似笑,又未笑,欲哭,却未哭,失去知觉了一般的麻麻木木。但人们最喜欢看这一张脸了,这一张脸,使整个高原以此明亮起来。后边的那辆车,是两个花枝招展的陪娘坐着,咧着嘴憨笑,狼狼狈狈地紧抱着陪箱、陪被、枕头、镜子。再后边便是骑着毛驴的新郎,一脸的得意,抬胳膊动腿地常要忘形。每过一个村庄,认识的,不认识的,都要在怀里兜了枣儿祝贺,吃一颗枣儿,道一声谢谢,道一声谢谢,说一番吉祥,唢呐就越发热闹,声浪似乎要把人们全部抛上天空,轰然粉碎了去呢。

最逗人情思的是那村头小店:几乎每一个村庄,路畔里就有了那么一家人,老汉是肉肉的模样,婆姨是瘦瘦的精干,人到老年,弯腰驼背的,却出养个万般水灵的女儿来。女儿一天天长大,使整个村庄自豪,也使这个村庄从此不能安宁。父母懂得人生的美好,也懂得女儿的价值,他们开起店来,果然生意兴隆。就有了那么个后生,他到远远的黄河东岸去驮铁锅去了,一去三天三夜,这女子老听见驴子哇儿哇儿地响,站在窗前的枣树下,往东看得脖子都硬了。她恨死了后生,恨得揉面,捏了他的小面人儿,捏了便揉,揉了又捏。就在她去后洼洼拔萝卜的时候,那后生却赶回来,坐在窑里吃饭,说一声:"这面怎么没味?"回道:"我们胳膊没劲,巧巧不在。""啊达去了?"人家不理睬,他便脸通红,末了出了门,一步三回头。老人家送客送到窑背背,女子正赶回藏在山峁峁,瞧见爹娘在,想下去说句话,又怕老人嫌,呆在那里,灰不沓沓。只待得爹娘转脚回去了,一阵风从峁上卷下来:"等一等!"踉踉跄跄跑近了,羞羞答答,扭扭捏捏,却从怀里掏出个青杏儿来。

可怜这地面老是干旱,半年不曾落下一滴雨。但是,一落雨就没完没了,沟也满了,河也满了。住在几圪塄洼里的人家,一下雨人人都在关心着门前那条公路了。公路是新开的,路一开,外面的人就都来过,大卡车也有,小卧车也有,国家干部来家说一席漂亮的京腔,录一段他们的歌谣,他们会轻狂地把什么好东西都翻出来让人家吃。客人走过,窑背上的皮鞋印就不许被扫了去,娃娃们却从此学得要刷牙,要剪发……如今雨地里路垮了,全村人心都揪起来,一个人背了镢头去修,全村人都跟了去干。小卧车嘟嘟地开过来,停在那边,他们急得骂天骂地骂自己,眼泪都要掉下来。公家的事看得重,他们的力气瞧得轻。路修通了,车开过了,车一响,哗地人们都向两边靠,脸是笑笑的,十二分的虔诚和得宠,肥大的狗汪汪地叫着要去撵,几个人拉住绳儿不敢丢手。

走遍了十八县,一样的地形,一样的颜色,见屋有人让歇,遇饭有人让吃。饭是除了羊肉、荞面,就是黄澄澄的小米;小米稀做米汤,稠做干饭,吃罢饭,坐下来,大人小孩立即就熟了。女人都白脸子,细腰身,穿窄窄的小袄,蓄长长的辫,多情多意,给你纯净的笑;男的却边塞将士一般地强悍,大块吃肉,大碗喝酒,上了酒席,又有人醉倒方止。但是,广漠的团块状的高原,花朵在山洼里悄悄地开了,悄悄地败了,只是在地下土中肿着块茎;牛一般的力气呢,也硬是在一把老镢头下慢慢地消耗了,只是加厚着活土层的尺寸。春到夏,秋到冬,或许有过五彩斑斓,但黄却在这里统一,人愈走完他的一生,愈归复于黄土的颜色。每到初春里,大批大批的城里画家都来写生了,站在山洼随便一望,四面的山峁上,弧线的起伏处,犁地的人和牛就衬在天幕。顺路走近去,或许正在用力,牛向前倾着,人向前倾着,角度似乎要和土地平行了,无形的力变成了有形的套绳了。深深的犁沟,像绳索一般,一圈一圈地往紧里套,他们似乎要冲出这个愈来愈小的圈,但留给他们活动的地方愈来愈小,末了,就停驻在山峁顶上。他们该休息了。只有小儿们,停止了在地边玩耍,一步步爬过来,扑进娘的怀里,眨着眼,吃着奶……

1982 年 9 月写于延川县

延川城感觉

再也没有比这里更仄的城了:南边高,北边低;斜斜地坐落在延水河岸。县中学校是全城制高点,一出门,就慢坡直下,窄窄横过来的唯一的一条街道似乎要挡住,但立即路下又是个慢坡了。使人禁不住设想:如果有学生在校门跌上一跤,便会一连串跟头下去,直落到深深的河水中去了。以此观察去,全城极少有自行车,是不是也是为了防止这种危险呢?如果下十天八天阴雨,地皮松动,真担心整个城会一下子滑脱吧?以此再推想,由永坪镇到黄河是一百四十里,由延川城到黄河是五十里,是不是这座城原是一只窄窄的船,急急要奔赴黄河,拐来拐去行了九十里,突然在这里搁浅,才变成了这般模样吗?

从南岸到北岸,一座桥连接了,这是一个伟大的联系,否则延水没有滩,山下就是河,河上就是山,两边说话听得见,但老死不得往来了。看北岸峭壁之上,凿满了窑洞,真怀疑那是怎么上去的?窑前没有空地,可想那大人是多么勇敢,那孩子在大人出门的时候,会不会是被用带子拴在门槛上的?白天里,窑洞一排叠一排,如蜂窠一样;到了晚上,每一孔窑洞里都亮了灯,是每一孔窑洞里藏住了一个太阳,还是整个山是一座黑黝黝的冶铁炉,那窑洞就是一孔观火势的口?

城太小了,居民没有谁不认识谁的,整个城里的人的布置好像是一张网,各人都在各人的方位,任何人一有动静,别的人就会知晓。一个生人只要在街头上一出现,全城就立即发觉了。似乎在这里,走了一个人,城就空了许多,来了一个人,城就挤了许多。但人和人是友善的,因为谁也知道谁的祖宗三代,谁也有用得着谁的时候,或许细数起来,都是些转弯抹角的亲戚;地域的限制,生存的需要,使他们只能团结而不能分散了。

　　出奇的是这么个地方,偏僻而不荒落,贫困而不低俗:女人都十分俊俏,衣着显新颖,对话有音韵;男人皆精神,形秀的不懦,体壮的不野;男女相间,不疏又不戏,说,唱,笑,全然是十二分的纯净呢。物产最丰富的是红枣,最肥嫩的是羊肉。于是才使外地人懂得:这个地方花朵是太少了,颜色全被女人占去;石头是太少了,坚强全被男人占去;土地是太贫瘠了,内容全被枣儿占去;树木是太枯瘦了,丰满全被羊肉占去。

　　可以设想:每一个生人来到这里,每一个生人都会说这是一个有趣的城,一个不易忘记的城。我也有些同感,才写下这文存念,时值一九八二年九月二十四日初夜。

1982年9月写于延川县

风　雨

　　树林子像一块面团了,四面都在鼓,鼓了就陷,陷了再鼓;接着就向一边倒,漫地而行的;忽地又腾上来了,飘忽不能固定;猛地又扑向另一边去,再也扯不断,忽大忽小,忽聚忽散,已经完全没有方向了。然后一切都在旋,树林子往一处挤,绿似乎被拉长了许多,往上扭,往上扭,落叶冲起一个偌大的蘑菇长在了空中。哗的一声,乱了满天黑点,绿全然又压扁开来,清清楚楚看见了里边的房舍、墙头。

　　垂柳全乱了线条,当抛举在空中的时候,却出奇地显出清楚,刹那间僵直了,随即就扑撒下来,乱得像麻团一般。杨叶千万次地变着模样:叶背翻过来,是一片灰白;又扭转过来,绿深得黑青。那片芦苇便全然倒伏了,一截断茎斜插在泥里,响着破裂的颤声。

　　一头断了牵绳的羊从栅栏里跑出来,四蹄在撑着,忽地撞在一棵树上,又直撑了四蹄滑行,末了还是跌倒在一个粪堆旁,失去了白的颜色。一个穿红衫子的女孩冲出门去牵羊,又立即要返回,却不可能了,在院子里旋转,锐声叫唤,离台阶只有二步远,长时间走不上去。

　　槐树上的葡萄蔓再也攀附不住了,才松了一下屈蜷的手脚,一下子像一条死蛇,哗哗啦啦脱落下来,软成一堆。无数的苍蝇都集中在屋檐下的电线上了,一只挨着一只,再不飞动,也不嗡叫,黑糊糊的,电线愈来愈粗,下坠成弯弯的弧形。

一个鸟窠从高高的树端掉下来,在地上滚了几滚,散了。几只鸟尖叫着飞来要守住,却飞不下来,向右一飘,向左一斜,翅膀猛地一颤,羽毛翻成一团乱花,旋了一个转儿,倏忽在空中停止了,瞬间石子般掉在地上,连声响儿也没有。

窄窄的巷道里,一张废纸,一会儿贴在东墙上,一会儿贴在西墙上,突然冲出墙头,立即不见了。有一只精湿的猫拼命地跑来,一跃身,竟跳上了房檐,它也吃惊了;几片瓦落下来,像树叶一样斜着飘,却突然就垂直落下,碎成一堆。

池塘里绒被一样厚厚的浮萍,凸起来了,再凸起来,猛地撩起一角,刷地揭开了一片;水一下子聚起来,长时间地凝固成一个锥形;啪地摔下来,砸出一个坑,浮萍冲上了四边塘岸,几条鱼儿在岸上的草窝里蹦跳。

最北边的那间小屋里,木架在吱吱地响着。门被关住了,窗被关住了,油灯还是点不着。土炕的席上,老头在使劲捶着腰腿,孩子们却全趴在门缝,惊喜地叠着纸船,一只一只放出去……

1982 年秋写于宝鸡

紫 阳 城 记

在家读过一本书，记得说："紫阳疆隅，为安康锁钥，任河路径，实川陕咽喉；峰有千盘之险，路无百步之平。"便对紫阳没了好感。想：地理居势或许重要，但毕竟是太偏远，太荒僻，隔南北飞雁，过日月东西，实在不足为游览胜地了。

狗年二月，正是草发春浅，我们一行三人从任河坐船下行，黄昏到了任河与汉江汇合之处，但见江面渐阔，两岸冥顽之石嶙嶙，静锁之峰屑屑，一派灵秀浩浩之气。正不知到了什么地方，船上人说：紫阳到了。我蓦地一惊：真是山不转人转，竟莽撞撞到了紫阳！仰头看那下游北岸，一山满是屋舍，竟成了屋舍的山；此行几千里路，以其孤城压江，委实稀罕。就停桨下船，嚷着去城看个究竟呢。

先在河边洗了手脸，那水比上游深得更沉，碧得更蓝，清清楚楚地显出水底的石床；丢一块片石下去，犹如落叶一般，好长时间，悠悠飘飘，才能到底。沿水边往北岸走，艰难地踏过一片卵石，便是蔓延上下的石板河滩。没有滚石，更不见沙砾，是地质变化的缘故吧，石层全然立裁，经水冲刷，变得高高低低，坑坑凹凹，但一道一道梁坎明显，黑青青的，如一根根偌粗的绳索，又呈一条条电焊的鱼脊。江风骤起，猛觉是奔涌而去的石浪，又使人顿时感受到了运动的力量和气势的雄壮。我们都十分冲动，拼力儿跑近北岸，却一时寻不到上岸的通道。岸仄极陡极,屋基就沿岸壁而筑,那么高的,那么高的,似乎一直扶摇冲上,顶上就有了一个小阁子木楼。木楼多是一层,更有两层、三层,一半搭在石基上,一半却悬在空中,下边用极细的木头顶着。有的竟如背篼一样,用木条和绳索系一个小小房子贴在大房身边,怕是特制的凉台了。我们都大惊失色,担心那鸟窠似的住处会突然掉下,即使不会发生,那江风吹来,木楼吱吱晃动,如何歇身安家呢?仿佛是要回答我们这些北方的旱民似的,一家木楼的三层竹窗,呀地推开,便有一个俊俏俏的姑娘坐在里边,风抛着头发出来,如泼墨一般,自抱了一个满月琵琶,十指弄弦,五音齐鸣,飘飘然,悠悠然,律清韵长;眼见得半壁上一树樱花白英乱落,惊起半天绿尾水鸟,那姑娘眉眼,却终因琵琶半遮半掩,遗憾不能看清。

打问了江边的一群洗菜少妇,急急向西边湾后走去,果然一条细绳模样的石阶路垂在那里。阶是石条压成,已经不知被踏了多少年月,石条没有棱角,光滑如上蜡抹油,不易站住。这时几只小舢板泊泊从上游划来,停在那里,下来一群挑担的、背篓的,一拥而上,竟裹挟着我们到了街面。

街面窄得可怜,两边的街房,屋檐对着屋檐,天只剩下一扁担宽的白光,又被那交织的各类电线,裂成网状。路阴阴的,潮潮的,饭馆、酒铺、商店、旅社,一家挨着一家,压抑得使人喘不过气。上街的人却十二分地多,小商小贩便贴墙根站起或蹲下,出售竹织、木器、菜蔬、小吃。更有那芝麻烧饼,被一些小姑娘捉着,在人群钻动,锐声叫卖。最是有趣的,在人稠处,脚步儿正踟蹰,忽有人大叫:"让路,让路,油过来了!"前边人赶忙缩身闪开,回头看时,并未有油,只是那些背了龙须草的人;知道上当,待要报复,那卖草者却回头一笑,报以原谅,早走过去了。

　　街面窄是窄了,且弯弯扭扭,又起起伏伏,站在这头,如何不能看到那头?想赶快逃开这拥挤世界,到另一条街市上去吧,抬头往上看时,山上不见一石一草,全是屋舍,高高低低,仄仄斜斜,细端详,各个建筑,各有各的姿态,位置正表现着恰到好处。这时候,就会突然发觉,这儿的屋舍总那么单薄,注视良久了,才见屋顶没有木梁,也不曾抹上泥巴,而且椽一律横挂,上边钉了竖的木条,用一块一块石板就那么干干净净地放上去罢了。随便拣一人家进去,主人异常热情,让烟让茶。若只盯着那石板屋顶发呆,瞧那并不严密,有夕阳在孔隙里泼射,问:漏雨吗?答:不漏。这就万分令人惊异了。主人此时就得意起来,说紫阳这地方,一是石板多,二是木板多;房屋都是两头用石,中间用木,为天下少有。出门再看所有房舍,果然如此。由不得我们便作了好多想象:到了盛夏,那雨点骤落,必是如珠坠盘,大珠当当,小珠叮叮,万般妙音,可是何等乐事?!

　　我们兴致越发暴增,可是,要寻另一街市,却再也不能够了。巷道却极多极多的,从这第一条街面上,钻任何一条巷往里走,都是石板台阶,一会左了,一会右了,似乎是走进了人家的院落,但三米之外,一拐,又是石阶,少则三台四台,多则二十三十不等。间或两边房相峙而起,檐角相错,如过走廊;间或却一边屋的前基高如城垛,一边屋的后墙矮如坐椅,可以细细看那屋顶上的石板瓦了,黑油油的,摸摸有皮肤的腻滑。走着走着,巷道纵横,不知该走哪条,竟转下山去;又复上进,好长时间了,却又返回原地,一时如入迷宫,不辨了东西南北。上上下下的行人很多,有头缠黑帕的老人,有肩披鬈发的少女,有穿草鞋的在石阶上印出水渍,有蹬皮鞋的在石阶上叩出节奏。大凡汉江、任河养女不养男吧,男人皆瘦小,五官紧凑,女人却极尽娟美,说话声尾扬起,圆润如唱歌动听。拦住一女子打听机关单位都在哪儿。说是市民和单位混杂居住。问去××单位如何走? 答:"向左,再向左,又向左,后向右……"请直接说出巷名门号,对曰:"无名无号。"我们只好噢的一声,茫然而苦笑了。

终于算摸出了一定的规律:从任何一条巷子,只要目标往上,皆可上山;每几条巷子会合了,必在那会合点上有一个商店或饭馆。这真是一座奇妙的城,有如重庆之盘旋,却比重庆更迷离;有如天津之曲折,却比天津更饶趣。从山下到山上,高达几百米,它就是靠这一种崎岖的建筑而使人解谜一般地不觉疲倦、蛮有兴致地攀登吗?

我们毕竟肚子饥了,在一家饭店喝了米酒,吃了焦黄透亮的熏肉片,又往上走。只说自上山来,已经在城里半天了,但突然一座耸峻雄伟的城门楼挡在面前,仰脸儿看看,上有赫赫大字:东门。不禁惊骇失声:走了半天,原来并未进城?! 个个面面相觑,随之就击掌叫绝,想那城中不知又有何等景象! 便小跑入了城门,回头看那来路,已不见石阶,唯满山坡屋顶,石板片片,太阳下一片灿灿亮光。

城中平展多了,再无石阶,快步前行,便见四处新式高楼:一为县政府,一为招待所,一为剧院,一为县委会。站在大楼前,看江水就在眼下,越发碧蓝,平平静静,疑心那已不是流水,而是画家的一泓染料。江南山坡上,屋舍点点,如晨星落落,求三家村者,则无,而山径小路,纵横交织,如绳索乱扔。人家前后,全被开垦,麦田块块,茶垄行行;有人吆牛耕空地,一半为黄,一半呈黑,飘来几声隐隐的山歌,间或被鞭响炸开。我们正陶醉着,边走边乐,突然路又折弯拐下。彷徨之际,见那巷口写着"西关"字样,方知城已完也!这便又使我们大惑不已,站在那里,长时间地发呆。忽见前边一棵树,被剥了一块皮,树上有汉隶写就一诗:"上完三百六十阶,才见斗大一块城。"哦,斗城,斗城,我们一时哈哈大笑,说:有趣,有趣!

　　又旋转往下,又见一沟石板,不见巷道。进之,如鸟投暮林,如鱼潜藻底;又是巷道分岔,石阶迤逦,转之又转,又复上山。最后终到了北坡,方见地面平坦,公路通达,高楼幢幢,正是新扩建的地面,模样与别的县城一般。但壮观则壮观,却无味儿了!

　　此时天已黑严下来。先是一处灯光,随之,山上,河岸,灯火点点。疑是天上地下之分,想这天上的,是地下的映像吗?这地下的,是天上的倒影吗?来往行人,去看电影、戏剧,上下手电光,忽明忽灭,倏忽不定。到了此时,才醒悟入紫阳城以来,还未见过一辆自行车,这该是一大特点,而另一大特点,竟是备有手电,却是人人必不可少的随身用品了。

　　末了,坐进一家茶店去,买了茶水来饮。茶是驰名天下的紫阳青茶,甘醇爽口,一杯解渴,两杯提神,边品边想这次紫阳城一游,极有趣味,怨恨以前看的那书,尽是将紫阳委屈,误了多少人的游览。昔人讲:山不在高,有仙则名。紫阳并不大,却给人以离奇,并不繁华,却恰似热闹,可见偏僻并不等于荒寂,贫苦并不等于无乐。进而又想:虽人生之路曲曲折折,往前知去途,回首见来路,硬进而上,转身便下,只有登到顶上,更知来去之向,脉络形势,此景、此情、此理、此义,岂不是完完全全让紫阳城写照殆尽了吗?我把这想法告诉给同行们,大家都说极是,提议再下山去,重上一次,慢慢将人生体验。于是,我们三人便又下山重登了一回紫阳城。

月　鉴

近些月来,我的脾气越发坏了,回到家里,常常阴沉着脸,要不就对妻无名状地发火。妻先是忍耐,末了终觉委屈,便和我闹起来,骂我有了异心。这般吵闹一场,我就不免一番后悔,但却总又不能改掉。今天夜里,我们又闹开了,结果妻照样歪在一旁抹泪,我只有大声喘着粗气,吸那卷烟,慢慢便觉得无地可容,拉开门,悄悄往村前的草坝子里去了。

"你就不是个人!"妻撑在门口,恨恨地还在骂我。

我没有还口,只是独独地走去,觉得妻骂得是对的:我怎么总要在她面前发脾气呢?她性情极温顺,我是太不知轻重的了。结婚三年来,我的蜜月期的温存哪儿去了?明明知道是自己无理,却还这样行为,弄到如此模样,活该我不是一个人了呢!

巷道是窄窄的,有几声狗咬,顺石板一块一块走去,又弯弯曲曲挪过田间小埂,草坝子就在眼前了。草很高,全是野苇糜子,冬天的寒冷,使它们已经失去了生命,却并没有倒伏,坚硬得有灌木般的性质了。月亮正要出来,就在草坝的那边,一个偌大的半圆。那是半团均匀的嫩黄,嫩得似乎能掐出水来,洁净净的,没一点儿晕辉;草坝子上却浮起了一层黄亮,竟使人疑心:这月亮从黄草里生出来,才染得这般颜色了。

我定定地看着月亮,竭力想把那烦恼忘却,月亮却倏忽间是玫瑰色的粉红了。似乎要努力从草丛中跃起,却是那么的艰难,草丛在牵制着,已经拉成一个锥圆形状;终在我眨眼的工夫,一下子跳出一尺高来。草坝子上,现在是一层淡淡的使人伤感的橘红,而且那淡还在继续,最后淡得没了色彩,月亮全然一个透明的镜片,莽草也像柔水一样地平和温柔了。

海上的日出,我是见过的,大河的落日,我也是见过的,但是,那场面全没有这草坝上的月升优美。我竟有了惊异:漠漠的天空有了这月亮,天空这般充实,草坝有了这月的光辉,草坝显得十分丰满;我后悔今日才深深懂得了这夜、这夜里的月亮了哩。

我闭上眼睛,慢慢地闭上了,感受那月光爬过我的头发,爬过我的睫毛,月脚儿轻盈,使我气儿也不敢出的,身骨儿一时酥酥地痒……睁开眼来,我便全然迷迷离离了:在我的身上,有什么斑斑驳驳地动,在我的脚下,也有了袅袅娜娜的东西了。回过头来,身后原来是柳、草,阴影匝匝铺了一地,层次那样分明,浓淡那样清楚……不知什么时候,有了风,草面在大幅度地波动,满世界价潮起泠泠声,音韵长极了,也远极了,夜色愈加神秘,我差不多要化鹏而登仙去了呢。

脚步儿牵着我往草坝中走去了,像喝醉了酒,醺醺的,终于支持不住,软坐在那草丛里。月亮照着我,波动的草一会儿埋住我的头,一会儿又露出我的脸。那蒿草原来并不是水似的平和,茫茫的却是无数的弧形的线条呢。线条先是一条一条的,愈远愈深密,当那波动到来的时候,那是一道道细微的银坎儿,极快地从远处推来,眨眼间埋没了我的头顶。蓦地,一只夜鸟在响亮地叫着,从天边斜着翅膀飞来,一个黑影儿掠过我的脸面,它还在叫着、飞着,似乎在欣赏和追逐自己那草波上的倩影呢,接着就对着月亮又是一叫,飞得无踪无迹了。

这鸟儿一定在感谢月亮,使它看见了自己的影子吗?

我侧起头来,突然想到:在这夜里,有了月亮,世界上的万物便显出了存在,如果没有了这轮月亮,那会是多么可怕的黑暗啊!

月亮该是天地间的一面镜子了呢。

一个人影突然在我前边不远处出现,样子斜斜的,那么单薄,也正仰头看着月亮,而且有了一声长长的喟叹。这是谁呢?世上难道还有和我一样烦恼的人到这里来吗?那纤小身腰的线条,那高高隆起的发髻,我立即惊慌不已了:她不就是我妻子吗?

可怜的妻,她竟也到这里来了!天呀,如今看来,我真不配做人了,我害得她夜里不得安宁?!唉,一切苦闷应该归我,为什么要牵连她呢?她应该是幸福的,应该是快乐的,可她却也来了呢?!

我向她走去。我们在草坝深处相遇了。

"你怎么也来了?"我说。

"我来清静。"她淡淡地说。

"……都是我不好,惹你生气了。"

"你好!我生你什么气了?"

"我向你求饶,以后再不这样了……"

"这话你讲过多少次了?"

"你还不饶恕我吗?"

妻却呜呜地哭了。

"你在外边,又说又笑,回到家来,就没个笑脸儿……"

"我哪有那么多笑脸?"

"你总是发脾气,拿着我出气……"

妻委屈得说不下去,捂了脸,从草丛里斜斜地走了。她走了,把我留给夜里,把我的影子留给了我。风已经住了,潜伏在蒿草根下去了,消失在坝子外的沙滩上去了。月亮还在照着,照得霜潮起来,在草叶上、茎秆上,先是一点一点地闪亮,再就凝结成一层,冷冷的,泛着灰白的光。

无穷无尽的悲凉陡然袭上我的心头了。唉,我该怎样恨我的脾气呢,恨我的阴脸呢,我担心我会永远这样下去,总有一天,妻会离弃了我,我在不可自拔的境况下堕落下去,死亡下去了呢。

我检点起我自己了:是我对妻有了二心了吗?没有的,一丝一毫也不曾有的,我对妻是忠忠的,是爱爱的,世上没有第二个像我这样的专诚的了。

我不觉又该怨起妻了呢,她是不理解我的啊:我在外,老是有看不惯的事,但我不能去正义,只是憋着,还得笑笑的,回到家里,在亲人面前,我还再这么憋着气吗?还再这么笑吗?

我记起一位哲人的话了:夫妻是互相的镜子。是的,妻确实是我的镜子了,在这面镜子里,我虽然近乎残忍,但我的人的本性才表现了出来;离开了妻,我才不是人了,是弯曲的人,是人的躯壳啊!

月亮还在草坝上照着,霜越潮越重了,那草的茎上、叶上沉重得垂下去了,光亮却异样地晶莹,幽幽的,荡起一股凉森。我觉得衣衫有些单薄,踽踽地要往回走了。

走出了草丛,又站在了那株柳下,看斑斑驳驳的树影印在地上,不用晃动,每一条枝、每一片叶,都看得清晰。我想,画家画树,枝条交错,叶片翻动,那么生动,那么气韵,一定是照着这影子画就的了;亏得月的镜子,把一切纷纷乱乱都理得多么明白!

啊,妻就是我的镜子吗?妻就是我的月亮吗?

我大口地呼吸着,将草坝的气息蓄满了心胸,张开了双臂,似乎要拥抱这轮中天月了。我深深地祝福这天地之间有了这明白的月亮,我祝福在我的生活里有了这亲爱的妻子!

我很快地向家里走去了,我要立即见到我的妻,检讨我的粗鲁,但我要向她大声地说:

"我还是人呢,我发现我还是人呢,我要做人,我要永远做人,在妻前,在月下,在任何地方,都要作为一个人而活下去!"

在 米 脂

> 走头头的骡子三盏盏的灯,
> 挂上那铃儿哇哇的声。
> 白脖子的哈巴朝南咬,
> 赶牲灵的人儿过来了;
> 你是我的哥哥你招一招手,
> 你不是我的哥哥你走你的路。

在米脂县南的杏子村里,黎明的时候,我去河里洗脸,听到有人唱这支小调。一时间,山谷空洞起来,什么声音也不再响动;河水柔柔的更可爱了,如何不能掬得在手;山也不见了分明,生了烟雾,淡淡地化去了,只留下那一抛山脊的弧线。我仄在石头上,醉眼蒙眬,看残星在水里点点,明灭长短的光波。我不知这是谁唱的。三年前,我听过这首小调的唱片,但那是说京腔的人唱的,毕竟是太洋了,后来又在西安大剧院听人唱过,又觉得舒扬有余,神韵不足。如今在这么一个边远的山村,一个欲明未明的清晨,唱起来了,在它适应的空间里,味儿有了,韵儿有了。

歌唱的,是一位村姑。在上岸的柳树根下,她背向而坐;伸手去折一枝柳梢,一片柳叶落在水里,打个旋儿,悠悠地漂下去了。

这是极俏的人,一头淡黄的头发披着,风动便飘忽起来,浮动得似水中的云影,轻而细腻,倏忽要离头而去。耳朵一半埋在发里,一半白得像出了乌云的月亮。她微微地斜着身子,微微地低了头,肩削削的,后背浑圆,一件蓝布衫子,窈窈地显着腰段。她神态温柔、甜美,我不敢弄出一点响动,一任儿让小曲摄了魂去。

这是一首古老的小调,描绘的是一个迷人的童话。可以想象到,有那么一个村子,是陕北极普通的村子。村后是山,没有一块石头,浑圆得像一个馒头,山上有一二株柳,也是浑圆的,是一个绿绒球。山坡下是一孔一孔窑洞,窑里放着油得光亮的门箱,窑窗上贴着花鸟剪纸,窑门上吊着印花布帘,羊儿在崖畔上啃草,鸡儿在场墕上觅食。从门前小路上下去,一拐一拐,到了河里,河水很清,里边有印着丝纹的石子,有银鳞的小鱼,还有蝌蚪,黑得像眼珠子。少妇们来洗衣,一块石板,是她们一席福地。衣服艳极了,晾在草地上,于是,这条河沟就全照亮了。

有那么一个姑娘,该叫什么名字呢?她是村里的佼佼者。父母守她一个,村里人爱她,见过她的人都爱她。她家在大路口开了个饭店,生意兴旺,进店的,为了吃饭,也为着见她。她却最是端庄,清高得很,对谁也不肯一笑。

姑娘有姑娘的意中人,眼波只属于清风,只属于他。他是后山的后生,十八或者二十岁,每天要从这里路过去县上赶脚。进得店来,看见她,粗茶淡饭也香,喝口凉水也甜,常常饥着而来,呆会便走,不吃不喝也就饱了。她给他擀面,擀得白纸一张,切面,刀案齐响,下到锅里莲花转,捞到碗里一窝丝。她一回头,他正看她,给她一笑,她想回他个笑,但她却变了脸。他低了头,连脖子都红了,却看见了桌布下她露出的两只鞋尖。她看出他的意思了,却更冷了脸儿,饭端上来,偏不拿筷子。他问;她说:"在筷笼,你没长手?"他凉了心,吃得没味,出去了。她得意地笑,终又恨他,骂他"孱头"。

他几天竟不来了,她坐在家里等。等得久了,头也懒得梳,她说:"不来了,好!"但却哭了。

天天却听见门外树上的喜鹊叫。她走出来,却是他在用石子打那鸟儿。她愣了,眼泪都流了出来。他瞧着她喜欢,向她走来,她却又上了气:"为什么打鸟?""我恨!""恨鸟儿?""它住在这里。""那碍你什么了?""也恨我。""恨你?""恨我不是鸟儿!"她想了想,突然笑了。他一看她,她立即面壁不语。他向她走近来,她却又走了,一直走到窑里。只想他会一挑帘儿进来,回头一看,他没有进来,走出窑看时,他却走了,边走边抹着眼泪。

她盼他再来。再盼他来。他却再也没来。每天赶脚人从门口来往。三头五头的骡子,头上缠着红绸,绸上系着铜铃,铜铃一响,她出门就看。骡子身上架着竹筐,一边是小米、南瓜、土豆,一边是土布、羊皮、麻线,他领头前边走,乜她一眼,鞭儿甩得叭叭地响,走过去了。

一次,两次,眼睁睁看他过去了,她恨自己委屈了他,又更恨那个他!夜里拿被子堆一个他,指着又骂又捶又咬,末了抱住流眼泪。等着他又路过了,她看着他的身影,又急切切盼着他能回过头来,向她招一招手……

小调停了,我却叹息起来,千般万般儿猜想,那后生是招了招手呢,还是在走他的路?一抬头,却见岸那边走来一个年轻人,白生生赶了一群羊,正向那唱小调的村姑摇手。村姑走了过去,双双走到了岩那边的洼地,坐在深深的茅草丛中去了。茅草在动着,羊鞭插在那里,是他们的卫兵。

我悄悄退走了,明白这边远的米脂,这贫瘠的山沟,仍然是纯朴爱情的乐土,是农家自有其乐的地方。

1981 年 10 月 8 日静虚村

地下动物园

陇南有一个去处:山有灵气,水有精光,百十亩地面,沟沟岔岔长满了竹,天晴绿得深沉,遇风,则满世界泠泠音韵。自然就大兴土木,筑楼建亭,幽然然地办起了一个疗养所。于是,各界俊才名人,每年就度夏避暑而来,很是热热闹闹的了。

在竹林深处,却有了一条不大不小的浅沟,没有竹子,也没有一棵端端的树;杂乱无章的是些野荆,枸子居多,棠梨次之,更有那些酸枣、鸡骨头木。这些野荆,都长得极慢,叶子稀稀落落地没有颜色,一人来高便显出枯老,疙疙瘩瘩地难看。美丽的竹林地竟有了这条沟,实在是太煞风景了。

疗养所的人就动手改造了,先放火烧了那沟,然后用镢开挖,想方设法植些竹子,或者种些花草。但是这野荆根系却意想不到地发达,在地下错综复杂纠缠在一起,整整好多天过去了,还没有清理出多少地方来,只好作罢,封了沟口,从此绝了外人参观。

挖出的那些树根就堆放在沟口,一时却无法处理:因为山地烧柴到处都是,没人肯费体力用斧子去劈它;也曾用火再烧,但又都燃不起来。只有盼望发一次洪水,将这些树根冲去吧。

但是,几年之间,并没有发生洪水,那树根依然堆在那里,奇怪地竟没有腐朽。那沟自烧后,一片黑秃,鸟儿再不飞来,兔儿再不窜来,虽后来也慢慢又有叶生,又有果结,但叶生叶枯,果结果落,被人遗弃,越发荒寂不堪了。

这年夏日,疗养所来了一位画家,很老很老的年纪。一天到山岔里去写生,已经是黄昏了,转到这条沟,突然就吓倒了:远远的地方,爬着、卧着、立着、仄着一堆飞禽走兽!但那些动物却并未走散,甚至动也未动,他定睛看时,不禁哑然失笑了,原来这竟是那堆树根。但他立即惊喜若狂,背了好多树根回到宿舍,用锯子截截,用凿子刻刻,那些树根顿时真的就成了一只咆哮的虎、一只酣睡的牛,或者是一只栖枝的鸟,或者是一只望月的羊。

这事轰动了陇南地面,说这老画家有化腐木为神奇之巧功。老画家从此也没有走,随后又来了相当多的人,就开始开挖这条浅沟了。开挖得十分仔细,大凡树根,一律视为珍宝,果然几经雕琢便成动物。于是,很快这里就修了厅房,办起了工艺美术厂,那些飞禽走兽摆满了大厅,列为珍品,供人观赏,而且这条不大不小的浅沟也被保护了起来。一时消息传开,声名大振,大批大批的人来参观,疗养所从此没了荣誉,远远近近却都知晓这个地下动物园了。

这地下动物园办了一个很可观的展览,那展室前言里,详细记载了这块地方的发现和开发,末了写道:

> 杂木野荆,它们不像绿竹那样争荣地面;它们正是无争于地上色彩,却用功于地下形体。它们久久地被人遗弃了,但是,荒寂而不自弃,冷落而不无用,它们是一群凝固的生命,它

们是天然的艺术。可怜它们却被深深地埋在了地下,只是一天天、一年年在期待着人去开发,去挖掘呢。

作于1982年10月18日兰州

走 三 边

往陕北远行,三千里路,云升云降,月圆月缺,旅途是辛苦的。过了金锁关,山便显得愈小,羊便见得更多,风头一日比似一日强硬,一日比似一日的思亲情绪全然涌上心头了。当黄昏里,一个人独独地走在沟壑梁上,东来西往的风扯锯般地吹,当月在中天,只身儿卧在小店床上,听柴扉外蛐蛐儿忽鸣忽噤,便要翻那本边塞古诗,以为知音,是体会得最深最深的了。但我仍继续北上;三边,这是个多么逗人情思的神秘的地方啊。我知道,愈是好地方,愈是不容易去得,愈是去的人少了,愈值得去一趟呢。

穿过延安,车进入榆林地区,两天里,在沟底里钻,七拐八拐的,光看见那黄天冷漠,黄山发呆,车像是一只小爬虫儿,似乎永远也不可能钻出这黄的颜色。第三天,偶尔看见山上有了树,是绿的,或者是黄的,或者是红的,高高地衬在云天,像天地间突然涌出了一轮太阳,像战地上蓦地打起了一发信号弹,猜想水土异样,三边该是到了?但车又走了半天,还不肯停。杨树倒是多起来,陕南的杨树长在河边,这里的杨树却高高在上,这便称奇。九月天里,树叶全都泛黄,黄得又不纯,透了红的,属黄红,透了绿的,属黄绿,天生的颜色,天工的浓淡,这又是奇了。且那山的伏度明显大起来,沟却深极深极,三两步的宽窄,一直二十丈三十丈地下去,底里就是一指宽的水条子,亮亮的。路边偶尔就有人家了,独户一院,三户一簇,前墙单薄,山墙单薄,顶上微斜,不砖不瓦,用泥抹了,活脱脱一个个放大的火柴匣子呢。路过的土壁,用镢头一下下挖成,表面再凿成鱼鳞状的纹、人字形的纹,全然发黑,纹里生苔,千年万年而不倒了。有村子就有饭店,除了羊肉还是羊肉,常瞧见有人捧着一个熟煮的羊头,啃得嘴上是油,脸上是油。老头子的,披了羊皮袄袄,摇摇晃晃,提一副羊肠子,沿沟畔下到河边去洗,三四丈长的下水玩意儿在胳膊上像框线一样打着结。五只六只的肥狗竟无聊得围了车子撒欢,汪汪叫,四山一片空音。

　　三边还没到吗?山头变得更小了,也更矮了,末了就缓缓平伏了,像瘫了软了下去。几天几夜的山的压抑,使人几乎缩小了许多,猛一出山,车在路上快得蹦跶,人在车上也乐得蹦跶,但很快风大起来,沾身就起一层鸡皮疙瘩。这是个什么地方呢,这么开阔,天看不到边,地看不到沿,一满黄沙;这儿,那儿,起落着无数的小洼小包,可以说是哗啦铺下的一张大毯,并未实确,似乎往包上踩踩,包就下去,洼就起来了。草很少,树更没有,天和地是一个颜色,并行向前延伸着是两张黏合的胶布,车的行驶才将它们分开。路端端的,却软得厉害,风一过,就蹿一条尘烟,远远看去,如燃起了一条长长的导火索。只是风沙旋转着往车上打,关了车窗,仍听见沙石在玻璃上叮叮咣咣价响。

　　到了定边,天已擦黑,城外三里,便进了绿的世界,要不是赶驴人提醒,谁能想到这不是树林子而是县城呢?于是得知,在这三边,有一丛树,便有一户人家,有一片树,便是一个村庄,有一座树林,就该是镇子或者县城了:原来天和地平行,树和人同长,这便是三边的特点了。林子里的路,已铺了柏油,无风无沙,落叶满地,在路边的沙窝子里积着堆儿,扫柴人一抓一把,动作犹如舞蹈。两边渐渐有了屋舍,虽也是火柴匣子的形状,但毕竟清洁可爱,门窗直对屋顶,更为讲究,格棂漆蓝,贴纸黄、红、绿、白,上有窗花,飞禽走兽,花鸟虫鱼,千姿百态;窗子是房子的眼,透眼一看,主人的家境、主人的心境便楚楚了然了。街道出奇地宽,家家院落大能做球场,这使善于拥挤的大城市的人如何不能想象,假设有盲人来到这里,用不着探路棍儿,也不会撞了壁的。从街面往每一条巷道望去,青瓦瓦一色,再一留神,才发现全县城每一块地面,沙土全不裸露,一律被青砖铺了:正是这些有根系之树,这些有重量之砖,才在沙原上镇守住了这个县城吗?街上路灯已亮,人走动得极多,几天来很少见到人影,原来人都集中到这儿了吧。男人差不多都戴了卫生帽,脸是黑的,帽是白的,黑白反衬;女人却全束着长发,瘦脸光洁,发是黑的,脸是白的,也是黑白反衬。似乎这里一切都十分安逸、平静,外地人一来,立即就被所有人发觉了,她们全要妩媚而大胆地瞅着,在灯影下指指点点地议论,你刚一注意,便噤了口舌,才一掉头,就又戛然大笑。茫茫边塞,漠漠沙原,竟有这么个城,城里有城墙,有门洞,有钟楼,有鼓楼,城里的人又水色,又风雅,爽而不野,媚而不俗,一时使外人如进了天上仙地、温柔之乡,竟忘了去投宿,也不卸行囊,便沿街乐而漫游了。

　　走到十字街心,人头攒拥,路塞而不能前行,原来一家戏院正散了戏,问声:"什么戏?"答曰:"秦腔。"一句秦腔,倍感亲切,一时大梦初醒,才知这里并非异地,走来走去,还在陕西。我有一癖性,大凡到了一地,总喜欢听听本地戏文,因为地方戏剧最易于表现当地风土人情。但听听别的戏文,仅仅是了解罢了,秦腔却使我立即缩短了陌地陌人的距离。便当街立着,与他人攀谈,三边人竟男音雄而有韵,女音秀而有骨,三言两语,熟若知己。说话间,见无数只狗沿街窜钻,吓得不敢走动,旁有解释说:这里家家养狗,体肥性凶,但一般却不伤人;晚上主人看戏,狗尾随而来,故街上到处可见了。

我先到西南郊的白于山区去,河流下切的河槽上、陡崖上,沙岩露出,这便是整个三边出石头的地方了。除此以外,到处是黄土、黄土,除了黄土还是黄土。站在沟壑处,便见山峰连续,站在坡上,却原来一切都被洪水切裂了,一眼望去,浑圆的丘峰,混混的、沌沌的,重叠交错。千沟万壑又显得支离破碎,分割成一小块一小块的地面,这便是有了涧、川、塬、梁、峁、岔、坪、台吗?正是这残存的塬、台、梁上,高粱火红,糜子金黄。此时正逢收获,可惜这里不比关中平原,庄稼茂密如森林,农民而是跑着收割,收一把,夹在肘下,跑一垄,肘下夹一捆,广种薄收,偌大一块地,末了在地中只堆起五堆六堆,这便是好年景了呢。再往南走,那山更有了特点,多是土山戴沙,其气脉从沙迹而来,势颇平赭褐,脚踢便松散,像未烧熟的砖坯。那人家就沿沟而居,陶室穴处,或在石崖、河底凿出石板架屋代瓦。衣裤穿那羊皮,烧柴山上砍蒿,饮水却到崖畔上去。那里是一个一个小窟,小如灯盏一般,水自盏出,渊渊声如鼓,水虽不大,聚潭清澈可见底,味甘纯如露,最宜于烹茶,冬饮能暖肚,夏喝而祛暑。更有趣的是山壁上多有打儿窝,窝小小的。高高在上,

遂展筆紙也望而長嘯居之高然遠城之所一危樓花之後一片天底白井之處晴天大雪戊子平凹畫胸中有波瀾眼前無一物

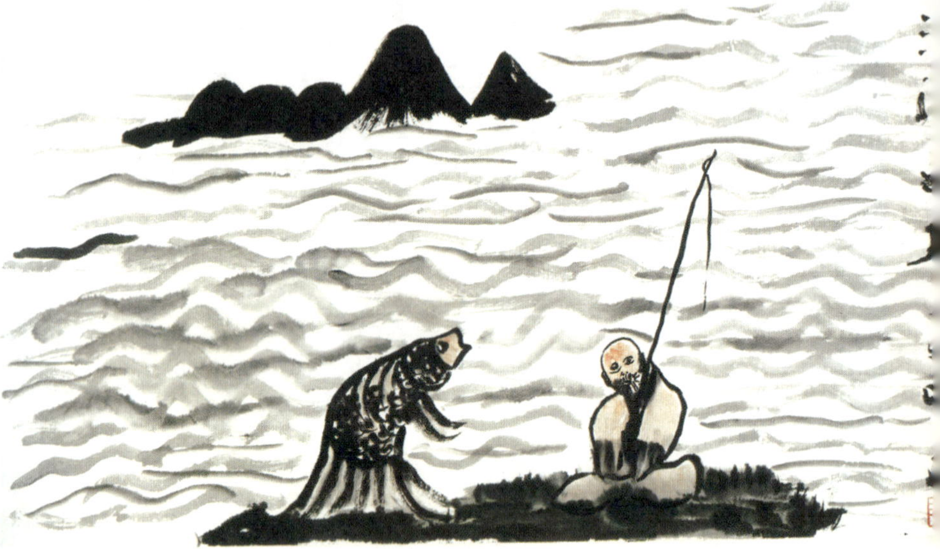

立崖下往上丢石,石进之求子辄应。我在那里住了一夜,主人十分好客,做了荞面疙墩,熬了羊肉腥汤,彻夜一家老少盘脚坐炕,喝酒儿,唱曲儿。天明要走,特去那打儿窝丢石,可连丢五次未中,主人倒很难堪,不住替我安慰,我虽求儿不至,但以此而乐,已是十二分地满足了。告别主人回返,行至十里,正是腹饥口渴,忽听哪儿有唢呐,声声远韵。循声寻去,沟洼有了人家娶亲,新人正拜堂,院中十二支唢呐吹天吹地。见我路过,一哇声喊着,邀到上席,说是省城客人,正好添喜,于是主人敬酒,新郎敬酒,新娘敬酒,每敬必三杯,杯杯底干。

　　走了丘壑地,又上牧草滩。这里比不得前日的艰辛,一马平川,便租得自行车,终日走乡串村落得自在。早上,草原出日,比海上日出更为可观,直奔红日驶去,偶一侧头,便见蜿蜒长城,长城那边沙丘连绵,免不了感叹:难得一道长城,昔日挡敌寇,今日拒风沙。间或还会遇见一些河流的,但都可怜见的,流程短,又愈流愈小,末了就积水于穴洼,不涸者为湖,涸了的为坑。车上稍走个神儿,就骑进草里,车倒了,人也倒了,软软地不疼。站起来,草没了膝盖,远远看着有了羊群,白云似的飘,却忽然不见了,等着风起,草木倒伏,那羊群又复出现。羊是百十头,头羊领着,时而散开,时而集中。我觉得好玩,便去捉那长角头羊要玩,只说羊是世上最温顺的动物,没想竟发怒起来,直向我抵。牧童叫要就地睡倒,我照办了,那头羊倒以为我已死,便昂首得意而去。问牧童:这里的羊这么凶恶?他冲我一笑,只是领我又走了一段,遇见另一群羊,一声吆喝,两群羊就肃然对阵,头羊出场,怒目而视,良久,几乎同时各自后退十多米远,猛地冲去,嘭,两头相撞,角也折了,皮也破了,仍争斗不已。我不禁胆战心惊,庆幸刚才装死,要不哪是羊的对手呢?这么得了教训,再遇见羊,不敢妄动,但有一日,又看见好大两群羊在那里啃草,却无论不见牧羊人。正要呼叫,远远飘来嘻嘻笑声,左右看时,前边的一丛沙柳,无风而摇得厉害,便见有了两个人影,一个蓝衣,一个红衣,相依相偎。我知道这是一对恋人了,爱情最忌外人,就悄然退走,走出二里地,终忍不住回头一望,那少男少女已经分开,各站在白云似的羊群中,招手对笑,接着就对唱起来了:

大红果果剥皮皮,
人家都说我和你;
其实咱们没有那回事,
好人担了个赖名誉。

道是无情却有情,爱情是这么热烈,又是这么纯朴。遥想那大城市中的公园,一张石凳紧坐三对恋人,话不敢高说,笑不敢放纵,那情,那景,如何有这里的浪漫情趣呢?我一时激动,使劲蹬动车子,骑到了莽草中的一个平坝子上,坝子上草是浅了,但绿却来得嫩,花也开得艳,实在是一个天然的大足球场,又想起大城市为了办足球场,移土填面,松地植草,原来是那么的可怜而可笑了。越想越乐,车如奔马,似乎觉得自行车前轮如日,后轮如月,威威乎,当当乎,该是世上见识最广、气派最大的人物了。

但是,乐极生悲,天近黄昏,竟迷了方向,又一时风声大作,草木皆伏,我大声呼喊,嘴一张,风便灌满,喊声连自己也听不到。惊恐之际,蓦地远处有了灯光,落魂失魄地赶去,果然有了人家。进去讨了吃喝,一打问,这里竟是盐场。盐场?我反复问了几句,主人讲,这里的盐场可大了,年产几十万吨,况且类似这么大的盐场,三边共有十多处;他们这一带人,人人会捞盐,每年二三月开捞,至八九月止,如今捞盐时令已过,他们就放牧,或是采甘草。说着,就送我一捆甘草,其茎粗,其根长,为我从未见过。嚼之,甜赛甘蔗。其中有一种叫铁心甘草的,全株竟是朱红,折之,质坚如木,也还有一种叫"大郎头"的,直径甚至达一寸五,一株便一斤二两。这一夜真可谓乐极生悲,又否极泰来,虽然未能去看看那盐场,但得了甘草,又得了知识,美哉乐哉。天明要走,主人又杀了羔羊,这羔羊十四五斤,浑身雪白,顺着将毛儿用手一撮,四指不见头,吹吹,其毛根根九道曲弯。这就是中外有名的"二毛皮"了,此等皮毛,以往只听说过,至今见到,爱不释手,实想买得一张,又难为开口,但却开了口福,羔羊肉鲜美异常,大海碗的羊肉泡馍馍,一连吃过三碗,生日忘了,命儿忘了,心想神仙日子,也莫过如此了。

在定边呆了几日,就新结识了几位伙伴,他们视我如兄弟,主动提出做我的向导,要往北边沙漠里去走走。"一定要去看看,那又是另一个世界呢!"兴趣撩拨,就三人越过了长城,徒步北行。沙地上,行走委实更艰难了,太阳暴热,阳光反射在地上,白花花的,直刺得眼睛发疼。脚下越来越沉,正应了走一步退半步之说,立时浑身就汗水淋淋。沙丘皆是东西坐向,带状排列,望之如海中浪涛,其波峰波谷,起起伏伏,似有了节奏。每一沙碛,低者三米,高者八米十米不限,沙细如面,掬之便从指缝流漏。沙丘过去,又是成片的盐碱地,树木是不长的,只可怜巴巴生些盐蒿。一棵蒿守住一抔土,渐渐便成了一个小包,均匀得像种的菜蔬。再往后却又是沙丘,但已经植了树:沙柳、红柳、小叶杨、沙枣。生态竟是这么平衡:沙盖了盐碱,树又守住了流沙。

  再往沙地深处去,已不知走了多少里,树林子便越发密了。叶子全金黄了,透过金黄色过去,便看见里边又是白亮亮的沙丘。谁知刚刚走了二十分钟,前边竟是一个不大不小的湖!伙伴们才哄地笑了,笑得诡谲,也笑得得意,便去捡柴舀水,做起野餐来。我兀自到湖边去看,湖水没源无口,我不知这沙地里水是从哪儿来的,又怎么没在沙中漏掉?!掬一口尝尝,甘甜清凉,立时肘下津津生风。静观水面,就有了喙喙鱼声,但湖水绿得沉重,终未看见那鱼的模样。倏忽又有了啾啾鸟鸣,才醒悟这一整天来,还未见过鸟影,原来沙地的鸟全快活在水边树丛中了。突然,那鸟惊起,满天撒了黑点,瞬间无影无踪,才是四只五只鹞子飞来,黑色影子一般地四处出击。我不禁恨起这些鹞子了,怎么到什么地方,有良善,就必然要有了凶恶呢?!一个人再往湖后沙丘上爬去,那里有几株沙枣,枣子成熟,用脚一蹬树,枣子就哗哗落下,并不红的,有沙一样的颜色,吃之,没汁,质如栗子,嚼嚼方酸味隐隐显有了。大多的沙丘已经被固定,圆墩墩的,压了道道沙柳,那沙纹便像女人头上的发罩,均匀地网着。

  三天过后,我们又信步走到一个镇落里,这个镇落显得很大,有回民,有汉民,分两片屋舍:一处汉民,建筑分散中但有联络;一处回民,建筑对仗里却见变化。伙伴讲,再往北去不远,还有蒙民哩。汉回见得多了,蒙民还未见过,我便想改日往北边去,夜里在镇中小学借宿,和一老教师说起蒙民。那老教师原来在那北边干过事,给我一个手抄本,上有关于蒙俗的描述,那上边记载多极,现在依稀记得这么一段:

  三边地区蒙民,性刚强而心巧,专恃畜牧,羊只尚少,马牛最多。当地亦产盐,每三二人驱牛数鞍头,驮其盐,载布帐锅碗往来。昼憩于粮,晚就道旁,有水草处卸鞍驮,撑帐支锅,取野薪自炊,其牛纵食原野,人披裘轮卧起,以犬护之,不花一钱。汉民亦效之。

读此书,方知三边地域竟是这么广大,民族竟是这么亲善,在远离省城,更远离京都的边塞,保持了这般宝地,令人有多少感慨啊!但是,就在我们动身去蒙民居住的区域的时候,意外又得到消息:这个镇子在两日之后,便是汉、回、蒙一年一度的盛大交易会,便只好暂时取消北上计划,只好将把蒙区访问作成千般儿万般儿美好想象罢了。

交易会,其场面可谓热闹,有北京王府井的拥挤,却比王府井更气势;有上海南京路的嘈杂,却比南京路更疯野。那一排一摆小吃,荞面拉条、豆面揪片、黄米干饭、羊肉粉汤,酸、辣、煎、五味俱全;那菜市上一筐一车,二尺长的白菜、淡黄的萝卜、乌紫的土豆、半人高的青葱,六色尽有;那农具市上的铜的挂铃、铁的镢、钢的锨,叮、咣、铿、锵,七音齐响。还有那骡马市上,千头万头高脚牲口,黄乎乎、黑压压偌大一片,蒙民在这里最为荣耀,骡马全头戴红缨,脖系铃铛,背披红毡,人声喧嚣,骡马鸣叫,气浪浮动得几里外便可听见。在羊肉市上,近乎一里长的木架上,羊肉整条挂着。更有买卖活羊的,卖主用两只腿夹住羊头,大声与买主议价。汉、回、蒙民都似乎极富有,买肉就买整条,买果就买整筐。末了就都拥进那菜馆酒馆,大块吃肉,大碗喝酒,直要闹到月上中天方散。在酒馆里,几句攀谈,我们便成了极熟的人,兴致高涨,开怀大饮,他们竟有几个人当下醉了。第二天坐车要离开,车已开动,有几个蒙民却拦住了车头,要我下来,我不知何事,倒吓了一跳。他们竟是从怀中掏出一瓶"西凤",他们不服,特赶来要我喝。我哈哈一笑,感其豪爽,当喝下两口,他们叫好,称我"朋友",几番握手,互留地址,方放车通行。

半个月匆匆过去了,临走前两天,正好是阴历八月十五,夜里在长城根下一个村子吃了月饼、香梨,喝了花茶、葡萄酒,看了一阵房东大娘剪的窗花,兴致还未尽,便同房东小儿子一起登长城望高。月光下,沙海泛亮,草原迷离,高高低低的长城,从脚下一头伸向天的东头,一头伸向天的西头,这伟大的建筑,从远古的时候,一坐落在这里,沙再没有埋住,风再没有刮走,它给了沙漠之骨,沙漠也给了它的雄壮。如今烽火台没有了狼烟传递,但每一座台下,都住了人家,牛羊互往,亲戚走动。生着,在这沙漠上添着活气;死了,隆起沙堆,又生起一堆绿色。一道长城,是连接千家万户的一条线,流动着不屈不挠的生命和新型的人与人关系的情感。玩到天明,晨曦里看见天地相接的地方,柳树林子长得好茂,那树都是桩杆粗壮,一人多高,就截了顶,聚出密密的嫩枝,枝形呈圆,叶子全红了,像无数偌大的灯笼高高举着,似乎这天之光明,完全是这些灯笼照耀的。树林子前面,端端一柱白烟长上来了,走近去,是放蜂人燃的。这里还能放蜂,犹如春天里一个童话!相坐攀谈,放蜂人来自江南,年年都来,来数月方去。他说,外人以为三边无色无香,其实那是错了。"你瞧,绿的沙柳、红的盐蒿、粉的牛儿草、白的盐、黄的沙,这三边的土地是最有五颜六色,是最有香有甜的。"尝尝那蜜,果然上品,荔枝蜜没有它香醇,槐花蜜没有它味长。

　　告辞了放蜂人,突然之间,几天来混混沌沌的思想,沉淀的沉淀了,清亮的清亮了,一时觉得有角度来做我的文章。往回边走边构思,眼光偏又盯住了一片一片不知名的荆棘,开着丸子一般大的白绒花团,顺枝而上的,如挂纸钱串;就地而生的,又如围起的花环。哦,我明白了,这类花的开放,是对三边荒凉的送葬吗?是对三边的富有和美丽的礼赞吗?天黑回到村子,房东已为我准备好了送别酒菜,菜饱酒足,席上拉起了二胡。二胡的清韵,又勾起了我思亲的幽情,仰望天上明月,不知今夜亲人们如何思念着我,可他们哪会知道今夕我在这里是这么欢乐啊!一时情起,书下一信,告诉说:明日我又要继续往北而去,只盼望什么时候了,我要和我的亲人、更多的朋友能一块再走走三边,那该又是何等美事呢。

作于1982年10月23日三边—西安

草　记

　　一九八二年十月,我去银川,过三边,一漠沙地;天地全然都空白了,几十里没有一座房,也没有一棵树,远远的地平线上,夕阳欲浮欲沉,像是妊娠,已经黏胶得成一个椭圆形。我默默地走着。先是并不留意,后来就发现眼前倏忽飘过一朵两朵白绒团儿,温温柔柔的,泛着银光,再往前走,白绒团儿竟多起来,一动脚,就绕着身子乱飞。疑心是柳絮,抬头搜索去,四周依旧空旷;急用手去捉,手一抬,那白绒团儿却顺手而上,才抓住一团要看时,一出气,又飞了。一时又起了风,沙尘并没有动,但白绒团儿越发纷纷,如千万只白色蝴蝶,升升浮浮,翩翩不能安静。定睛看去,那白绒团儿却原来都从一棵一棵什么草中起身的:草高不盈尺,条叶,半绿半枯,结一串串果实,如豆荚,尽都干裂,有的已空壳,在风中铮铮颤着细音,有的半合半开,形如织布木梭,里边两排荚籽,每籽小如鸡眼,四周生满白绒,风吹绒毛如足如翅,就悠悠而去了。

　　我不知此草为何名,站在那里,一直等远远的一队骆驼走来,问起驼峰间的牧人,回答说:这草叫佛手肿。草古怪,名字也古怪。我再问,回答是:"它怎么不长绒毛呢?要不,它怎么繁衍后代啊!"

　　我不禁喟然长叹:哦,大凡尘世,任何地方都有生命的存在,漠漠边关沙地,也是如此;而万事万物既有存在的生命,又都有它赖以生存的手段,环境不同,手段也相异呀!遥想竹林中的蛇可以是青色,湖水里的鹅可以毛隔水,岸上的树可以叶子圆阔,高山的树可以叶子尖针,可见环境好的并不足夸,环境劣的更不应自弃。再想这佛手肿长在这里,它也开花,它也结子,虽然没有一只蜂儿来传递花的爱情,没有一只鸟儿来遗播籽的繁衍,生活给了它瘠贫,也同时却给了它奋斗,一结子就生出绒的翅膀,自己去谋生路了。也正是环境太不好了,它并不去以色以香诱惑蜂儿鸟儿,它靠的是自己生的欲望,靠的是飞的力量,自然这样可望落地而生,也可能落地而亡,要不,怎么会有这么多的白绒团儿各自在寻找自己的归宿呢?

"这草很多吗?"我问牧人。

"当然很多,你再往北走,沙地上全是这种草呢。"

"那走过的草坝子上怎么没这种草?"

"它是苦命的,一旦绿了一片沙地,什么花草都来长了,有了蜂儿,有了鸟儿,它却就长不成了。"

"它只能在沙地上长?!"

"要不怎么说是苦命的呢!"

牧人赶着骆驼远走了,缓缓的步伐,摇奏着沉沉的铃声。几朵白绒团儿飘在骆驼的身上,落在牧人的帽子上,那深深的骆驼脚窝里,也满满地落下一堆了。

啊,荒凉的沙地上,有多少人来过,又有多少人能知道这草呢?知道的只有骆驼,只有牧人;但骆驼不懂人语,不能言语,牧人能言,但不能写出以示天下。只有我记下此草;草可悲,草亦可幸也。

1982 年 11 月作于西安

小　巷

这是一条窄窄的小巷。

原住着一群瞎子。他们没有汽车,也没有自行车;这个城市越来越现代化,他们的交通工具依旧是一根竹棍。笃笃,笃笃,神奇般的竹棍,再不长叶,也不生根,却是他们的神经和眼睛,在两边工厂院墙高高相夹的几百米深的甬道里,他们一步步往里走。甬道永远是潮湿的、阴暗的,白日没灯,黑夜没灯,他们似乎是绝缘体,光明对于他们是不存在的。

窄窄的小巷,被人们久久地遗忘了。一年,两年,大人不到那里去,小孩也不到那里去,偶尔有三只蝴蝶形的风筝飘进巷,却挂在了巷子深处的屋檐上,无人去取,就一直倒吊在那里了。巷道里草漫了上来,渐渐覆盖了那古老的四方砖块。

今年春上,城市的上空又飞起了蝴蝶形的风筝,寂寞了一个冬季的天空,显得明快了。突然,这条窄窄的小巷口,拥满了人,都在看那墙上的一个牌子,牌子上写着:盲人按摩所。

消息爆炸了整个城市,都在传说:这群瞎子并没有默默地死去,几年里默默地学成了按摩术,可以治好多好多的病症。

这个城市的病人毕竟是很多的。病急乱投医,就有人进了这窄窄的小巷。一个两个,十个八个……瞎子们果然在那里备有按摩室。他们一次一次按摩得满头大汗,病人一次一次感到病情减轻,终就痊愈了。于是,一群一群的病人赶来了,从小巷往里走,弯腰的、弓背的、拐腿的、歪脖的,这些在生活中痛苦、失去了人世乐趣和理想的病患者,走一步,退半步,不知道这小巷的深处,将是一个什么世界?

不久,一群一群的人从小巷深处走出来:他们都好了。那里是一个修理世界,修理师就是一群黑暗中的精灵。小巷里的草一天天踏下去了,又露出了那古老的四方砖块。

但是,他们都在奇怪:这巷道里,那病房里,全挂满了电灯,黑夜里在亮着,白日里也在亮着?

"黑夜和白天于我们是一样的。"瞎子们说。

"那怎么会一样呢?"

"过去是一样的黑暗,现在是一样的要光明。"

"那你们能看见吗?"

瞎子们却笑了:

"请问,你的眼睛能看见你的眼睛吗?"

"不能。"

"是的,眼睛是看别人的。灯是我们的眼,所以我们看不见,但它却看见了别人,别人也看见了它呢。"

这灯就一直这么日日夜夜地亮着。

日日夜夜,病患者从这窄窄的小巷往里走,黑暗里,灯在照着,灯给了希望,他们一直走,走向生活的深处。

1982 年 11 月 30 日夜记于静虚村

一位作家

东边的高楼是十三层,西边的楼也是十三层,南边是条死胡同,北边又是高楼,还是十三层。他家房在那里,前墙单薄,后墙单薄,方正得像从高楼上抛下的一个纸盒,黝黑得又像是地底下冒出的一块仄石。楼上人说住在这里乐哉,他也说乐哉;楼上人见他乐哉了而又乐哉,他见楼上人瞧他乐哉而乐哉,也便越发乐哉。他把楼不叫楼,叫山;三山相峙,巍巍峨峨,天晴之夜往上望去,可谓"山高月小"。楼上人称他房亦不叫房,叫潭;遇着雨季,三层楼以下水雾迷茫,直待雨住,水仍流泻不及,可谓"水落石出"。

他曾买过电视机,可方位太不好,图像总是模糊,只好忍痛割爱转卖了。但表是走得极准的:十一点零五分,太阳准时照来;三点二十四,太阳准时便归去。他会充分利用这天光地热:花盆端出来,鱼缸端出来,还有小孩的尿布,用竹竿高高挑起,那虽然并不金贵,但在他的眼里,却是幸福的旗子。

他从来不奢华,口很粗,什么都能吃,胃是好极好极的。只是嗜好香烟如命,一天一包,即使伤风感冒也吸吐不止。因为烟吸得多了,口里无味,便喜食辣子,面条里要有,稀饭里也要有,当然面条最好,但愿年年月月如此。再就爱书,坐下看,睡下看,走路也看,眼睛原本好好的,现在戴了眼镜,一圈一圈的,像个酒瓶底。于是,别人送他一副对联:"片片面,面片片,专吃面片;书本本,本本书,专啃书本。"他看了,也不恼,说是两句都是一个"专"字,不符合对仗,下联该改成"尽"字为妙。

他极善的心性,妻子亦善极。结婚五年,谁也不嫌弃这所房子。白日一个勺把,夜里一个枕头;爱情固然亲密,生活提供他们的这点地方,窄小得也只能亲密。房内是分为三处的:北墙下一张桌子,那是他的世界,独来独往。墙上贴名画,桌边堆书籍报刊:普希金的也有,舒婷的也有,曹雪芹的也有,王蒙的也有。有的红蓝黑笔画满圈圈道道;有的打开,久而不合,纸被灰尘浸得昏黄。桌上一铜钱厚灰土,但一个小三角洁净异常:一角是经常放纸,两角是经常搁肘。东墙角是一台缝纫机,那是妻的天下。要是缝补,脚在下踩,手在上拉,她是机器的主人。缝完好,补完了,机头放下,台布铺好,压一块光亮亮的玻璃,下放她的照片、他的照片、她和他的接班人的照片:全都着色,红是润红,白是嫩白。西墙下一个小柜,那是儿子的王国,文有画册,武有手枪,积木、魔方塞得狼藉。诸侯割据,三国鼎立,谁也不能侵犯谁,只有南墙下一张大床上,和平共处,至亲至善。可惜光线太暗了,他刮胡子要到门外,妻梳头发要开灯对镜。他便叫来纸糊匠,将顶棚如烟囱一般直扎而上,上边揭瓦嵌块玻璃,算是天窗。从此房子明亮,却如站在井口往下看,幽幽一片神秘,但确实更像是坐井观天,天是一块方镜。白日,太阳照下,光束一柱,儿嚷道要爬柱而上;夜晚,一家吃饭,星月在镜中,他就来个"举杯邀明月",三杯便醉。

什么都可满足,只是时间总觉不够。白日十二个小时,他要掰成几瓣:要给吃喝,要给儿子,要给工作,要给写作。早晨妻为儿子穿戴,他去巷口挑水,小米稀饭常常便溢了锅。吃罢饭,妻工厂远,先走了,他洗锅刷碗,送儿子到幼儿园。儿子不肯去,横说竖劝,软硬兼施,末了还得打屁股,一路铃声不停,一路哭声不绝。晚上回来,车后捎了菜,饭他却是不做的,衣服他也是不洗的,进门就坐桌前写。纸是一张一张地揭,烟是一根一根地抽。"文章无根,全凭烟熏。"这真理他是信的。妻接了儿子回来,大声不出,脚步轻移,开炉子,擀面条,热腾腾地捞上一碗了,却不叫他名,偏让儿喊爸。吃罢饭,一个又是写,一个去洗衣;写好了,他爱哼秦腔,却走腔变调,儿说是拉锯呢。妻让念念他的著作,他绘声绘色,念毕了,妻说"不好",他便沉默;若说"好"字,他又满脸得意,说是知音,过去嘣的一声,飞吻一口。儿子嫉妒,也要叫吻他,立时爸吻了娘再吻儿:一个快乐分成三个快乐也!

　　天天在写,月月在写,人变得"形如饿鬼"了。但稿子一篇一篇源源不断地寄出去了,又一篇一篇源源不断地退回来了。编辑不复信,总是一张铅印退稿条,有时还填个名姓,有时则名姓也不填。妻说:"你没后门吧?"他说:"这不同于别的事!"一脸清高。妻再说:"人家都千儿八百有稿费,你连个铅字都印不出。"他倒动气了:"写作是为了钱?!"妻要又说一句:"你怕不是搞这行的料?"他答一声"哪里"!却再不言语了。到了床上,还在构思,如临产的妇女,辗侧不已。妻就猫儿似的悄然,他不忍了,黑暗里还在说:"你要支持我哩……"

　　他眼泡常是红肿的,那是熬夜熬的;他嘴唇常是黑黄的,那是抽烟抽的。衣虽然肮脏,但稿件上却不允有半个黑黑疙瘩;脸虽然枯瘦,但文中人物却都尽极俊美;甚至他一切不修边幅,但要求儿子、妻子却要时兴。妻说这是怪毛病,他说:我是缺少得太多了,我也是需要得太多了。他羡慕别人发表了作品,更眼红别人作品得奖。他有时很伤感,偷偷抹了泪。但他又相信自己,因为风声、雨声、国事、家事,他装了一肚子故事。要歌唱,但没有一把琴;要演说,又没有讲台。只有这支笔写出来给自己看,给世人看。但是稿件发表不了,他苦恼,妻更焦心,妻便是他第一个读者,也是他最后一个读者;读者虽少,但总算有了读者,他心里安妥了许多。

可怜的是人到了中年,上有父母,年纪都大了;下有儿子,正是淘气时候。月初发工资,他要算着开支:第一件事是给老家邮十元,第二件是给儿子买玩具,承上启下,这是雷打而不动。再是为他买稿纸,再是为她购化妆品。他呢,一辆自行车,除了铃不响浑身都响;一件夹克,翻过来也是穿,翻过去也是穿。老母常接来,吃不起鱼虾,就买猪头;一个蒸馍,夹半个猪耳朵,双手递在娘手里。夫妻两个说不上是举案齐眉,倒也是头上是天,各顶一半,有了也去吃螃蟹,没了就烧面疙瘩汤,心里快活,喝口凉水也是甜的。他们老听见楼上的一对夫妻打架,鞋子、枕头从窗口飞下来。他们不明白,那家电视机有,洗衣机有,打的什么架?更有听说某某"长"的老婆空虚无聊而自杀了,便要谈说几天,百思不得一解。

世人都盼星期天,他也盼星期天。世人星期天上大街,逛公园,他星期天关门就写作。写得累了,对着方镜看看天,再对着窗子看看楼的山。山上层层有凉台,台台种花草,养鱼鸟,城市的大自然都压缩在一个凉台上了。有的洗了被单挂着,他想象那是白云:云卧而不散,深处必有人家？有的办家庭舞会,他醉心是仙乐从天而降,吟出一句"我欲乘风归去,又恐琼楼玉宇,高处不胜寒"。当层层凉台都坐了人,老的、少的、男的、女的,他就乐得哧哧笑,说像是麦积山的佛龛。他走出门来,楼上有认识的,一上一下寒暄几句;不认识的,给他一个笑脸儿,他还一个笑脸儿。有的问:"还在写吗？"答:"还在写。"就有人劝他别受苦,他哼一声,进屋把门关了。他干不了投机倒把,又不会去炸油条做生意,让他在家闲着？楼上楼下的女人他都看了,没一个有他妻子漂亮;巷口巷尾的扑克摊上,妻子也看了,从没他的身影:是是非非不沾身,公安局人来了心不惊。一个美丽,一个高尚,合二为一,光荣门第。

坐小车的不到他房子来,这是肯定的。但三朋四友却踢破了门:有做工的,有跑堂的,有卖菜的,有开车的。来了,有酒且酌,无酒且止,宾主坐列无序,谈笑天空地阔。这个讲他工厂里一个好的书记,那个骂街道一个流氓泼皮。说起天下大事,哪儿丰收了,眉飞色舞;哪儿受灾了,一脸愁云。直谈到零时交接,客人走了,弥一屋烟雾,留一地烟蒂,妻也不恼,他也不烦,拉开稿纸又写起来。大的故事写长篇,小的素材写小品。北京的大出版社也敢投,市报的"刺猬"栏也看上投;发不发是编辑的事,写不写他有责任。要不对不起三朋四友,也对不起自己的良心。常常一写一夜,妻子也得了毛病:不开灯倒睡不着,不闻烟倒鼻不通。

最乐趣的是稿件往外投,信封严严实实地糊,邮票端端正正地贴,夫妻到邮局去,让儿子拿着往邮筒里塞。塞进去了,塞进了三颗扑腾腾跳跃的心。于是,大马路显得宽广,行人脸上都笑笑的,他抱了儿子就前边跑,妻便咯咯地后边追。穿大街,过小道,钻胡同,绕窄巷,到了家门口。进门包饺子吃吧,他剁馅,她擀皮。一个说这篇稿件能发表,一个说先不敢声张露了气;一个说发表了稿费买个沙发,一个说沙发太贵买藤椅。儿子问:爸爸挣钱了吗?做娘的说:爸爸是生活上的小人、道德上的伟人、经济上的穷光蛋、精神上的大富翁。儿子听不懂,问爸爸是干什么工作?回答是:"作家。""作家!作家!"儿子喊起来,外边人都知道了。慢慢传开,都传说这里有一个下班回家,"坐家"的人。有懂行的,说此人不可小瞧,现在是搞业余写作,说不定将来真成气候,要去作协工作呢。楼上几个老太太便如梦初醒,但却瘪了嘴:哦,原来是个"做鞋"的?!

1982年12月18日作于静虚村

耍　蛇　记

西安街头,艺人很多,有玩猴的,有弹唱的,有运气划拳的,有行书描画的,一帮一伙,很是热闹;常常这伙拉了那帮观众,那帮又揉了这伙生意。于是,得胜的坐地不走;败下阵的,悄遁而去,暗中却再苦练绝技,又来挤垮别人。一时间,你争我斗,技愈来愈绝,观众眼却愈看愈馋,水涨船高,不亦乐乎。忽有一日,从南方来了一伙耍蛇人,展出七寸蛇、双头蛇、眼镜蛇、响尾蛇、大蟒蛇,白、褐、赤、青,种目繁多,色彩斑斓,便声名轰然满城,围观者匝匝而来,如潮汹涌,经久不衰。

耍蛇者一共五人,一老者,两壮年,另有一婆一女,俨然一户人家。先是白布围了四周,宣称日耍五场,每场定时,人不足三百则等,人过三百者谢绝不卖。观众觉得稀罕,购票的队列竟长达几十米远。进得场去,四边排列大小不等的名蛇近百,皆是玻璃箱罩,蛇在里边有蜷,有卧,有蠕,各尽其态,观者森森然不忍看,却又不忍不看。锵咚一声锣响,耍蛇人在场中摆出台子,口若悬河地大讲蛇的丑恶、凶猛,使人毛骨悚然。说罢,便打开身边一个木箱,掀去外层木板,显出一个铁笼,内盘两条大蛇:一条青绿,一条灰黄。两蛇先十分亲昵,扭成一副绳状,然后作恶起来,各自绕成一团,头伸向上,相持相搏,如斗鸡一般。忽丢进两只灰鼠,蛇双目鼓出,勃然而起,囫囵吞下,便见蛇身凸起拳大一包,从蛇身上部蠕蠕而下。随之,又丢下一鼠,两蛇相争,一衔鼠头,一咬鼠尾,互不谦让,鼠便裂为两截,殷血流出。观者倒抽凉气,面如土色,牙齿噔噔磕打。正欲退步,又一声锣响,蛇箱覆盖,耍蛇人又哗啦打开一大木箱。观众不知又有什么恶蛇出现,正疑恐之际,箱中冉冉却开出一朵鲜花,花枝分开,露出一张俊俏小脸,流目盼顾,含情脉脉,竟是一风流少女!观者为之一振,筋骨放松下来,随即就报之一笑了。忽然,一蛇跃上,蛇首与少女几乎平肩,观者一惊,顿时毛发竖起,一颗心悬在喉间。那少女却无动于衷,任蛇缠绕身上,匝匝如背绳索。蛇头翘在脸前,少女目光凝视,嘴唇翕动,似作窃窃私语。忽蛇头一动,观者大惊,那蛇便钻入衣内,头从领口探出,立时缠脖颈,愈缠愈紧,少女面有难色,做出万般挣扎苦状。观者惊骇不已。少女却用手轻揉蛇身,微握七寸,便慢慢附过嘴来,竟在那蛇头频频亲吻呢。观者失声惊叫,有拥近去似要解围的,有纷纷后退欲要逃走的,有呆立原地,口不能言,步不能移的。那少女却双眉颦起,猛握七寸,蛇哗然绽脱,她便双手托起,又在手中万般作弄,或掬或握,或作衣带系腰,或作围巾缠头,末了,提起蛇尾,蛇直直下垂,如棍,如绳。少女则一声嬉笑,低头向观众致意,头上鲜花酥酥颤动。此时,观众方从惶恐中醒悟,长长嘘出一口气来。有人便炫耀道:"再往下看吧,还有老太婆表演人蛇生死搏斗哩!"但锣又响起,宣布绝技轮流演出,本场结束。观者终未看到人蛇生死搏斗,但掌声仍是骤然爆起,纷纷再丢零钱,场中一时镍币闪闪。

演毕,有好心人围住少女,塞上一把票子,且问:"你这么年幼,聪明俊美,为什么要干这个吓人行当?"少女说:"今人不以自然为美,游园要赏奇花,登山要观怪石;我们耍艺的,只好如此了。"说完,长叹一声,令人感慨。

清涧的石板

车在陕北高原上颠簸,旅人已经十分地懒意了。从车窗里乜眼儿看去,两边尽是黄褐色的土峁,扑沓一堆的样子,又一个不连贯一个;顶上被开垦了,中腰修了梯田:活脱脱的秃头皱额老人呢。先还觉得有趣,慢慢便十分无聊,车上人差不多都闭上眼睛,昏昏欲睡去了。

但是,突然睁开眼来,却发现有了异样:山峁不再是重重暮气的老人了,它已经站起来,峭峭地有了崖,草木极盛;再往远看,山势一时生动,合时主峰兀现,开时脉络分明;随之便也听见了哗哗声,似流水,又不见水。车再往前开,便发现路正在石川里,石是青铮铮的,却并不浑然,分明看得见是一层一层叠压起来的。石川几米来宽,中间裂一窄缝,哗哗声便显得更大了。司机停下车来,说要给机器加水,提了桶下去,往那石缝里一跃一跳,立即就不见了。旅人都好奇起来,下车近去,原来河就在石缝里边,水流颇大,竟在里边拐来捣去,淘出四五尺宽的穴窟、渊潭;石岸更有了层次,越发杂乱;水是清极亮极的,看得见有一种鱼样的东西就趴在水下的石上,静静的,如何不曾冲去。

有人叫道:这便到了清涧县了。

陕北高原上,黄褐色的土里,突然有了青的石层,这便使人耳目一新,又有这么一道清水,立即就活泼泼地叫人爱怜了。

车继续往前走,石川越发幽深,常常转弯抹角,便闪出一个开阔地来。村庄也多起来了,全簇在山根,身后的石层,一道一道脉络,舒长而起伏,像是海的曲线,沉浮着山村人家。人家都是窑洞,却不是凿的土窑,也不是拱的砖窑,全然用着石板,那窑墙满是碎片立砌,一层斜左,一层斜右,像针织着的花纹,窑檐一摆儿用石板压起,如帽檐一般好看。间或就有了房子,房瓦是石板相接,有一人家正在修筑屋顶,房上站满了人,旁边的斜梯架上,匠人赤膀子背着石板,一步一挪,一步一挪;太阳在膀子上闪着油光,在石板上泛着青光,终于站在房上了,弓着腰,石板朝上,云幕的衬托下,像是背着一块青天。

河岸上,有人在叮叮当当凿着,然后是举着钢钎,弯着了身子,努力地撬动,咯咯噌噌地脆响,是分木裂帛的声音,一页页石板揭了起来,小的桌面大,大的席片小。装在毛驴车上被拉走了,老头仰八叉睡在石板上吸烟,小儿却坐在车辕杆上赶驴。驴是不消赶的,他只是在车帮上吊一串小石板,用木棍敲着,叮叮当当,音亮而韵远。

旅人们再也不觉寂寞了,眉飞色舞,感叹起这天地造物的奇妙了:如果整个陕北是个秃头皱额的老人,这里该就是个灵光秀气的女子了;如果黄土高原是件光面羊皮大袄,清涧该是大袄上的一枚晶亮的玉扣了。清涧,是黄水的沉淀,是黄土的结晶,它是为着旅人的情性而形成的,还是为着改变黄土高原的概念而存在呢?

傍晚到了县城。县城不大,却依半山而筑,黑黝黝的一圈城墙,一色石板堆成,使人沉重而隐隐逼迫着一股寒气。走进城街,街巷极窄,两边建筑皆是石板所做,虽然这里一天前才下过雨,路却无尘无泥。有人从小巷深处走来,满巷一片响声,放开喉咙歌唱一阵,音嗡嗡而有韵,久久不散。市民衣着华丽,习俗却还古旧,家家老小在门前石板桌前坐了喝茶,或是在石板棋盘上对弈。虽有自来水,女子们不愿在家洗涤,全抱了衣服在城边的河里,赤脚下水,在那青石板上擂着棒槌。

天黑下来了,旅人并没有睡意,依然在街上溜达,去量量城墙上石板的尺寸,去摸摸街面上石板的光滑。末了,长久地看着夜空,作一个遐想:夜空青蓝蓝的,那也是一张大石板吗?那星星就是石板上的银钉吗?

天明起来,旅人们兴趣毫无减退,打问着石板的趣闻。旁人建议到城外乡村里走走吧。到了乡村,几乎就都要惊呼不已了,觉得到了一个神话的世界。那一切建筑,似乎从来没有了砖和瓦的概念:墙是石板砌的,顶是石板盖的,门框是石板拱的,窗台是石板压的,那厕所、那台阶、那院地、那篱笆,全是石板的。走进任何一家去,炕面是石板的,灶台是石板的,桌子是石板的,凳子是石板的,柜子是石板的,锅盖是石板的,炕围是石板的。色也多彩,青、黄、绿、蓝、紫。主人都极诚恳,忙招呼在门前的树下,那树下就有一张支起的石板,用一桶凉水泼了,坐上去,透心地凉快。主妇就又抱出西瓜来,刀在石板磨石上磨了,嚓地切开,籽是黑籽,瓤是沙瓤。正吃着,便见孩子们从学校回来了,个个背一个书包,书包上系一片小薄石板,那是他们写字的黑板。一见有了生人,忽地跑开,兀自去一边玩起乒乓球。球案纯是一张石板,抽、杀、推、挡,球起球落,声声如珠落入玉盘。

终于在一所石板房里,遇见了一个石匠。老人已经六十二岁了,留半头白发,向后梳着,戴一副硬脚圆片镜,正眯了眼在那里刻一面石碑。碑面光腻,字迹凝重,每刻一刀,眉眼一凑,皱纹就爬满了鼻梁。我们攀谈起来,老人话短而气硬。他说,天下的石板,要数清涧,早年这个村里,地土缺贵,十家养不起一头牛,一家却出几个好石匠,打石板为生,卖石板吃饭,亏得这石板一层一层揭不尽,养活了一代一代清涧人。为了纪念这石板的功劳,他们祖传下来的待客的油旋,也就仿制成石板的模样,那么一层一层的,好吃耐看。他说,当年陕北闹红,这个村的石匠都当了红军,出没在石板沟,用石板做石雷,用石板烙面饼,硬是没被敌人消灭,却沉重地打击了敌人。他说,他的叔父,一个游击队的政委,不幸被敌人抓去,受尽了酷刑,不肯屈服,被敌人杀了头,挂在县城的石板城门上。但他们又连夜攻城,取下头颅,以石匠最体面的葬礼,做了一合石板棺材掩埋了。结果,游击队并没有垮掉,反倒又一批石匠参加了游击队……

老人说着,慷慨而激奋,末了就又低头刻起碑文了,那一笔一画,入石三分。旅人都哑然了,觉得老人的话,像碑文一样刻在心上。他们不再是一种入了异境的好奇,而是如走进佛殿一般地虔诚,读哲学大典一般地庄重,静静地作各人的思索了,问起这里的生活,问起这里的风俗,末了,最感兴趣的是这里的人。

"到山上走走吧,你们会得到答案的。"老人指着河对面的山上说。

　　走到山上,什么也没有,却是一片墓地。每一个墓前不论大小新旧,出奇地都立着一块石板——一面刻字的石碑,形成一片石板林。近前看看,有死于战争时期的,有死于建设岁月的,每一块碑上,都有着生平。旅人们面对着这一面面碑的石板,慢慢领悟了老人的话:是的,清涧的人,民性就是强硬,他们活着的时候,是一面朴实无华的石板,锤錾下去,会冒出一串火花;他们死去了,石板却又要在墓前竖起来。他们或许是个将领,或许是个士兵,或许是个农民,或许是个村儒,但他们的碑子却冲地而起,直指天空,那是性格的象征、力量的象征、不屈的象征。

宜 君 记

　　宜君划为县以后，城便建在山上，屋舍极少，唯几所单位、几座商店，沿山梁公路的两旁排列而已。整个山梁峭而精光，凌众山之上，像是连接关中和陕北的一道天桥。这里春夏秋冬，四季分明，风花雪月，变化丰富。这几年里，此地好处传开，远近人都去游了。

　　一九七九年七月，天热的时候，我去了一趟。车一拐进山梁上的岔垭，也便进了城口，风呼地吹来，顿时清凉到了心上。遂往西看，梁垭之外，是几百里深远的峡谷，似乎都装了风，在那里憋得很久很久了，一出这梁垭，就都要喷出来。那风却十分清净，无沙无尘。因为没有树，也看不见它的踪影；人却感觉到了，如在淋浴着泉水澡。房子就静静卧在那梁背上，疑想一定如山溪中的鱼一样有着吸盘了，才在这里趴下来的吧。街上游人踵踵，其人数之众多、服装之鲜艳，和这个地方极不相配。有的捡起石子逆风而掷，三米五米，掷出又滚回，顺风去掷，石子像鸟儿一样飞去，人好像也要一起掷出去了，前跑十多步才能收住。岔垭处拥了好多人，故意任风将身子旋转取乐，再竭力扎住脚跟，身子向西倾斜，好像使弹簧牵制着，已经斜成六十度了，却不会倒下。我一近去，众人就睨着我嘻嘻窃笑。觉得纳闷，问时，才笑我穿着短衫短裤。果然走遍全城，人皆长衣长裤，每个商店从无出卖扇子、裙子、蚊帐，更无叫卖的冰棍。到了夜晚,旅社少,游客多,我们就睡在外边。月光也清凉,大家聊起来,立即熟了,一个说:难得一个夏天这么凉的月光!一个说:何不去打些酒喝?便去一家夜店灌了酒,席地而喝。夏天的燥热和燥热引起的昏沉一时退尽,什么也不去想了,只是贪杯。享受不在酒上而在这夜的清凉,夜的清凉享受在心上又寄托于酒上,不觉大醉了。醒来天已大白,却见满身一层白皮,原是夏天里出的痱子,全都尽愈而脱褪了。

从此以后,每年夏天,我到宜君城一次,最热的时期就度过了。今年冬天,冷得特别出奇。我到陕北出差回来,坐在车上,眉毛胡子都结了一层冰花,十几个小时里也不知我腿是谁腿。到了宜君,心想这个季节,再也不可能有外地人呆在这里了吧?一下车,满山遍野一片银白,脚踩下去便没了腿肚。但一进城,两边屋檐却滴着水,街上倒没见几个人,家家窗口里都往外涌着笑。随便到一家私人客店,挑棉布帘进去,轰地一股热气就喷过来,立时身上就腾腾冒气,双腿恢复了知觉,十个指头却钻心地疼痛了。房子里的人都围过来,一听口音,都不是本地人,才知是外地的游客,或是从陕北下关中、从关中上陕北的旅客过往中特意留下来的。惊问:冬天里还到这里来?答曰:别的地方,或许比这里气温高一点,但室外室内一个样,这里却是室外越冷,室内越热,最暖和不过呢。主人便指点着让我看:窗下便是火口,火道却是通过屋内地下,又连着夹墙,直到土炕,整个冬天,火便烧个不停。果然见那桌上一盆月季,花开得十分鲜嫩,那以麦糠和泥涂的墙皮上,竟绿绿地出现一些麦苗了呢。夜里和旅客睡在一个大炕上,舒服得脚手大字摆开,如躺在热水盆里。夜已深,却互不能入睡,直道这地方的出奇,遂喊主人起来,切了牛肉,烫了壶酒,又喝又聊。一直到了鸡叫,渐渐听得了外檐水大起来,方知道雪下得更紧了。

离开这个地方已经好些日子了,脑海里还总是恍恍惚惚记得那一夜。想这个山梁小县城,夏天知凉,冬天知热,难得这一块宝地,一年四季里,远地人喜欢来旅游,过路的人喜欢来歇住。再想,这地方比不得北京、上海繁华,比不得青岛、桂林幽美,但繁华为了饱眼,七天八天也就烦了,幽美为了软腿,十天半月也就腻了。这个小地方,却给人以实惠,给人以慰藉。便琢磨县名:宜君。真是宜于君来啊。君是何人?天下不耐热冷人也。

作于1982年12月2日静虚村

当我路过这段石滩

我家住在郊外,到城里去上班,每天都要路过一条河的。河是很宽了,一年里却极少有水,上上下下是一满儿的石头,大者如斗,小者如豆,全是圆溜溜的光滑;有的竟垒起来,大的在上,小的在下,临风吱吱晃动,而推之不能跌落。我叫它是石滩。每每路过,骑车便在石隙中盘来绕去,步行却总要从一块石头上跳到另一块石头上,摇摇晃晃,惊慌里有多少无穷的趣味呢。

可是,旁人却更多地怨恨这石滩了,因为它实在不平坦,穿皮鞋的不喜欢,尤其那些女子,宁可到上游多绕三里路走那大桥,不愿走这里拐了高跟。它又没有花儿开放,甚至连一株小草也不曾长,绿的只有那石头上星星点点的藓苔,但雨天过去,那藓苔就枯干了,难看得像是污垢片儿。恋人是不来的,爱情嫌这里荒寒;小孩是不来的,游戏嫌这里寂寞。偶尔一些老人来坐,却又禁不住风凉,踽踽返去了。

多少年来,我却深深地恋着这段石滩,只有我在那里长时间地坐过,长时间地作一些达不到边缘的回忆和放肆的想象。

八年前,我是个白面书生,背着铺盖卷儿,从那四面是山的村镇来到了城里闹嚷嚷的地方。我是个才拱出蛋壳的小鸭,一身绒毛,黄亮亮的像一团透明的雾。我惊喜过,幻想过,做过五彩缤纷的梦。但是,几年过去了,做人的艰难、处世的艰难,我才知道了我是多么的孱弱!孱弱者却不肯溺沉;留给我的,便只有那无穷无尽的忧伤了。

忧伤,谁能理解呢?对于我的父母、我的亲朋好友,我说有了饥,他们给我吃的;我说有了渴,他们给我喝的;我说有了忧伤,他们却全不信,说我是不可理解的人。理解我的,便只有这段石滩了。

在遇到丑恶东西的时候,我没了自信,那石滩容得我静静坐着,它那起起伏伏的姿态和曲线,使我想起远在千里外的爱人了。我似乎又看见了她在早晨打开窗子,临着晨光举手拢着秀发的侧身,又似乎看见了她在晚霞飞起的田野,奔跑扑蝶、扭身弯腰的背影。于是,忧伤忘去了,心窝里充满了甜蜜,呼唤着她的名字,任一天的风柔柔地拂在脸上,到处散发着她的吻的情味,任漫空的星星闪亮在云际,到处充满着她的眼的爱抚。

在失去善美的时候,一个愁字如何使我了得!这石滩,又使我来专想静观了,它那恰恰好好的布局和安排,使我想起了家乡月下街巷屋顶的无数的三角和平面了。似乎又看见了我们做孩子的在里边捉迷藏,巷口的小花花,梳两条细细的辫子,常常身藏在墙后,辫子却吊在外边,我便将那头像画在墙上,辫子画得像老鼠尾巴一样难看。于是,忧伤忘去了,心窝里充满了甜蜜,呼唤着金色的童年,想那小花花长大了吗?还留着那个细辫子吗?如果那个头像画还在,做了大人的我们再见了,脸该怎么个红呢?

石滩就是这般地安慰我,实在是我灵魂的洗礼殿呢!但我总搞不清白,这是怎么回事呢?石滩总是无言,但一有忧伤石滩总是给我排泄,这石滩到底是什么呢?

一日复有一日,我路过这段石滩,思索着,觅寻着,我知道这其中是有答案的,是有谜底的。

终有一日,我坐在这石滩上,看这一河石头,或高,或低,或聚,或散,或急,或缓,立立卧卧,平平仄仄,蓦地看出这不是一首流动的音乐吗?它虽然无声,却似乎充满了音响,充满了节奏,充满了和谐。想象那高的该是欢乐,低的该是忧伤,奋争中有了挫败,低沉里爆出了激昂,丑随着美而繁衍,善搏着恶而存生,交交错错,起起伏伏,反反复复,如此而已!这才有了社会的运动、生活的韵律、生命的节奏吗?这段石滩,它之所以很少水流,满是石头,正是在默默地将天地自然的真谛透露吗?正是在暗暗地启示着这个社会,这个社会生了育了的我的灵魂吗?

面对着石滩,我慢慢彻悟了,社会原来有如此的妙事:它再不是个单纯的透明晶体,也不会是混沌不可清理的泥潭;单纯入世,复杂处世,终于会身在庐山,自知庐山的真面目了,它就是一首流动的音乐,看得清它的结构,听得清它的节奏!试想,我还会再被忧伤阴袭了我的灵魂吗?我还会再被烦恼锈锁了我的手足吗?啊,我愿是这石滩上的一颗小小的石头,是这首音乐中的一个小小的音符,以我有限的生命和美丽的工作,去永远和谐这天地、自然、社会、人的流动的音乐!

兴作于1982年12月27日静虚村

入川小记

我的家乡有句俗语:少不入川。少不入者,则四川天府之国,山光、水色、物产、人情,美而诱惑,一去便不复归也。此话流传甚广,我小小的时候就记在心里,虽是警诫之言,但四川究竟如何美,美得如何,却从此暗暗地逗着我的好奇。一九八一年冬日,我们一行五人,从西安出发,沿宝成路乘车去了成都,走时雪下得很紧,都穿得十分暖和。秋天里宝成路遭了水灾,才好复通,车走得很慢,有些时候,竟如骑自行车一般。钻进一个隧洞,黑咕隆咚,满世界的轰轰隆隆,如千个雷霆、万队人马从头顶飞过;好容易出了洞口,见得光明,立即又钻进又一隧洞。借着那刹那间的天日,看见山层层叠叠,疑心天下的山峰全是集中到这里的。山头上积着厚雪,树木玉玉的模样,毛茸茸的像戴了顶白绒帽;山腰一片一片的红叶,不时便被极白的云带断开……又入隧洞了,一切又归于黑暗。如此两天一夜,实在是寂寞难堪,只好守着那车窗儿,吟起太白《蜀道难》的诗句,想:如今电气化铁路,且这般艰难,唐代时期,那太白骑一头瘦驴,携一卷诗书,冷冷清清,"怎一个愁字了得"!正思想,山便渐渐小了,末了世界抹得一溜平坦,这便是到了成都平原,心境豁然大变,车也驶得飞快,如挣脱了缰绳,一任春风得意似的。一下火车,闹嚷嚷的城市就在眼下,满街红楼绿树,金橘灿灿。在西北,这橘子是不大容易吃到,如今见了,馋得直吐口水,一把分币便买得一大怀,掰开来,粉粉的,肉肉的,用牙一咬,汁水儿便口里溅出,不禁心灵神清,两腋下津津生风。惊喜之间,蓦地悟出一个谜来:这四川,不正是一个金橘吗?一层苦涩涩的橘皮,包裹着一团妙物仙品。外地来客,一到此地,一身征尘,吃到鲜橘,是在告诉着愈是好的愈是不易得到的道理啊!

走近市内,已是黄昏时分,天没有朗晴,夕阳看不到,云也看不到,一尽儿蒙蒙的灰白。我觉得这天恰到了好处,脉脉地如浸入美人的目光里,到处洋溢着情味。树叶全没有动,但却感到有醺醺的风,眼皮、脸颊很柔和,脚下飘飘的,似乎有几分醉后的酥软。立即知道这里不比西北寒冷,穿着这棉衣棉裤,自是不大相宜,有些后悔不迭了。从街头往每一条小巷望去,树木很多,枝叶清新,路面潮潮的,不浮一点灰尘,家家门口,都植有花草,即使在土墙矮垣上,也藓苔缀满;偶尔一条深巷通向墙外,空地上有几畦白菜、萝卜,一青二白,便明白这地方地势极低,似乎用手在街的什么地方掘掘,就会咕涌涌现出一个清泉出来。街上的人多极,却未行色匆匆,男人皆瘦而五官紧凑,女人则多不烫发,随意儿拢一撮披在后背,依脚步袅袅拂动,如一片悠悠的墨云,又如一朵黑色的火焰。间或那男人女人的背上,用绳儿裹着一小孩骑上自行车,大人轻松,孩子自得,如作杂技,立即便感觉这个城市的节奏是可爱的缓慢,不同于外地。在这乱糟糟的生活漩涡里,突然走到这里,我满心满身地感到一种安逸、舒静,似乎有些超尘而去了。

在城里住下来,一刻儿也不愿呆在房间,整日在街巷去走。街巷并不像天津那么曲折,但常常不辨了归途,我一向得意我的认路本领,但总是迷失方向。我不知这是什么原因儿,反正一任眼睛儿看去,耳朵儿听去,脚步儿走去。那街巷全是窄窄的,没有上海的高楼,也少于北京的四合院。那二层楼舍,全然木的结构,随便往哪一家门里看去,内房儿竹帘垂着,袅袅燃一炷卫生香烟。客间和内间的窗口,没有西北人贴着的剪纸,却都摆一盘盆景,有苍劲松柏的,有高洁梅兰的,有幽雅竹类的,更有着奇异的石材:沙碛石、钟乳石、岩浆石。那盆儿也讲究,陶质、瓷质、石质。设计起来,或雄浑,或秀丽,或奇伟,或恬静;山石得体,树势有味,以窗框为画框,恰如立体的挂幅。忍不住走进一家茶馆去了,那是多么忘我的境界,偌大的房间里,四面门板打开,仅仅几根木柱撑着屋顶,成十个茶桌、上百个竹椅,一茶一座,买得一角花茶,便有服务员走来,一手拎着热水壶,一条胳膊,从下而上,高高垒起几十个茶碗,哗哗哗散开来。那茶盖儿、茶碗儿、茶盘儿,江西所产,瓷细坯薄,叮叮传韵。正欣赏间,倒水人忽地从身后数尺之远,刷地倒水过来:水注茶碗,冲卷起而不溢出。将那茶盖儿斜盖了,燃起一支烟来,捏那盖儿将茶拨拨,便见满碗白气,条条微痕,久而不散,一朵两朵茉莉小花,冉冉浮于茶面。不需去喝,清香就沁入心胸,品开来,慢慢细品,说不尽的满足。在成都呆了几日,我早早晚晚都在茶馆泡着,喝着茶,听着身边的一片清谈,那音调十分中听。这么一杯喝下,清香在口,音乐在耳,一时心胸污浊,一洗而净,乐而不可言状也。

我们五人,皆关中汉子,嗜好辣子,出门远走,少不了有个辣子瓶儿带在身上。入了四川,方知十分可笑。第一次进饭店,见那红油素面,喜得手舞足蹈,下决心天天吃这红油面了,没想各处走走,才知道这里的一切食物,皆有麻辣,那小吃竟一顿一样,连吃十天,还未吃尽。终日里,肚子不甚饥,却遇小吃店便进,进了便吃,真不明白这肚皮有多大的松紧!常常已经半夜了,从茶馆出来,悠悠地往回走,转过巷口,便见两街隔不了三家五家,门窗通明,立即腭下就显出两个小坑儿,喉骨活动,舌下沁出口水。灯光里,分明显着招牌,或是抄手,或是豆花面,或是蒸牛肉,或是豆腐脑;那字号起得奇特,全是食品前加个户主大姓,什么张鸭子、钟水饺、陈豆腐什么的。拣着一家抄手店进去,店极小,开间门面,中间一堵墙隔了,里边是家室,外边是店堂,锅灶盘在门外台阶,正好窗子下面。丈夫是厨师,妻子做跑堂,三张桌子招呼坐了,问得吃喝,妻子喊:"两碗抄手!"丈夫在灶前应:"两碗抄手!"妻子又过来问茶问酒,酒有泸州老窖,也有成都小曲,配一碟酱肉、香肠,来一盘胡豆、牛肉,还有那怪味兔块,调上红油、花椒、麻酱香油、芝麻、味精。酒醇而柔,肉嫩味怪,立即面红耳赤,额头冒汗。抄手煮好了,妻子隔窗探身,一笊篱捞起,皮薄如白纸,馅嫩如肉泥,滋润化渣,汤味浑香,麻辣得吸吸溜溜不止,却不肯住筷。出了门,醉了八成,摇摇晃晃而走,想那神也如此,仙也如此,果然涌来万句诗词,只恨无笔无纸,不能显形。回旅社卧下,彻底不醒,清早起来,想起夜里那诗,却荡然忘却,一句也不能做出了。

我常常琢磨:什么是成都的特点,什么是四川人的特点。在那有名的锦江剧院看了几场川剧,领悟了昆、高、胡、弹、灯五种声腔。

尤其那高腔,甚是喜爱,那无丝竹之音,却有肉声之妙,当一人唱而众人和之时,我便也晃头晃脑,随之哼哼不已了。演出休息时,在那场外木栏上坐定,目观那园庭式的建筑,古香古色的场地,回味着上半场那以写意为主、虚实结合、幽默诙谐的戏曲艺术,似乎要悟出了点什么,但又道不出来。出了城郭,去杜甫草堂游了,去望江公园游了,去郊外农家游了,看见了那竹子,便心酥骨软,挪不动步来。那竹子是那么多!紫草竹、花楠竹、鸡爪竹、佛肚竹、凤尾竹、碧玉竹、道筒竹、龙鳞竹……漫步进去,天是绿绿的,地是绿绿的,阳光似乎也染上了绿。信步儿深入,遇亭台便坐,逢楼阁就歇,在那里观棋,在那里品茗。再往农家坐坐,仄身竹椅,半倚竹桌,抬头看竹皮编织的顶棚、内壁,刷湿竹的绿青色,俯身看柜子、箱子漆成干竹的铜黄色,再玩那竹子形状的茶缸、笔筒、烟灰盘,蓦地觉得,竹该是成都的精灵了。最是到了那雨天,天上灰灰白白,街头巷口,人却没有被逼进屋去,依然行走,全不会淋湿衣裳,只有仰脸儿来,才感到雨的凉凉飕飕。石板路是潮潮的了。落叶浮不起来,近处山脉,一时深、浅、明、暗,层次分明,远峰则愈高愈淡,末了,融化入天之云雾。这个时候,竹林里的叶子光极亮极,海棠却在寒气里绽了,黑铁条的枝上,繁星般孕着小苞,唯有一朵红了,像一只出壳的小鸭,毛茸茸地可爱,十分鲜艳,又十分迷离。更有了一种树,并不高的,枝条一根一根清楚,舒展而微曲地向上伸长,形成一个圆形,给人千种万种的柔情来了。我总是站在这雨的空气里,想我早些日子悟出的道理,越发有了充实的证明。是啊,竹,是这个城的象征,是这个城中人的象征:女子有着竹子的外形,腰身修长,有竹的美姿;皮肤细腻而呈灵光,如竹的肌质;那声调更有竹音的清律,秀中有骨,雄中有韵。男子则有竹的气质,有节有气,性情倔强,如竹笋顶石破土,如竹林拥挤刺天。

我太爱这欲雨非雨、乍湿还干的四川天了,醺醺地从早逛到晚,夜深了,还坐在锦江岸边,看两岸灯光倒落在江面,一闪一闪地不肯安静,走近去,那黑影里的水面如黑绸在抖,抖得满江的情味!街面上走来了一群少女,灯影里,腰身婀娜,秀发飘动,走上一座座木楼去了,只有一串笑声飘来。这黑绸似的水面抖得更情致了,夜在融融地化去,我也不知身在何处,融融地似也要化去了。

1982 年

鸟　窠

在我小的时候,村里有了一所磨坊,矮矮的一间草屋,挨着场畔的白杨树儿,孤零零地呆着。娘是那里的磨倌,我跟着娘,在那里也泡过了我的童年。

过去了一个冬天,又过去了一个冬天,我们只是呆在这磨坊里。娘是经管箩面的,坐在笸篮边上,将箩儿来回筛着,面粉扬起来,雾蒙蒙的,她不说不笑,也不大变换姿势,眉儿眼儿就像个雪人儿一般的。我是专赶着那毛驴:它的眼睛被布蒙住了,套着磨杆,走着一圈,又一圈;我跟着毛驴的屁股,也走着一圈,又一圈。石磨呼呼噜噜地响着,像在打雷,先还觉得有趣,慢慢就烦腻了:毛驴耷拉下耳朵,一圈比一圈走得慢了,我也走得慢了下来,歪过头去,无精打采地看那窗外的世界。

窗外五十米的地方,有着一棵白杨,是四周最高的白杨了,端端地往上长,几乎没有什么枝股,通身灰白灰白的,尤其在傍晚时分,暮色里就白得越发显眼,像是从地里射上去的一道光柱。就在那稀稀的几根细枝的顶端,竟有了一个鸟窠,横七竖八的柴枝儿,筑个笼筐儿形似的。一对鸟夫妻住在那里,叫不上名字,是白的脑门、长的尾巴那一类的。它们一早就起飞走了,晚上才飞回来,常常落到磨坊门口,双脚跳跃着觅食。我撒一把麦粒过去,它们却忽地飞去了。

我觉得这些小生命可爱了,想它们一定也很寂寞,那么,来和我呆在一起,它们唱歌就有我听,我说话也有它们听了,它们可以一直飞到我的磨盘上,我一定会让它们把麦粒儿吃饱呢。我便从光溜溜的树身爬上去,一直爬到树顶,那里风真大,左右摇晃,使我更觉得这里不安全,就小心翼翼地抱下那个窠来了。用绳儿系着,棍儿架着,我把鸟窠安放在磨坊的门口,想晚上鸟儿回来了,就会歇在里边,赶明日我一到磨坊,就看得见它们了。

但是,第二天我来的时候,那鸟窠里却空落落的;从窗口看那白杨树,鸟夫妻在叽叽喳喳叫着,焦躁地飞上飞下。它们是在哭啼呢,还是在咒骂? 我大声地说:窠在这儿,窠在这儿! 它们却并不理会。飞过一阵了,双双落在一枝树股上,母的偎着头,欲睡未睡,公的却静静地盯着远方,叽叽喳喳了一阵,便又都飞开去。很快,它们分别衔着一根柴枝儿,又在那梢端儿上,筑起新窠了。

我真有些不明白:它们为什么要那么傻呢,它们飞过磨坊,难道没有看见窠在门口吗? 但它们还是不停地衔柴枝儿筑窠,一根,两根,横竖交错,慢慢看出有个窠形了。我想,它们一定会疲倦的,疲倦了就会飞进这门口的窠里来的。我再也不去看它们,只是赶我的毛驴,毛驴蒙着眼,走着一圈,又一圈,我跟着毛驴屁股,也走着一圈,又一圈。

一天过去了,那窠编好了底。一天又过去了,那窠编好了顶。鸟夫妻已经十分疲劳了,衔一根柴枝儿,要歇几次,才能衔上梢端;但放好一根柴枝儿,就喳喳地叫着,你一声,它一声的。

我很嫉妒它们,但终于内心惭愧了,觉得我不该移了它们的窠,苦得它们又去创业,便将那门口的鸟窠放到白杨树下,让它们不必远路去寻材料。一放下鸟窠,就立即飞跑回磨坊,害怕它们看见造孽的是我。

新窠又筑起来了,筑得比原先那个更好看呢。它们又在上边过它们的日子了,早晨依然是吵吵闹闹一阵,就双双飞了去。天总是晴朗的,有着微微的风,它们一前一后,斜着翅膀,一会儿飞得很高很高,一会儿又飞得很低很低,末了,就又一呼一应,倏尔在云天里消失了。

似乎又过了十天吧,母的再不去飞行了,它终日静静地躺在窠里,偶尔对着磨坊叫那么一声,公的时常飞回来,嘴里叼着小虫儿。我真有些奇怪,不知道这是为什么。有一次,我正赶着毛驴走,就听见那白杨树上一片儿喧嚣,扭头看时,那只公鸟正扑拉着翅膀,在窠边飞来飞去,挨着那窠沿儿,有了四个红红的小嘴儿。啊,它们是有了儿女了呢。

那儿女是什么模样儿,我看不清楚,我几次要爬上白杨树去捉一只下来,又觉得不忍,就这么天天看着它们:它们快活,我也快活,它们鸣叫,我也呼喊。终于又过了一段时间,我看见那小鸟儿们了,它们和它们的父母一样漂亮,而且全能起飞,啪啪啪地飞到云里去了。

它们飞走了,差不多的白天里,磨坊里外再没有什么好听的了,只是那无止无休的呼呼噜噜的石磨声。毛驴拽着磨杆,走着一圈,又一圈。我跟着毛驴的屁股,也走着一圈,又一圈,我不知道这

个时候,鸟儿飞到什么地方去了……毛驴渐渐耷拉下耳朵,慢下来了,我并不去用树条儿打它,只是问娘:

"娘,鸟儿为什么不住到地上来呢?"

"它们喜欢住得高高的。"

"那么高的,经常有风,它们不害怕吗?"

"不怕,它们很快活,能飞呢。"

噢,我想,它们是不是以为住在这磨坊门口了,担心被我捉住呢?它们住在那高高的树梢上,是愿意到什么地方就到什么地方去,想看什么就看什么吧?哎呀,那天空全是它们的了,它们是够多快活呢!

"娘,"我又问道,"鸟儿为什么就能飞呢?"

"它们有羽毛的翅膀。"

"那人为什么没有呢?"

"人是要安分的。"

人为什么要安分呢?娘的话,我却听不懂了,想地上有山呀、房呀、湖呀、河呀的阻挡,所以鸟不住在地上吗?天上没有阻挡,空空旷旷的,但人要安分,所以才不能长出羽毛的翅膀吧?!我真想再一次上那白杨树去,住在那巢里,叫那小鸟儿做哥哥、姐姐,叫那老鸟儿做爸爸、娘娘,长一对羽毛的翅膀儿。

娘却骂我说疯话,直催我快赶驴,说再不赶紧,限天黑就不能磨完这些麦子了。我打起毛驴来,毛驴就又一阵紧跑,我也撵着毛驴屁股小不丢溜地跑。但是,毛驴又渐渐耷拉下耳朵,一步一步地慢了,我也收下步来,又去看那窗外的白杨树了。鸟儿一家又飞回来,在那里吵吵叫叫地热闹,很快就又飞去了,有两根羽毛悠悠地飘下来,落在树下。

我终不能忍了,再不听娘的斥责,跑出去,在那白杨树下捡起了那两根羽毛,拿回来,一根别在我的头上,一根别在毛驴的臃脖子上……

1982 年

夜　籁

当学生的时候,血气方刚,常要做以济天下的人物;莽撞撞地闯进社会几年,弄起笔墨文学,一事无成,才知道往日幼稚得可怜,不觉心灰意懒,且"行于当所行","止于所不可止"了。借仲秋的日子,去陕南度假散心,坐了十多日船,行了上千里路,随便往两岸的山上一望,便见秋收后的庄稼地正在深翻,老牛、木犁、疙瘩绳。或者,是歇晌的时候了,老牛站在那里,四蹄直立,尾巴直垂,犁沟里坐着默默的农夫:劳作后的疲倦,瞬间凝固的雕塑。我心中感慨:天下最劳心者,文人;最劳力者,农夫。劳力者给了劳心者以粮食,劳心者却不能于劳力者有所作为,不觉喟然长叹!

夜里,船到了山弯间,月显得很小,两岸黝黝的山影幢幢沉在水里,使人觉得山在水上有顶,水下有根,但河面却铺了银,平静静的似乎不流,越发使人惶恐。到了渡口,船不走了,只好向岸上的山村投宿,一道石板小路引着向山坡根去了。石板是铟蓝的、赭红的,一块不连着一块,人脚踹得它光滑细腻,发着幽幽的光,像池塘平浮水面的荷叶。在石板路上走,一步一个响声,常常使人觉得后边有人跟着;看半山坡上的灯光,星星点点,似乎对称,又见分散。一直到了坡根,那灯光却再不见,路成了窄巷,陡然向坡上爬去,常常是前边突然无路,一个直角,巷子向旁边拐去了。两边高高的人家,前院墙石块垒起十来丈高,后屋墙却依山而筑,仅二尺有余。灯光正从那家小小的石窗照下来,犹如一道白柱。一个极俊俏的女子,探头往下看着,打一个口哨,麻酥酥的,立即就捂了脸,作认错了人的害羞。

我走近一家院落,院门是桐木板的,窄而短,门环却小碗口般大。挨墙弯着一株古柏,绳索似的皮纹,疙疙瘩瘩的根爬满了门前的石阶。敲一下门,响声很空。院子有了脚步声,一个老头把门开了。正要询问,坡那边的石窗光又一亮,那个极俊俏的女子又出现了,一个口哨,麻酥酥的,巷子里有了脚步声。"这猴女子!"老头说。"她在做什么?"我也有些奇怪了。"恋爱吧,"老头说,"这么冷的,又要去河边,你恋过,你说说,恋爱有火吗?"

我笑了,不觉向河边望去,那河竟离得很近,看得见了那并排的几只木船,月光下亮得分明。一位诗人描写过这种境界,说那船是河神的套鞋。如今,两个人影走上了空船,有一个是那极俊俏的女子吧。船客走了,河神走了,只有明月,明月初照人哟。

老头是个厚道人,热情地接待了我。他老伴到闺女家去了,夜里剩下他一人,正在灶火口熬茶。茶锅小极小极,只有拳头那么大,系在一条铁丝上,架在火上,像烧着一个黑瓷蛋儿。火不甚旺,老头几次俯下身去吹,嘴皱得像个火筒,烟就罩了一层,我喀喀地咳嗽起来。

"就好,就好,"老头抱歉地说,"快蹲下,烟高不烟低。"

茶熬好了,老头倒给我了一小碗黑汤儿。喝一口,苦得直吐舌头。

"这是什么茶?"我说。

"龙叶茶,自己上山采的。"他说,"香吗?"

我该怎么说呢,我看着这烟火熏得黑漆漆的石屋,看着这光一闪一闪泛着黑瓷一样幽光的老人脸,我摇摇头了,知道这些农夫,大都没钱去买那高质茶叶,便自己采了什么叶子去熬喝这又苦又涩的汁汤了。

"你们城里人是喝不惯的,"老头苦笑了,"可我们却珍贵呢,你喝喝,后味叫香呢。"

但我无论如何不敢去喝了,老头便接过喝起来,喝一口,舌头就伸出来在毛茸茸的嘴唇上舔一下,发出一种很响的声音。他又熬了第二锅,喝了,又熬了第三锅,喝了。然后,闭了眼睛,坐在地上,将那弯曲的背、脚、手、脖子,使劲伸展,然后鼻孔里长时间地出气,一双小眼睛显得明亮多了。

看着老人的舒服劲,我心里滋润起来,恨不能自己变成个小虫儿,钻进他的鼻孔,好让他再舒舒服服地打个喷嚏。"今天地里干啥了?"我说。"翻地呗。"他说,"天又旱得厉害,地瓷得扳不开啊!"

"真苦了你,这么大年纪了。"

"哪里!一辈子还不是这么过来的,多亏这茶呢!一天不喝几锅,头疼,骨头也散架了,这茶是农家乐,一喝乏劲没有了,百事都忘了呢。"

老人说着,哈哈地笑起来,精神十分活跃,问起城里的人吃的什么呀,穿的什么呀,这秋天里,都在干些甚事呀,比如今天晚上,又在干着什么呢？我一一回答着老人，感到深深的内疚，老人却又哈哈笑了，说：

"土命人也不像你说的可怜，苦是苦，苦中仍有甜呢，好比是咱这茶，可惜你不愿喝一口。"

这当儿，院门又在很空地敲响，老头出去开门了，院子里立即有了一老一少的女人声。进了堂屋来，果然是一个老太婆，和一个穿红格子新袄的女子。那女子嬉皮笑脸的，一看见我，却戛地止了声，躲进灯影黑处去了。老太婆便说：

"他大伯，你瞧瞧，明日要出嫁了，穿这件红袄儿可合适？丽儿，你站过来！"那女子在黑影说："娘！"老太婆似乎才看见我，忙笑笑，说："城里人看就看吧，明日要办事了，千人万人要看呢，城里人会笑话你？"

我明白这是位要做新娘的女子，忙连声道喜。那女子扭扭捏捏站在灯下，却转过了头，不让我看她的脸。

"合身，合身！"老头说，"柱子那头准备停当了？"

"他有什么好准备的？明日唢呐一吹，他过来入洞房就是了。"

老太婆牵了女子，笑笑地出门去了，在院门口很响地说：

"他大伯，明日你一定来啊！"

老头回来，重新坐在灶火口，又咕咕地熬他的茶了，说这家是个独女，哪儿都不去，就招了女婿过来。这女婿也逗，哪儿也不去，就要来这村子。他开始从怀里掏出一卷钱点起来。钱票很烂，油腻腻的，像湿了水。

"明日我要上十元钱礼呢。"

"你们这儿还兴这规矩?"我想这农民,手里能有多少钱呢,偏遇着这红白喜事,这么破费的。

"取个吉利嘛。"他说,"城里人要笑这是老封建了,可山里人把这事看得重,一生能有几次乐事呢?你若不走,明日你也来热闹热闹吧。"

我无空满足老头的邀请,看着老头又喝了一碗茶水,便听见院门外的古柏上,有斑鸠在咕咕地叫,老头说夜不早了,便要我去睡。睡在东边的炕上,月光从石窗上银银地照进来,我不知道河边木船上的人——那个极俊俏的女子,走了没有?

老头喝毕了茶,叮叮当当刮了一遍木犁上的泥,也睡下了,打着很响的呼噜,慢慢,一切都静下来了。我却无论如何睡不着,想当年做学生的情景,想这几年的风风雨雨,拳拳之情,一时又涌上心际了,便觉得今天夜里,有好多事要想,却又无从想起,有好多事情已经意会,却又不可道出。石头屋子是这般地静寥,像是寺院。

远处,偶尔有一声狗咬,声音在窄窄的石头巷里,或在高高的对面崖上,撞出了回音,嗡嗡传韵。立即,有了一种什么声音,从石窗下的巷底传来,先是模模糊糊,再就清晰了,原来是在"招魂":

"回来啊!——"一声苍老的叫声。

"回——来了!"一个稚语。

"回来啊!——"

"回——来了!"

这"招魂"我是知道的。小时候在乡下的老家,常有这种迷信的活动:小孩受惊了,或是跌了一跤,或是得了一病,整天哭闹,痴呆,做母亲的便在夜深人静之时,一手抱了孩子,一手提了灯笼,从巷子走过,母亲叫一声"回来啊"!孩子应一声"回来了"!再在地上撮一点土,放在孩子的额头上。怎么现在还相信这个呢?

"回来啊!——"苍老的叫声。

"回——来了!"幼稚的应声。

"招魂"声慢慢地从巷子里远去了。我默默地数着他们的招呼声,想象着那一团灯笼的移动,计算着他们的脚步,一下、二下、三下……夜,安宁了,石屋里静得像个寺院,我均匀地呼吸着,便睡去了。

1982 年

安忍不動猶如大地 靜慮深密猶如地藏

丰子愷畫

浴後得馨 平山壬午

泉

我老家的门前,有棵老槐树,在一个风雨夜里,被雷电击折了。家里来信说:它死得很惨,是拦腰断的,又都裂开四块,只有锯下来,什么也不能做,劈成木柴烧罢了。我听了,很是伤感,想那夜的风雨,是恶,是暴,还是方向不定,竟挟带了如此的雷电?可怜老槐无力抵御外界的侵凌,却怎么忍受得了这重重的摧残和侮辱呢?

后来,我回乡去,不能不去看它了。

这棵老槐,打我记事起,它就在门前站着,似乎一直没见长,便是那么的粗,那么的高。我们做孩子的,是日日夜夜恋着它,在那里荡秋千,抓石头,踢毽子,快活得要死。与我们同乐的便是那鸟儿了,一到天黑,漫空的黑点,陡然间就全落了进去,神妙般地不见了。我们觉得十分有趣,猜想它一定是鸟儿的家,它们惊惧那夜的黑暗,去得到家的安全,去享受家的温暖了呢。或者,它竟是一块站在天地之间的磁石,无所不括地将空中的生灵都吸去了,要留给黑暗的,只是那个漠漠的,天的空白?冬天,世上什么都光秃秃的了,老槐也变得赤裸,鸟儿却来报答了它,落得满枝满梢。立时,一个鸟儿,是一片树叶;一片树叶,是一个鸣叫的音符:寂寞的冬天里,老槐就是竖起的一首歌子了。于是,它们飞来了,我们就听着这冬天的歌,喜欢得跑出屋来,在严寒里大呼大叫;它们飞走了,我们就捡着那树下抖落的几片羽毛,幻想着也要变一只鸟儿,去住在树上,去飞到树顶的上空,看那七斗星座,究竟是谁夜夜把勺儿放在那里,又要舀些什么呢?

如今我回来了,离开了老槐十多年的游子回来了。一站在村口,就急切切看那老槐,果然不见了它。进了院门,家里人很吃惊,又都脸色灰黑,勉强和我打着招呼。我立即就看见那老槐了,劈成碎片,乱七八糟地散堆在那里,白花花的刺眼,心里不禁抽搐起来。我大声责问家里人,说它那么高的身架,那么大的气魄,骤然之间,怎么就在这天地空间里消失了呢?!如今,我的幼年过去了,以老槐慰藉的回忆也不能再做了,留给我的,就是那一个刺眼痛心的树桩吗?!我再也硬不起心肠看这一场沧桑的残酷,蕴藏着一腔对老槐的柔情,全然化作泪水流下来了。

夜里,家里人都没有多少话说,悲痛封住了他们的嘴,闷坐了一会儿,就踽踽进屋去睡了。我如何不能睡得,走了出来,又不知身要走到何处,就呆呆地坐在了树桩上。树桩筐筛般大,磨盘样圆,在月下泛着白光。可怜它没有被刨了根去,那桩四边的皮层里,又抽出了一圈儿细细的小小的嫩枝,极端地长上来,高的已经盈尺,矮的也有半寸了。我想起当年的夏夜,槐荫铺满院落,我们做孩子的手拉手围着树转的情景,不觉又泪流满面。世界是这般残忍,竟不放过这么一棵老槐,是它长得太高了,目标要向着天上呢,还是它长得太大了,挡住了风雨的肆行?

小儿从屋里出来,摇摇摆摆的,终伏在我的腿上,看着我的眼,说:

"爸爸,树没有了。"

"没有了。"

"爸爸也想槐树吗?"

我突然感到孩子的可怜了。我同情老槐,是它给过我幸福,给过我快乐;我的小儿更是悲伤了,他出生后一直留在老家,在这槐树下爬大,可他的幸福、快乐并没有尽然就霎时消失了。我再不忍心看他,催他去睡,他却说他喜欢每天晚上坐在这里,已经成习惯了。

"爸爸,"小儿突然说,"我好像又听到那树叶在响,是水一样的声音呢。"

唉,这孩子,为什么偏偏要这样说呢?是水一样的声音,这我是听过的。可是如今,水在哪儿呢?古人说,抽刀断水水更流,可这叶动而响的水,怎么就被雷电斩断了呢?难道天上可以有银河,地上可以有长江,却不容得这天地之间的绿的水流吗?

"爸爸,水还在呢!"小儿又惊呼起来,"你瞧,这树桩不是一口泉吗?"

我转过身来,向那树桩看去,一下子使我惊异不已了:啊,真是一口泉呢!那白白的木质,分明是月光下的水影,一圈儿一圈儿的年轮,不正是泉水绽出的涟漪吗?我的小儿,多么可爱的小儿,他竟发现了泉。我要感谢他,世界要感谢他,他真有发现了新大陆的哥伦布一样的伟大啊!

"泉!生命的泉!"我激动起来了,紧紧抱住了我的小儿,想这大千世界,竟有这么多出奇,原来一棵树便是一条竖起的河,雷电可以击折河身,却毁不了它的泉眼。它日日夜夜生动,永不枯竭,那纵横蔓延在地下的每一根每一行,该是那一条一道的水源了!

我有些不能自已了。月光下,一眼一眼看着那树桩皮层里抽上来的嫩枝,是那么的精神,一片片的小叶绽了开来,绿得鲜鲜的、深深的:这绿的结晶、生命的精灵,莫非就是从泉里溅起的一道道水柱吗?那锯齿一般的叶峰上的露珠,莫非是水溅起时的泡沫吗?哦,一个泡沫里都有了一个小小的月亮,灿灿的,在这夜里摇曳开光辉了。

小儿见我高兴起来,他显得也快活了,从怀里掏出了一撮往日捡起的鸟的羽毛,万般逗弄,问着我:

"爸爸,这嫩枝儿能长大吗?"

"能的。"我肯定地说。

"鸟儿还会来吗?"

"会的。"

"那还会有雷电击吗?"

小儿突然说出的这句话,却使我惶恐了,怎样回答他呢? 说不会有了,可在这茫茫世界里,我仅仅是一个小小的分子,我能说出那话,欺骗孩子,欺骗自己吗?

"或许还会吧,"我看着小儿的眼睛,鼓足了劲说,"但是,泉水不会枯竭的,它永远会有树长上来,因为这泉水是活的!"

我说完了,我们就再没有言语,静止地坐在树桩的泉边,在袅袅起动的风里,在万籁沉沉的夜里,尽力地平静心绪,屏住呼吸,谛听着那从地下涌上来的、在泉里翻腾的、在空中溅起的生命的水声。

观 沙 砾 记

正是中午,我在岸边的柳荫下乘凉,一抬头,看见河滩的沙地里,腾腾的有着一层雾气,一丝一缕的,曲线儿的模样。看得久了,又似若有若无,灿灿的,却在那雾气之中,有了什么在闪光。有的如火苗,那么一小朵,里圈是红的,外圈是白的,飘忽不可捉摸;有的如珍珠,跳跃着无数光环,目不能细辨,似乎其中有红、黄、绿、紫的色彩;有的如星星,三角形的、五角形的,光芒乍长乍短。我一时不知这是什么东西,叫小女儿去寻看,只是一片河滩,满地沙砾,漠漠视而不识,而升腾的雾气灼灼,使人不能久站。回到柳荫下又看,那光亮又在那里闪耀。女儿照着一点光走去,双手捡起,捂在掌内走过来,看时,乃是一块小小的沙石片儿。

石片极平凡,三角形状,边角已成光滑,上边隐隐有几道石纹,并不算美,放在手中,不见有彩,拿近眼前,黯然无光。女儿很是纳闷,问:它在沙滩灿烂,在这里失色,这是怎么回事?

是怎么回事,我也不得其解。反复揣摩石片,想起"橘生淮南则为橘,生于淮北则为枳"的古语,猜这是地方不同所致。这石片或是从山上来的,风吹雨打,裂成碎片,随水走川过峡,万里浪淘,停在这河滩里了。这水、这气、这日,才使其显了本色,互相辉映,有了灿灿之光。如今拿在手中,没了那些就得不到其天然色泽了。

由此看来,天上的星星,也是这样:它在天上,便有光亮,成其为星,落在地上了,纯乎一块陨石。有人幻想上天摘星,以此炫耀,恐怕摘下来,也是一块冰冷顽石吧!再去推想,我们居住的地球,我们看来,是土,是石,可从别的星球看去,也一定会有光有色。那么,鱼在水里,游动有神,来来去去,可谓悠然,若坠上岸来,便会翅不如毛,尾亦无力了。鸟在云际,有容有声,高高低低,可谓自若,若坠入水去,便要有翅不能飞,有爪不能划了。世上什么东西生存,只有到了它生存的自然之中,才见其活力,见其本色,见其生命,见其价值。人往往有其好心,忽视自然规律,欲以己之意,加于他物,结果往往适得其反。

沙砾本是无情,也有如此属性,而万千世界,人为第一,百人百貌,百貌百性,不能定然,不可固一。应是让其在充分发挥自己的条件下,不拘一格,各逞其才。那么,人便更是活的,就有生气,就有创造,这个人世就有了最伟大的、最光辉的色彩。

女儿还在哀叹沙砾,说是死了,是不是还能再活?我让女儿把那石片儿抛到河滩去,站在柳荫下静观,便见又灿灿然、烁烁然了。女儿笑之,我亦笑之,沙砾似乎也在笑,一闪一闪的,绽闪着金色的微笑。

1982 年

雪　品

冬日,我正在屋里读书,小女从外边跑回来,呜呜地哭。问之,说天太冷了,太阳都冻得脱斑了啊! 我拉开窗帘,原来外边下雪了。这孩子,从南方接来后还未见过下雪,却倒有了这般想象:她说先以为是飞花,接住闻,无蕊无香,倏忽又全没有,便惶恐得叫起来。这雪片儿,今年偏来得这么早,虽然悄声悄息的,却浪浪的十分地轻狂,漫空都被搅得烦乱了。屋檐下无缘无故地就坠落了一层。有一些儿在窗前旋转,一时来,一时去,暗声敲磕,有影却总无形;一群儿竟从门缝偷偷地进来了,潜踪蹑迹的样子。巷子显得更窄;巷子外的河岸上,老树在无声地立着,不见了往日悠然自得的钓鱼船。邻户一家老农正弯腰在那块地上埋胡萝卜种,蓑衣夌起来,像是个白色的刺猬。

"浅儿,这是天在下雪呢。"

"下雪?"她第一次有了雪的概念,"天冷就下雪吗?"

"是的,下雪天能不冷吗?"

"爸爸,"孩子又问了,"天为什么要这么冷? 天是什么呢?"

"爸爸不知道。"

"爸爸不是读书人吗? 爸爸还不知道?"

我苦笑了:读书人只知道天在地的上边,地在天的下边。在上的有太阳,有月亮,有雷,有电;在下的有山川,有河流、鱼、虫、花、鸟、芸芸众人。它们是宇宙的一体,它们又平行相对。地上的水升蒸起来可以是天上云彩,载太阳东西往来,浮星月升降明灭,以此有了天,地上又有了依附,看月阴晴圆缺而消息,观日春夏秋冬而生死。但是,天一有不测风云,地便有旦夕祸福,说雨就雨,说雷就雷,地上只有默默地承受,千年如此,万年亦如此。但是,地上是苦难的,又是博大的,湖海可以盛千顷万顷的暴雨,树林可以纳千钧万钧的飓风,人的寿命是五十年、六十年,人却一代一代繁衍不绝。正是这样,仰天有象,俯地有法,天离不了地,地在天之下永存。也正是这样,天热了,地上树木便生出绿荫;天黑了,地上便有了蜡烛。冬日天冷,水可以结冰,冰下鱼照样活着。山可以驻雪,狐毛越发绒厚。花草树木可以枯死枝叶,根依然活着,即使枯死的枝叶,临死也不屈服,枝可以燃烧,发出火的热光,叶可以变红,红也是火的象征。那邻户的农人不是在地下埋上胡萝卜种,胡萝卜不也是红的颜色吗?做爸爸的读书人不是还在吟"红装素裹,分外妖娆"的诗文吗?

孩子太小了,不能理解我的话。我劝她天冷是不可怕的,落雪也是不可怕的,天上愈是冷,地上愈是有热;天上愈是发白,地上愈是有红,何不去寻那些热的、红的东西呢?小女出去,果然又回来了,手里举着一束梅花,开得妖妖的。

"爸爸,我寻着红了!"

孩子是跑到河岸上去采的,亏她这么用功,跑得大口喘息,满头冒气,脸蛋热烫得通红。我说:"喔,浅儿的脸也是一团火啊!"

孩子乐了,直嚷道她不冷了,就在院子里捧了一堆雪回来,要叫我在炉子上烧死。我便装在缸子里煨火烹茶,顿时便成了一堆清水。

写于 1983 年 1 月 5 日夜静虚村

凉 台 记

最难得的是我家的那块凉台,方是零点七米,长是三米四五,长长方方二点四个平方,并不包括在住房面积之中,而且又有了后门,空气流通。再出来登台眺望,目光可以俯瞰整个城区。妻乐得手舞足蹈,说切切不能堆放杂物,要好好利用起来,遂将那只产蛋的母鸡拦在凉台左角,其余的都壅土置盆,植了花草。从此,凉台就成了天地自然之缩影,花有开的,又有败的,我们便意会着四时交替,草出芽的出芽,枝枯衰的枯衰,我们又体验着生死消息。城市里十分烦嚣,工作是十分繁忙,家庭是我们的温柔乡,凉台又是我们家庭的怡然世界。它一边依楼,三面无托,我们称之是悬空阁;一早一晚又是多雾,只见花草,不辨台栏,我们又谓之云海蜃市。天晴日暖,夫妻就蹲在那里,看蚁虫在花草丛中穿行,笑作是城市人一早一晚上班下班为生机而奔波。偏故意泼水扇风,又以此作狂风暴雨之想,看草叶战栗,花瓣明暗反复,观蚁虫惊恐,四下逃散,又悲想人生旦夕祸福而无可奈何。总之,大千世界就在眼下,再不就事论事,将一切妙事全看得清清楚楚的了。妻越发兴致,越发不惜工本,购奇花异草,又置各色盆盘,又置假山鱼缸,凉台日见欣荣。只是遗憾没有鸟儿来歇。妻曾以米作饵,引得几只鸟来,但都吃了谷米,展翅而又去了。

今夏我出外采访,疲疲倦倦回到家,忙去凉台观赏,忽见有一精致竹笼挂在那里,里边是一小鸟,红嘴绿尾,鸣叫不已。妻说是她十元钱买的。挑逗中,却发觉不见了那只鸡,探身望去,原来鸡囚在一只小小木棚里,于凉台外悬挂其空。我问之,妻说:"这花草世界,它没有颜色,又不能鸣叫,放在这里太逊眼了。"我不觉喟然良久,怨妻竟这么糊涂!生蛋之鸡囚之木棚悬空凉台之外,却将小鸟珍藏在花草中,外表好叫声好可以享这红花绿草之福,默默产蛋为业的鸡反遭冷落,难道这凉台愈是雅好,便愈隐藏丑恶?!遂将花草撤去,小鸟放归,空出凉台堆煤、放柴、存杂物,归其原本作用罢了。特写《凉台记》存之。

1983年1月6日夜记

南岭登高

十二岁那年,我在老家放牛,常到南岭山下。南岭是极高的,平日很少能见到山顶,白云四季卧在半腰,将山断成几截,只要那云层连在一起了,方圆几十里便是雨要来了。我常常是赶牛不及,被淋个精湿呢。后来,都在传说山顶上有珍奇的药草,有人便上去了,回来说那里果真有人间未有的绝妙,又采得一笼半篓药草,卖得许多钱。我那时心很不安分,便谋算能上去一次,因此牛就放得十分烦了,牛群常常走散也懒得及时去找,等找着了,就要拴在树桩,用鞭子一下一下狠抽,怨我不能想我所想,干我所干,全是这有口无言的牲口所拖累了。

一日,堂哥要去登山,我便偷偷让他带去了。山上果然还是有路,走了半日,回头一望,群山便都落在身下了。远远看得见我们的村庄。房子竟如火柴盒子大小,村人走动,更小得似黄蚁。我便乐得大叫:山上真好呀,万事万物都在我的脚下了,那整日板着脸面训我的大人们,原来也不过一丁点嘛!再往上去,云雾就出现,先是一溜一片的,后就积起团,扑上身来,眼睛看不见了,浑身也湿漉漉难受,用手去抓,却又抓不住。路看不清,其实路也没有了,我不敢松开堂哥的手。又走了约摸二十分钟,云雾倏忽却没有了,太阳白光光照着,刺得眼睛睁不开。山顶渐渐看得见,是个莲花状的,但树却分明比下边稀得多,而且又不上长,常常是树弯成弓,枝干下垂,我一跃身就骑了上去。我不明白这么无遮无挡的地方,树怎么长得这么矮呢?堂哥说:"高处风险大嘛!"果然一句没了,忽地吹来,我未站住,险些滚下山去,帽子就如树叶一般飘走了。

两人忙伏在一块巨石下,等风过后,赶忙再往上爬,那些矮树就全然没有了,只是些草,也尽长尖叶。

堂哥就领我四处觅寻药草,自然是有收获,但我却感到呼吸紧张,嘴始终大张,还觉得憋得厉害。身上又发起冷,用力裹紧衣服,也不停地哆嗦。堂哥将他的衣服脱下一件给我,又领我上了一段,但越到上边,越是没了草,一色光秃秃的石崖,连一只鸟儿也不见了。高高的主峰上,眼瞧得一片白光,如镀了银箔,堂哥说那是终年积雪不化所结的坚冰。我要上去看看,他不让,说上去会冻死人的,两人就找柴生火,在缸子里煮起米来。但烧了好大一堆柴,那水还不开,好歹将米煮下,到底米不能成饭。我不知这是怎么啦,堂哥也莫名其妙,两人都害怕起来,说:"高处不能呆,赶快下山!"

下山却使我更作苦了,本来山很陡,上来时有一种新奇感所驱使,又是面对着山,现在仰身往下,那沟壑深渊,云聚云散,一看头就发昏,抬脚不敢下步了。沿着那一道梁脊,先是弯着腰,腿不能直起,接着侧起身,还是不行,再就蹲下来,以手为爪,攀扯着树枝野藤慢慢往下溜,但常常脚下的石头就松动了,满山嘟隆隆震响。到了此时,方才明白,上山难,山上呆着亦难,从山上而下更难。

终在下一个斜坎时,堂哥已经下去了,我无论如何下不去,最后将背上的药篓也丢掉,还是不能下去,就哇哇大哭起来。末了还是堂哥又跑上来,在坎上撑了身子,让我踩在他的肩上小心翼翼爬下来的。

　　直到天黑了多时,我们才下了山。我双手空空,鞋也破了,衣也破了,满腿满肚皮都是血道,一到山下就瘫在那里不能动,说:山上有什么好处呀?!我再也不到山上去了。

　　从那以后,一直五年里,我放牛放得很踏实。

1983 年 1 月 14 日静虚村

一 只 贝

　　一只贝,和别的贝一样,长年生活在海里。海水是咸的,又有着风浪的压力,嫩嫩的身子就藏在壳里。壳的样子很体面,涨潮的时候,总是高高地浮在潮的上头。有一次,它们被送到海岸,当海水又哗哗地落潮去了,却被永远地留在沙滩,再没有回去。蚂蚁、虫子立即围拢来,将它们的软肉啮掉,空剩着两个硬硬的壳。这壳上都曾经投影过太阳、月亮、星星,还有海上长虹的颜色,也都曾经显示过浪花、漩涡,和潮峰起伏的形状。现在它们生命结束了!这光洁的壳上还留着这色彩和线条。

　　孩子们在沙滩上玩耍,发现了好看的壳,捡起来,拿花丝线串着,系在脖项上。人都在说:这孩子多么漂亮!这漂亮的贝壳!

　　但是,这只贝没有被孩子们捡起。它不漂亮,它在海里的时候,就是一只丑陋的贝。因为有一颗石子钻进了它的壳内,那是个十分硬的石子,无论如何不能挤碎它,又带着棱角,它只好受着内在的折磨。它的壳上越来越没有了颜色,没有了图案,它失去了做贝的荣誉;但它默默的,它说不出来。

　　它被埋在沙里。海水又涨潮了,潮又退了,它还在沙滩上,壳已经破烂,很不完全了。

　　孩子们又来到沙滩上玩耍。他们玩腻了那些贝壳,又来寻找更漂亮的呢。又发现了这一只贝的两片瓦砾似的壳,用脚踢飞了。但是,同时在踢开的地方,发现了一颗闪光的东西,他们拿着去见大人。

"这是什么东西?"

"这是珍珠!嗨,多稀罕一颗大珍珠!"

"珍珠?这是哪儿来的呢?"

"这是石子钻进贝里,贝用血和肉磨制成的。啊,那贝壳呢?这是一只可怜的贝,也是一只可敬的贝。"

孩子们重新去沙滩寻找它,但没有找到。

作于 1983 年 2 月 21 日夜

山石、明月和美中的我

在我们门第,八代里没有一个弄墨的人,艺术的熏陶,于我是不知道为何等物事儿;搜遍记忆,也从没有祖母或者外祖母之类的什么人,给我讲叙过天上美丽的童话和从前动人的故事。社会的反复无常的运动、家庭的反应连锁的遭遇,构成了我是是非非、灾灾难难的童年、少年生活,培养了一颗羞涩的、委屈的甚至孤独的灵魂。

慰藉以这颗灵魂安宁的,在其漫长的二十年里,是门前屋后那重重叠叠的山石,和山石之上的圆圆的明月。这是我那时读得有滋有味的两本书,好多人情世态的妙事,都从它们身上读出了体会。

山石和明月一直影响着我的生活,在我舞笔弄墨挤在文学这个小道上后,它们又在左右了我的创作。

从山地走到了城市,山外的天地之大,使我扩大了一个农民的瞳孔;读中国的文章到读外国的文章,海峡之外的世界之大,使我扩张了一个黄种人的肠胃。地球的旋转,一个圆又一个圆地重复而更新。反映这个世界,和反映面对这个世界的人的心声,迫使我们民族的文学需要更加成熟,文学的"奥林匹克运动会"鼓动着我们民族文学的冲刺。

我太爱着这个世界了,太爱着这个民族了。因为爱得太深,我神经质似的敏感,容不得眼里有一粒沙子,见不得生活里有一点污秽,而变态成炽热的冷静、惊喜的惶恐、迫切的嫉恨,眼睛里充满了泪水和忧郁;正如我生性里不善游逛,不善热闹,不善说笑,行为做事却孤独地观察、思考,作千百万次默默的祝福。

我常想,这个世界不同于五十年代、六十年代,在八十年代里到底是什么形状、色彩和音响呢?一个国家和一个国家面对着这个世界所发出的心声,要受阶级、民族、政治、社会、制度、地理、习惯的制约,而我们中国人的心声又是什么呢?进而又受着性格、气质、环境、爱好、教养的制约的我个人的心声,又是什么韵律呢?

世界是属于世界上每一个人的,地球在转动,每一个人都在坐地日行八万里。但是,世界文学则是赤裸裸的每一个民族文学的结合,每一个民族文学,则又是组合了每一个赤裸裸的个人。

马克思列宁主义是我们的望远镜和显微镜,这是我们的依赖和自信;伐隐攻微,世界在我们的眼中,将要求着我们从美和丑中去认识,去把握了。

我喜欢着国画,忠实着生活,又突破生活的极限,工笔而写意,含蓄而夸张,"冗繁削尽留清瘦,画到无时似有时",在有限之中唤起了无限的思想和情趣。

我喜欢着戏曲,融语言、诗词、音乐、舞蹈、绘画、雕塑、工艺、建筑、武术、杂技为一体,表演的不是生活的真实幻觉,而通过表演,又让人感到是生活的幻觉。

它们是真正的体验、真正的剖象、真正的表现艺术,严格的规范,自由的创造。以真为美,寓真于美,而真、美完全融于神、形、意境之中。

当我欣赏学习国画、戏曲的妙处的时候,我就忘却不了我的山石和明月了。夜里我在山地上行走,明月总是陪伴着我,我上山,它也上山,我下沟,它也下沟。山石是坚实的,山中的云是空虚的,坚实和空虚的结合,使山更加雄壮;山石是庄重的,山中的水是灵活的,庄重和灵活的结合,使山更加丰富。明月照在山巅,山巅去愚顽而生灵气;明月照在山沟,山沟空白而包含了内容。这个时候,我便又想起了我的创作,悟出许许多多不可言传的意会。

于是,我最愿意回到生我养我的陕南家乡去,那里是我的根据地,虽然常常东征西征,北伐南伐,但我终于没有成为一个流寇主义者。北伐,我莫过于爱去陕北,黄土高原的物土会给我以浑厚、拙朴;南伐,莫过于爱去四川,西南盆地的风情,会给我以精光、灵秀;东征西征,我莫过于爱去黄河两岸,它给我以水面貌似平静、温柔而内藏排山倒海的深沉和力量。

我开始了小说、散文、诗三马并进的写作,举一反三,三而合一。而诗写得最多,发表得最少,让它成为一种暗流,在我的心身的细胞之内,在我的小说、散文的字句之后。

我觉得这合于我的心境。我觉得这合于我眼中的美的世界、美的人生和美中的我。但我不知道我这是否又走错了路?

1983年2月21日而立之年生日
为《商州初录》所作后记

十字街菜市

　　如今的西安城里,菜市很多,大凡背街僻巷,有一处开阔地面的,一家在那里放起菜担,便有七家、八家的菜担也就放起来;不久,越放越多:一个菜市就巩固了。菜市有大的,也有小的;不大不小的,处于城市中间地域的,便是十字街口的菜市。城南的农民来市,带着韭菜、香菜、菠菜、莲菜。城东城西是工厂区,空气不好,农民来市的,带着白菜、萝卜、土豆。城北的地势高,长年缺水,青鲜菜蔬是没有的,却养鸡育猪;农民且耐得苦力,将豆子磨成豆腐,将红薯吊成粉丝。因地制宜,八仙过海,十字街菜市上就各显其通了。市场开张,卖的,买的,一手交钱,一手拿货,城乡泾渭,工农分明。这是菜市兴起时的样子。到后来,阵线就全然乱了,以市易市,买主的也便是卖主,卖主的也便是买主;菜市也便不是买卖蔬菜,大到木材竹器,小至针头线脑,吃、喝、穿、戴之物,行、立、坐、卧之具,鸡猪狗猫、鱼虫花鸟,无所不有!沿十字街东西南北四口,有门面的开门面,没门面的搭凉棚,凉棚之外是架,架前是摊,摊旁有笼:没有了一点空隙;于此,也便自行车不能骑坐,汽车更不得来往了。

　　假若是一个生人,第一次来到十字街心站定,往东西南北一看,真是"举棋不定"该去哪里。但立即会使你的人生观得到改变:

嘿,这个世界真够丰富! 人生于世也真够留恋! 什么不可吃得? 什么不可买得? 什么又可以能吃得了,买得了?! 常在城市的大街上,人如潮涌,少不得感慨:哪儿来的人这么多,这么匆匆忙忙的又都是去干什么? 至此,这十字街菜市的人的漩涡,却明显地表现一个主题:为生计而来,每天要卖的真多,要买的也真多,东西从四面八方云集而来,又四面八方分散而去。

货来得多,人来得多,这十字街口一天显得比一天窄小。常常天上落雨,水排泄不净,四边高楼遮日,阳光少照,泥泞便长久不干。即使天晴,卖菜的又不停以水浇菜,一是防腐保鲜,二又可见得分量,水便顺菜筐往外浸淋;卖肉的有当场屠宰,污水里又会有了红的颜色。人人都是去的,甘愿在那漩涡里挤得一头汗、一身土、一脚泥。即使那些时髦男女,看平日打扮,梳唐式发髻,穿西装皮履,想象那腹中不可能果食五谷的,但却偏爱吃那烤红薯、煮玉米棒,于人窝之内、风尘之中,大啃大嚼。最盛的时光是上班前半个小时,或者是下班后半个小时,自行车队便在这里错综复杂,一片的铁的闪光,一声的铃的丁零。城里的车子不许带人,后座却全被菜物坐了,车前轱辘上又都加了铁丝方兜,盐包也装进去,醋瓶也装进去。

当然,赶市最早的是那些富态的老太太,她们保养得很好,老爷子或许是有过很高的职务,如今退休在家,家里有的是钱,缺的是青春。于是上早市,一是为了锻炼身体,二是为的买个新鲜。"宁肯少吃,尽量吃好",这是她们的学说。她们总不能理解:为什么有职有位过的人和没职没位的人食量相差这么大! 她们买一斤韭菜就对了,那些人总是大青菜买七斤、八斤?!

赶市最迟的,永远数着有些机关小干部了。这些人,一年四季穿着四个兜的中山服,留着向后倒的背头,似乎什么都不大缺,只是缺钱;什么又都不大有,只是常有病。对于菜市行情,却了如指掌,萝卜昨天是几分一斤,今日是涨了,还是降了;什么菜很快就要下市,什么菜可能要到洪期。又特别懂得生意心理:清早是买的求卖的,下午是卖的乞买的。所以他们最喜欢市末去买那些莲菜,有伤口的、带细把的,二角钱便可以买得一堆,洗洗,削削,够上老少吃一天三顿,经济而实惠。

最不爱上市的是有些知识分子。他们腰里的钱少,书架子上书多,没时间便是他们普遍的苦处,呆头呆脑又是他们统一的模样。妻子给了钱让去上市,总是不会讨价还价,总是不会挑来拣去,又总是容易上当受骗,又总是容易突然忘却。于是,大都是妻子夺了权,也取消了他们上市的资格。但是,卖主最怕的是这些离知识最近的女人,她们个个巧舌俐齿,又是一堆新名词的啰嗦。买萝卜嫌没洗泥,买葱爱剥皮,买一斤豆芽,可以连续跑十家二十家豆芽摊,反复比较,不能主见,末了下决心买时,还说这豆芽老了,皮儿多了,怎么个吃呀!过秤时,又要看秤星,危言一句:"这秤准不准?!"又只能秤杆翘高,不能低垂,称好后用手多余加一撮半把。最后掏钱,却一角一角检数,到了二分三分,口袋里有,硬说没有了,边走边还要责骂:"你这卖水菜的,真小气!"

还有一种人,是属于"葡萄吃不上就说葡萄酸"的性格,男人者有之,女人者有之,而女人比男人有之更甚罢了。他们是一些想发财而还没有发财的人,或者是想成事而还没有成事的人。他们也嫉恨那些有钱有地位的人,但眼红要大于嫉恨。他们基本上和那些小干部、知识分子是一个水平线上的人,但极看不起小干部和知识分子的死呆。他们穿的一定是高过吃的,衣着质料一般一定要颜色鲜艳,式样时兴。注重仪表但究没有高雅的风度,这原因使他们也百思不得一解。平日里买了白菜,见了熟人,总夸奖这白菜好吃,指责鱼不是鲜鱼,一股腥臭。别人问:怎么不买些鸡蛋?回答一定是:那是什么鸡蛋,全放陈了。他们视钱如命,常常谋划在银行里存上多少钱了,方可得到实惠的利息。银行三月一次的有奖蓄存,他们总是一次十元存上十处,可惜中彩的事几乎无缘。请客,却出奇地数他们最多,也数他们最热情,最大方。四荤四素,六凉六热,鸡鸭鱼兔,水陆杂陈,那是极有讲究的。因为他们的世界观是"关系学"三个字,所以总在一定时期,他们上市得最活跃,采买最丰盛;忙过几天,被请的人吃得汗头油口,他们还要反复道歉:没好菜,不成敬意!这种请吃,自然有了好的结果,但也有无济于事的,他们常后悔不已。但过一个时期,却又抱一种幻想,又要请吃某某之人。

菜市上的菜的买卖既然仅仅成了其中一项生意,既然买主与卖主又不完全固定,今日买别人的,明日自己又卖出去,边买边卖,卖后又卖,真可谓转手为云,覆手为雨,谁个没有阴阳二脸,谁个没有两栖手脚?!十字街口的人的漩涡里,浮的浮,沉的沉,有的发了横财,有的折了老本。随之,生意越做越精,脑袋越使越灵,有的人已适合当代人的口味,专出售稀奇高档之品,有的人调查到"有闲阶级"的人增多,就发展耳目声色之娱的物件。如城里人容易苦闷,喜欢远走高飞而不能,就专做风筝,使其寂寞之心随风筝顺风而上,有所满足。又如城里人与人淡漠相处,老死不相往来,容易孤独,就哺养鸟儿出售,使其寄情玩物,有所消遣。一时间,花要奇花,草要异草,病木怪石。甚至有些老太太、小孩子也揣透出人有"出人头地"和"富贵发福"之心理,也做出量身尺杆和过量台秤,每日亦可赚得几元的分币呢。

这里的市价,永远不能统一,行情也变化多端。稍一留神,便得出一切变故有二。一是以天气为变:天旱了,乡下歉收,这里骤然一切皆贵;往往旱天若有一场雨落,雨未停价便顿跌。二是以政策为变:国家的一部分日用物品一提价,这里的东西就下价;国家的一部分日用物品一减价,这里的东西就升价,貌似矛盾,实则统一。所以,人人都是平民百姓,来这里又都为吃喝衣行,但极关心世界形势、国家大事,没有一个不祝福民族振兴太平,九州风调雨顺。

使人觉得有趣的是,从前城里人到乡下去,城里人是赚乡下人,如今是乡下人到城里来,乡下人赚城里人;以前城里人抠钱精明,如今乡下人账口清楚。总之,现在谁也说不清谁是有钱,谁是有物。钱在世上是一定的,到你手,到我手。这菜市就像是一个调节器。

我是菜市上的常客,有时去买,有时也去卖,但更多的不买不卖,为着享受耳目。常在早晨六点开市之时,或在晚上十点收市之间,街这边卖羊肉的喊羊肉,街那边卖豆腐的喊豆腐,喊得次数多

了,大家熟悉,就觉得无聊,不免要喊些逗趣的话,满足别人,也满足自己,这边起个头,那边应个尾:

"十字街哟——人心醉!"

"最忙的哟——清洁队!"

"最闲的哟——'纠察会'!"

"最乐的哟——肠和胃!"

"最愁的哟——人民币!"

"最嫩的哟——卖馄饨!"

卖馄饨的小媳妇挑着担子走过来,噘嘴儿唾一口,骂声"贫嘴"!叫喊人脸面尴尬,一时无话可说,少不得买她一碗尝尝。

作于1983年2月24日

我的小学

　　小学是在寺庙里,房子都老高老高,屋脊上雕着飞龙走兽,绿苔长年把瓦槽生满,有一种毛拉子草,一到雨天,就肉肉地长出半尺多高来。老师们是住在殿堂里,那里原先有个关帝爷,脸色枣一样红,后来扳掉了,胎泥垫建了院子,那一对眼珠子,原来是两个上了釉的瓷球,就放大门口的照壁顶上,夜里还在幽幽地放光。两边的廊房,就是教室。上课的是高年级学生。台阶很高,我可以双脚从上边跳下来,但却跃不上去。每次要绕到山墙角儿,却轻轻松松地从那一边石头铺成的漫道上单脚蹦上去。那山墙角地是一棵裂了身子的老苦楝树。树顶上有个老鸦巢,筛筐般大,巢下横枝上吊着一口钟,钟敲起来,那一家老鸦却并不动静,这奇怪使我不了解了好几年呢。

　　五岁那年,娘牵着我去报名,学校里不收,我就抱住报名室的桌子腿哭,老师都围着我笑;最后就收下了,但不是正式学生,是一年级"见习生"。娘当时要我给老师磕头,我跪下就磕了,头还在地上有了响声。那个女老师倒把我抱起来,我以为她要揪我的耳朵了,那胖胖的、有着肉窝儿的手,一捏,却将我的鼻涕捏去了。"学生了,还流鼻涕!"大家都笑了,我觉得很丢人,从此就再不敢把鼻涕流下来。因为没有手巾,口袋里常装着杨树叶子,每次进校前就揩得干干净净了。

因为学校教室少,因为我们是一年级学生,那寺庙的大院里没有我们的座位,只好就在院外的一家姓刘的祠堂里上课。祠堂里抹着一块黑板,用土坯垒起一些柱墩儿,村子里就将夏天河面上的木板桥拆了架,在上边做了课桌。凳子是自带的。我们那时没分家,堂兄堂姐多,凳子有限,我常常抢不到凳子,加上我个子矮,坐在小凳子上又趴不到桌面上,就一直站着听课。实在腿困了,就将家里的劈柴拿来一根,在前后的柱墩上掏出窝儿架好,骑在上边。这种凳子虽然不舒服,但坐上去却从来不打瞌睡。只是课余时间,同学们都拿着凳子在祠堂后的一个土坡上反放着,由上往下开汽车,我只好蹾下往下滑,常常把握不好,就一个跟头滚下去,弄得一脸的泥土。

家里没有表,早晨总估摸不了时间,有几次起床迟了,就和娘哭闹。娘后来一到半夜就不敢睡,一边在灯下纳鞋底儿,一边逮那学校的钟声。到了冬天,起来得早,月亮白花花的,我们就在村里喊着同学一块儿去。大家都有书包,我没有,娘将一个小包袱皮给我,严严实实包了,让我夹在胳膊下。我那时很要强,唯这一点总不如人,但娘说没有钱,我也没了办法。祠堂的门关着,班长带着钥匙,他还没有来,我们就在祠堂前跳起舞来。跳的是新学的《找朋友》:"找呀找呀找朋友,找到一个好朋友!"大家很快活,有时找着小霓,有时找着芳芳,就一对一对跳起来。到了三年级以后,这舞就不跳了,而且男的和女的就分开来。我曾经和芳芳一块踢过毽子,同学们都说我和芳芳好,是夫妻,拿指头羞我,我便和芳芳成了仇人。等到班长来了,开了祠堂门,我们就进去坐在自己的座位上。祠堂里还黑隆隆的,因为没灯,少半时候,我们点些松油节取亮,大半时候就摸黑坐着。黑板上边的墙头上,那时还留着祠堂里的壁画,记得是《王祥卧冰》,虽然不懂得具体意思,但觉得害怕。大家坐下后,都不敢靠墙,也不敢提说那壁画,就闭着眼睛把课文从第一课一直背诵下去。一旦一个人停下来,大家就都停下来,祠堂里静悄悄的。风把方格子窗上的麻纸吹得哗哗响,大家便又都害怕了,一哇声再背诵开来,声越来越高,全为了壮胆。要不,一个忽地跑出去,大家就都往外跑,我常常跑在最后,大呼小叫,声都变了腔。祠堂前的平台下就是荷花塘,冬天里荷花败了,塘里结了冰,大家就去那芦草窝里掏一种鸟儿,或许折下那枯莲茎秆儿,点着当烟吸,呛得鼻涕、眼泪都流下来。

在这个祠堂内,我们坐了两年,老师一直是一个女的,就是捏我鼻涕的那个。她长得很白,讲课的声音十分好听,每每念着课文,就像唱歌儿。我从来没有听到过她这么好听的声音。开头的半年时间里,几乎没有听懂她讲的什么,每一堂却被她的声音陶醉着。所以,每当她让我站起来回答问题时,我一句话也答不出,她就说:"你真是个见习生!"见习生的事原先同学们都不知道,她一说,大家都小瞧起我了,以后干什么事,他们就朝我伸小拇指头,还要在上边呸呸几口,再说一句:"哼,你能干什么,你真是个见习生!"我们就打过几次架。娘后来狠狠揍了我一次,罚我一顿不准吃饭。老师知道了,寻到我家,向我和娘作了检讨,说是她的不对,问我是不是听不懂课。我说:"我光听了你的声,你的声好听!"她脸红红的,就笑了。从此,我就下了决心,一定不落人后。老师对我格外好起来,她的声音还是那么好听,但一下课,就来辅导我,惹得同学们都眼红起来。

一年级学完后,老师对我说:"你年纪小,不让你升级。"我当下就吓哭了。老师却将我抱起来,说她是哄我,宣布我再也不是见习生了。我一高兴,就叫她"姨姨",叫完就后悔了。她却并没有恼我,还拧了我一下嘴:她笑了,我也笑了。下午,她拿着成绩单到我家,向娘夸说我乖,学习进步快,娘给她打荷包鸡蛋吃。我便大胆起来,说:"老师,你的声音好听,你能给我唱个歌吗?"她就唱起来,腮帮上深深显出两个酒窝,唱完就咯咯地笑。

到了夏天,学校里中午要睡午觉,我们就都不安分,总是等大伙伏在桌上睡着以后,就几个人偷偷到荷花塘里去玩水。胆大的都到深水里去,趴浮、立浮,还有仰浮,将小肚子露在水面。我因为胆小,总是在塘边抓住树根,双脚在水面打着浪花。那些女生就常常告发我们,老师就每次用手在我们胳膊上抓一下,看有没有水锈的白道,结果,总要挨一顿剋。但是,水里的诱惑力十分大,我们免不了还是要去,而且每次去时对女生晃晃拳头,再是去了将衣服藏在树丛里,跑到荷花塘深处去玩。有一次,竟被校长发现了,狠狠地批评了老师,老师委屈得哭了。我们知道后,心里很难受,去向老师承认错误。却恨起校长来,就在祠堂门前挖一个坑儿,用泥捏一个胖胖的校长,埋在里边。又是女生告发了,老师在课堂上让我们几个站起来,大发脾气,末了,查出是我的主意,就把我推出教室,将一颗扣子也拉扯掉了。下课后她给我缝扣子,我哭得泪人儿一样,连夜写了检讨书,一直在教室里贴了三天。

　　我那时最爱语文,尤其爱造句,每一个造句都要写得很长,作业本就用得费。后来,就常常跑黄坡下的坟地,捡那死人后挂的白纸条儿,回来订成细长的本子,一到清明,就可以一天之内订成十多个本子呢。但是,句子造得长,好多字不会写,就用白字或别字替着,同学们都说我是错别字大王。教师却表扬我,说我脑子灵活,每一次作业都批"优秀",但却将错别字一一画出,让我连做三遍。学写大字也是我最喜欢的课,但我没有毛笔,就曾偷偷剪过伯父的羊皮褥子上的毛做笔,老师就送给我一支。我很感谢,越发爱起写大字,别人写一张,我总是写两张、三张。老师就将我的大字贴在教室的墙上,后来又在寺庙的高年级教室展览过。她还领着我去让高年级学生参观。高年级的讲台桌很高,我一走近,就没了影儿,她把我抱起来,站在那椅子上。那支毛笔,后来一直用秃,我还舍不得丢掉,藏在家里的宋瓷花瓶里,到了"文化大革命"中,破起"四旧",花瓶被没收走了,笔也就丢失了。

　　从一年级到二年级,我的父亲一直在外地工作,娘要给父亲去信,总是拿着几颗鸡蛋来求老师代写,教师硬是不收鸡蛋,信写得老长。到了二年级下半学期,她说:"你现在能造句了,你怎么不学着给你父亲写信呢?"我说我不会格式,她说:"你家里有什么事情,你就写什么,不要考虑格式!"我真的就写起来,因为家里的事我都知道,都想说给父亲听,比如奶奶的病好转了,夜里不咳嗽了。娘的身体很好,只是唠叨天凉了,父亲的棉衣穿上没有?还有家里的兔又下了崽,现在一共是六只了。狗还很凶,咬伤了三娃的腿,其实是三娃用棍打它,它才咬的。还有我学习很好,考试算术得了一百分,语文得了九十八分,是一个字又写错了。信花了三天才写好,老师又替我改了好多错字,说:"以后到高年级做作文,或者长大写文章,你就按这路子写,不要被什么格式套住你,想写什么就写什么,熟悉什么就写什么,写清、写具体就好了。"我从那时起就记住了老师的话,之所以如今我还能写些小说、散文,老师当时的话对我影响很大。

  这一年,我们上完了二年级。三年级学生可以到寺庙大院里去住了,我们都很高兴。寒假里,同学们都去挖药、砍柴卖钱,商量春节给老师买些年画拜年。到了腊月三十日中午,我们就集合起来,拿着一卷子年画,还有一串鞭炮去找老师,但是,老师却不在。问校长,原来她调走了。校长拿出一包水果糖来,说是我们的老师临走时,很想各家去看看我们,但时间来不及了,就买了这糖,让开学后发给我们每人一颗。我们就都哭了。从那以后,我再也没见到我的那位老师,在寺庙里读了四年书,后来又到离家十五里外的中学读了三年,就彻底毕业了,但我的启蒙老师一直没有下落。现在是二十五年过去了,老师还在世没有,我仍不知道,每每想起来,心里就充满了一种深深的惆怅。

1983 年 3 月 4 日早写

黄 陵 柏

从铜川往北数百里,全是赤裸裸的荒山秃岭,到了桥山,出奇地却长满了柏树。一棵树一个绿的波浪,层层叠叠卷上去,像一个立体的湖泊。天放着晴的时候,湖泊丝纹不动,绿得隐隐透蓝;逢着刮风下雨了,满山就温柔地拂动,绿深起来,碧碧的,青青的,末了,似乎欲晶莹了,在这黄褐褐的世界里,像一颗偌大的绿宝石,灿灿地要映照出一切。

山上有一条小路,曲曲折折爬上去,山顶就有丘土堆,活脱是一个山上的山:这便是黄帝陵了。站在陵墓往下看,才知满山没有一眼流泉,也不见飞禽走兽,柏籽在倏忽落地,簌簌地如洒起细雨,满鼻满口都是柏的荃香了。最有趣的,那柏全都枝叶瑟瑟缩缩,如一根一根桩的模样,肉肉的,依山而微微趋身,似乎是向陵墓肃然静默,立即使游客失去了轻狂和浮华,刹那间入了庄重、虔诚的境界,再不敢有了言辞,只提了脚步儿在厚厚的落针上悄悄起落。

我三次上过桥山,每次都在这窨窄和柏林里静观,一呆半日,于是看出柏的好多妙事。回来用笔记下,归类十余种,竟成了一册柏谱。

柏谱这么记载:

山下柏:阴面少枝无叶,阳面枝叶却繁极密极,腰身弓弓的,如负重载。顶端是一丛柏朵的三角形状,似乎是拉长了脖子,向山上仰望着什么;下边的柏枝便垂垂下来,又像在做着无可奈何的手势。它奋命地向上长着,但终没有山上的一棵草高,于是,寄希望于后代,枝头累累的,都是些柏籽。

伞柏:这柏如伞一样,光光的身子上,突然顶一蓬枝叶,圆圆坨坨的。从上看不见干,从下望不着天;树下从不见雨,亦不见光,数丈之地,不长出一棵小草。一早一晚,山风拂来,伞顶嘎嘎作响,如雷电爆裂。

坡坎柏:它处在险恶之中。似乎永远没有安全感,但却正如此十分地安全。根从坎壁上横出,然后突然崛上,形成一个直角,每一条枝、每一根节,都表现着十分的努力,以致全扭歪了。柏叶却很丰腴。临风袅袅浮动。如悠悠的云,日光下泻,倩影便款款落地;如动画一般,显出如狮、如虎、如隼的万般形象。

平地柏:因为得天独厚,身一出地,便肆意横生,杆少而叶多,不为高大,但求雍容。风很少刮过来,雨水却得到满足,每一弱枝,必结柏籽,籽小花大,瓣裂四片五片,但却不能发芽:大半被松鼠拉去,小半被麻雀叼走。

风头柏:分明是一座塔的形象,经营着庄严,建筑着气势。枝叶全相对展开,一朵一朵,呈薄扇状;在四面来风之中,执着八方盾牌,步步为营地向空间进军。

屈柏:如弓一样伏在地上,背上暴露着一个接一个的疙瘩,似人的脊骨,身下却裂开来,是蚂蚁的天国。似仅几朵枝叶,落地时却平面伸来,做求拜状,游客便以其身为椅,男者、女者,全骑上去,一压一摇,作晃板的快乐。

桩柏:枝叶于它是多余的,全然一个赤身,数十丈高,纹沟从上到下,不弯不屈,头顶三丝四丝柏朵,宣布着自己并未死去,安详得却如停驻的云。

朽柏:只剩下半个身子,其实仅仅是半圈空空的皮壳,被护林人用石头砌起,补了缺,毛老鼠便拉来了大量的柏籽,在那石头的穴孔里做起一个仓库。

挤柏:它们存心是来拥挤的,目标就在天空,比试谁第一个到达,狭窄的面积,刺激着它们生存的竞争;生存的竞争,使它们一起成为山上最高最直的代表。

孤柏:太富裕了,使它养成东拐西歪的懒散习气;太自在了,左顾右盼地尽长了岔枝。

石缝柏:实在没地方了,就到石崖上去,只要有一条细根伸进去,便要石崖挤出缝来,再抱住它,把根织成了密网。用力太过度了,根如瘀了血的手指,青而黑,黑如铁。虽然比别人长得慢,浑身却成了油心,摸摸粘手,敲之叮叮,投一块石子砸去,立即反弹过来,身上不留一点痕迹。

柏中柏:一棵小柏长在一棵老柏的空心里。老者已断上身,小者一身浅绿,风里便做媚态。

夹石柏:也许是一块石头突然从山上滚下,将它砸断了,石头就永远坐在疤坑里,宣告着它的死亡。但疤沿一愈合起来,就又从四周一起往上长,竟抽出新枝,死死将石头夹住了。从此,再不能取下,或许夹成碎末,或许就成了它身体里的一部分。

山顶柏：以为是最高的了，其实不过三尺，又都秃了顶。

芽柏：一个什么动物的头骨，用什么力量也不能使其分开，被遗弃在这里了。一颗小小的柏籽落下来，静静地躺在头骨里，一场雨后，它发芽了。那么一小点绿，但它迅速地从骨缝里长起来，头骨竟神奇地分裂了。它似乎是与生命开个玩笑，以暂短的生存证明了它的无比的力。

默默地从这无数的柏中走过，我总要站在黄帝陵前肃立片刻，作我的幼稚而荒唐的遐想。最后那次上山，是在夜晚，月亮就在天上，林中远影幢幢，近处迷离，陡然间，产生异样的感觉：我站在这里，也是一棵柏吗？面对着我民族的始祖，我会是一棵什么样的柏呢？

1983年5月写于黄陵

秦　　腔

山川不同,便风俗区别;风俗区别,便戏剧存异。普天之下人不同貌,剧不同腔,京、豫、晋、越、黄梅、二黄、四川高腔,几十种品类。或问:历史最悠久者,文武最正经者,是非最汹汹者?曰:秦腔也。正如长处和短处一样突出便见其风格,对待秦腔,爱者便爱得要死,恶者便恶得要命。外地人——尤其是自夸于长江流域的纤秀之士——最害怕秦腔的震撼。评论说得婉转的是:唱得有劲;说得直率的是:大喊大叫。于是,便有柔弱女子,常在戏台下以绒堵耳;又或在平日教训某人:你要不怎么怎么样,今晚让你去看秦腔!秦腔成了惩罚的代名词。所以,别的剧种可以各省走动,唯秦腔则如秦人一样,死不离窝。严重的乡土观念,也使其离不了窝。可能还在西北几个地方变腔走调地有些市场,却绝对冲不出往东南而去的潼关呢。

但是,几百年来,秦腔却没有被淘汰、被沉沦,这使多少人有大惑而不得其解。其解是有的,就在陕西这块土地上。如果是一个南方人,坐车轰轰隆隆往北走,渡过黄河,进入西岸,八百里秦川大地,原来竟是:一抹黄褐的平原;辽阔的地平线上,一处一处用木椽夹打成一尺多宽墙的土屋,粗笨而庄重;冲天而起的白杨、苦楝、紫槐,枝干粗壮如桶,叶却小似铜钱,迎风正反翻覆。你立即就会明白了:这里的地理构造竟与秦腔的旋律惟妙惟肖地一统!再去接触一下秦人吧,活脱脱的一群秦始皇兵马俑的复出:高个,浓眉,眼和眼间隔略远,手和脚一样粗大,上身又稍稍见长于下身。当他们背着沉重的三角形状的犁铧,赶着山包一样团块组合式的秦川公牛,端着脑袋般大小的耀州瓷碗,蹲在立的卧的石磙子碌碡上吃着牛肉泡馍,你不禁又要改变起世界观了:啊,这是块多么空旷而实在的土地,在这块土地挖爬滚打的人群是多么"二愣"的民众!那晚霞烧起的黄昏里,落日在地平线上欲去不去的痛苦的妊娠,五里一村,十里一镇,高音喇叭里传播的秦腔互相交织、冲撞。这秦腔原来是秦川的天籁、地籁、人籁的共鸣啊!于此,你不渐渐感觉到了南方戏剧的秀而无骨吗?不深深地懂得秦腔为什么形成和存在而占却时间、空间的位置吗?

八百里秦川,以西安为界,咸阳、兴平、武功、周至、凤翔、长武、岐山、宝鸡,两个专区几十个县为西府;三原、泾阳、高陵、户县、合阳、大荔、韩城、白水,一个专区十几个县为东府。秦腔,就源于西府。在西府,民性敦厚,说话多用去声,一律咬字沉重,对话如吵架一样,哭丧又一呼三叹,呼喊远人更是特殊:前声拖十二分地长,末了方极快地道出内容。声韵的发展,使会远道喊人的人都从此有了唱秦腔的天才。老一辈的能唱,小一辈的能唱;男的能唱,女的能唱。唱秦腔成了做人最体面的事。任何一个乡下男女,只有唱秦腔,才有出人头地的可能。大凡有出息的,是个人才的,哪一个何曾未登过台,起码不能哼一阵秦腔呢?!

农民是世上最劳苦的人,尤其是在这块平原上,生时落草在黄土炕上,死了被埋在黄土堆下,秦腔是他们大苦中的大乐。当老牛木犁疙瘩绳,在田野已经累得筋疲力尽,立在犁沟里大喊大叫来一段秦腔,那心胸肺腑,关关节节的困乏便一尽儿涤荡净了。秦腔与他们,是和"西凤"白酒、长线辣子、大叶卷烟、牛肉泡馍一样成为生命的五大要素。若与那些年长的农民聊起来,他们想象的伟大的共产主义生活,首先便是这五大要素。他们有的是吃不完的粮食,他们缺的是高超的艺术享受。他们教育自己的子女,不会是那些文豪们讲的,幼年不是祖母讲着动人的迷离的童话,而是一字一板传授着秦腔。他们大都不识字,但却出奇地能一本一本整套背诵出剧本,虽然那常常是之乎者也的字眼从那一圈胡子的嘴里吐出来十分别扭。有了秦腔,生活便有了乐趣,高兴了,唱"快板",高兴得是被烈性炸药爆炸了一样,要把整个身心粉碎在天空!痛苦了,唱"慢板",揪心裂肠的唱腔却表现了多么有情有味的美来,美给了别人享受,美也熨平了自己心中愁苦的皱纹。当他们在收获时节的土场上,在月挂中天的庄院里,大吼大叫唱起来的时候,那种难以想象的狂喜、激动、雄壮,与那些献身于诗歌的文人,与那些有吃有穿却总感空虚的都市人相比,常说的什么伟大而痛苦的爱情,是多么渺小、有限和虚弱啊!

  我曾经在西府走动了两个秋冬,所到之处,村村都有戏班,人人都会清唱。在黎明或者黄昏时分,一个人独独地到田野里去,远远看着天幕下一个一个山包一样隆起的十三个朝代帝王的陵墓,细细辨认着田埂上、荒草中那一截一截汉唐时期石碑上的残字,高高的土屋上的窗口里就飘出一阵冗长的二胡声、几声雄壮的秦腔叫板,我就痴呆了,感觉到那村口的土尘里,一头叫驴的打滚是那么有力;猛然发现了自己心胸中一股强硬的气魄随同着胳膊上的肌肉疙瘩一起产生了。

每到农闲的夜里,村里就常听到几声锣响:戏班排演开始了。演员们都集合起来,到那古寺庙里去。吹、拉、弹、奏、翻、打、念、唱,提袍甩袖,吹胡瞪眼,古寺庙成了古今真乐府、天地大梨园。导演是老一辈演员,享有绝对权威;演员是一家几口,夫妻同台,父子同台,公公儿媳也同台。按秦川的风俗:父和子不能不有其序,爷和孙却可以无道;弟与哥嫂可以嬉闹无常,兄与弟媳则无正事不能多言。但是,一到台上,秦腔面前人人平等,兄可以拜弟媳为帅为将,子可以将老父绳绑索捆。寺庙里有窗无扇,屋梁上蛛丝结网。夏天蚊虫飞来,成团成团在头上旋转,熏蚊草就墙角燃起,一声唱腔一声咳嗽。冬天里四面透风,柳木疙瘩火当中架起,一出场一脸正经,一下场凑近火堆,热了前怀,凉了后背。排演到什么时候,什么时候都有观众,有抱着二尺长的烟袋的老者,有凳子高、桌子高趴满窗台的孩子。庙里一个跟斗未翻起,窗外就哇的一声叫倒好,演员出来骂一声:谁说不好的滚蛋!他们抓住窗台死不滚去,倒要连声讨好:翻得好!翻得好!更有殷勤的,跑回来偷拿了红薯、土豆,在火堆里煨熟给演员做夜餐,赚得进屋里有一个安全位置。排演到三更鸡叫,月儿偏西,演员们散了,孩子们还围了火堆弯腰踢腿,学那一招一式。

一出戏排成了,一人传出,全村振奋,扳着指头盼那上演日期。一年十二个月,正月元宵日,二月龙抬头,三月三,四月四,五月初五过端午,六月六日晒丝绸,七月过半,八月中秋,九月初九,十月一日,再是那腊月五豆,腊八,二十三……月月有节,三月一会,那戏必是上演的。戏台是全村人的共同的事业,宁肯少吃少穿也要筹资集款,买上好的木石,请高强的工匠来修筑。村子富不富,就比这戏台阔不阔。一演出,半下午人就扛凳子去占座位了;未等戏开,台下坐的、站的人头攒拥,台两边阶上立的、卧的是一群顽童。那锣鼓就叮叮咣咣地闹台,似乎整个世界要天翻地覆了。各类小吃趁机摆开,一个食摊上一盏马灯,花生、瓜子、糖果、烟卷、油茶、麻花、烧鸡、煎饼,长一声短一声叫卖不绝。锣鼓还在一声儿敲打,大幕只是不拉,演员偶尔从幕边往下望望,下边就喊:开演呀,场子都满了!幕布放下,只说就要出场了,却又叮叮咣咣不停。台下就乱了,后边的喊前边的坐下,前边的喊后边的为什么不说最前边的立着;场外的大声叫亲朋子女名字,问有坐处没有,场内的锐声回应快进来;有要吃煎饼的喊熟人去买一个,熟人买了站在场外一扬手,日的一声隔人头甩去,不偏不倚目标正好;左边的喊右边的踩了他的脚,右边的叫左边的挤了他的腰。一个说:狗年快完了,你还叫啥哩?一个说:猪年还没到,你便拱开了!言语伤人,动了手脚,外边的趁机而入,一时四边向里挤,里边向外扛。人的漩涡涌起,如四月的麦田起风,根儿不动,头身一会儿倒西,一会儿倒东;喊声、骂声、哭声一片。有拼命挤将出来的,一出来方觉世界偌大,身体胖肿,但差不多却光了脚,乱了头发。大幕又一挑,站出戏班头儿,大声叫喊要维持秩序,立即就跳出一个两个所谓"二杆子"人物来。这类人物多是头脑简单、四肢发达,却十二分忠诚于秦腔,此时便拿了树条儿,哪里人挤,往哪里打去,如凶神恶煞一般。人人恨骂这些人,人人又都盼有这些人,叫他们是秦腔宪兵。宪兵者越发忠于职责,虽然彻夜不得看戏,但大家一夜满足了,他们也就满足了一夜。

终于台上锣鼓停了,大幕拉开,角色出场。但不管男的女的,出来偏不面对观众,一律背身掩面,女的就碎步后移,水上漂一样,台下就叫:瞧那腰身、那肩头,一身的戏哟!是男的就摇那帽翎,一会双摇,一会单摇,一边上下飞闪,一边纹丝不动,台下便叫:绝了,绝了!等到那角色儿猛一转身,头一高扬,一声高叫,声如炸雷豁啷啷直从人们头顶碾过,全场一个冷颤,从头到脚,每一个手指尖儿、每一根头发梢儿都麻酥酥的了。如果是演《救裴生》,那慧娘站在台中往下蹲,慢慢地,慢慢地,慧娘蹲下去了,全场人头也矮下去了半尺;等那慧娘往起站,慢慢地,慢慢地,慧娘站起来了,全场人的脖子也全拉长了起来。他们不喜欢看生戏,最欢迎看熟戏,那一腔一调都晓得,哪个演员唱得好,就摇头晃脑跟着唱;哪个演员走了调,台下就有人要纠正。说穿了,看秦腔的不为求新鲜,他们只图过过瘾。

在这样的地方,这样的环境,这样的气氛,面对着这样的观众,秦腔是最逞能的。它的艺术享受,是和拥挤而存在,是有力气而获得的。如果是冬天,那风在刮着,像刀子一样;如果在夏天,人窝里热得如蒸笼一般,但只要不是大雪、冰雹、暴雨,台下的人是不肯撤场的。最可贵的是那些老一辈的秦腔迷,他们没有力气挤在台下,也没有好眼力看清演员,却一溜一排地蹲在戏台两侧的墙根,吸着草烟,慢慢将唱腔品赏。一声叫板,便可以使他们坠入艺术之宫,"听了秦腔,肉酒不香",他们是体会得最深。那些大一点的、脾性野一点的孩子,却占领了戏场周围所有的高空,杨树上、柳树上、槐树上,一个枝杈一个人。他们常常乐而忘了险境,双手鼓掌时竟从树杈上掉下来;掉下来自不会损伤,因为树下是无数的人头,只是招致一顿臭骂罢了。更有一些爬在了场边的麦秸垛上,夏天四面来风,好不凉快;冬日就扒个草洞,将身子缩进去,露一个脑袋。也正是有闲阶级享受不了秦腔吧,他们常就瞌睡了,一觉醒来,月在西天,戏毕人散,只好苦笑一声,悄然没声儿地溜下来回家敲门去了。

当然,一次秦腔演出,是一次演员亮相,也是一次演员受村人评论的考场。每每角色一出场,台下就一片喊喊喳喳:这是谁的儿子,谁的女子,谁家的媳妇,娘家何处?于是乎,谁有出息,谁没能耐,一下子就有了定论。有好多外村的人来提亲说媒,总是就在这个时候进行。据说有一媒人将一女子引到台下,相亲台上一个男演员,事先夸口这男的如何俊样,如何能干;但戏演了过半,那男的还未出场。后来终于出来,是个国民党的伪兵,持枪还未走到中台,扮游击队长的演员挥枪一指,叭的一声,那伪兵就倒地而死,爬着钻进了后幕。那女子当下哼了一声,闭了嘴,一场亲事自然了了。这是喜中之悲一例。据说还有一例,一个老头在脖子上架了孙孙去看戏,孙孙吵着要回家,老头好说好劝只是不忍半场而去,便破费买了半斤花生。他眼相着台上,手在下边剥花生,然后一颗一颗扬手喂到孙孙嘴里,但喂着喂着,竟将一颗塞进孙孙鼻孔,吐不出,咽不下,口鼻出血,连夜送到医院动手术,花去了七十元钱。但是,以秦腔引喜的事却不计其数。每个村里,总会有那么个老汉,夜里看戏,第二天必是头一个起床往戏台下跑。戏台下一片石头、砖头、一堆堆瓜子皮、糖果纸、烟屁股,他掀掀这块石头,踢踢那堆尘土,少不了要捡到一角两角甚至三元四元钱币来,或者一只鞋,或者一条手帕。这是村里刁钻人干的营生,而馋嘴的孩子们有的则夜里趁各家锁门之机,去地里摘那香瓜来吃,去谁家院里将桃杏装在背心兜里回来分红。自然少不了有那些青春妙龄的少男少女,则往往在台下混乱之中眼送秋波,或者就悄悄退出,相依相偎到黑黑的渠畔树林子里去了……

秦腔在这块土地上,有着神圣的不可动摇的基础。凡是到这些村庄去下乡,到这些人家去做客,他们最高级的接待是陪着看一场秦腔;实在不逢年过节,他们就会要合家唱一会乱弹,你只能点头称好,不能耻笑,甚至不能有一点不入神的表示。他们一生最崇敬的只有两种人,一是国家领导人,一是当地秦腔名角。即使在任何地方,这些名角没有在场,只要发现了名角的父母,去商店买油是不必排队的,进饭馆吃饭是会有座位的,就是在半路上挡车,只要喊一声:我是某某的什么,司机也便要嘎地停车。但是,谁要侮辱一下秦腔,他们要争死争活地和你论理,以致大打出手,永远使你记住教训。每每村里过红白丧喜之事,那必是要包一台秦腔的,生儿以秦腔迎接,送葬以秦腔志哀,似乎这个人生的世界,就是秦腔的舞台。人只要在舞台上,生、旦、净、丑,才各显了真性;恶的夸张其丑,善的凸现其美,善使他们获得了美的教育,恶的也在丑里化作了美的艺术。

广漠旷远的八百里秦川,只有这秦腔,也只能有这秦腔。八百里秦川的劳作农民,只有也只能有这秦腔使他们喜怒哀乐。秦人自古是大苦大乐之民众,他们的家乡交响乐除了大喊大叫的秦腔还能有别的吗?

1983 年 5 月 2 日于五味村

一个有月亮的渡口

在商州的山里,我跋涉了好多天,因为所谓的"事业",还一直在向深处走。"鸡声茅店月,人迹板桥霜",身心已经是十二分地疲倦,怨恨人世上的路竟这么漫长,几十里,几十里,走起来又如此地艰难呢!且喜的是月亮夜夜在跟随着我,我上山,它也上山,我下沟,它也下沟,它是我的伙伴,才使难熬的旅途不至于太孤单、太凄凉了。

一日,我走到丹江的一个岸口,已经是下午的四点,懒散在一片乱石之中,将鞋儿、袜儿全部脱去,仰身倒下去痴痴地看那天的一个狭长的空白。这时候,一仄头,蓦地就看见黑黑的一片云幕上,月亮又出现了:上弦的,清清白白,比往日略略细了些,又长了些。啊,可爱的月,艰辛的旅途也使你瘦得多了,今日是古历的十五,你怎么还没有满圆呢?

"啊,月亮升得这么早!"

"它永远都在那个地方呢!"

说话的是从我身边走过的一位山民;我疑惑地坐起来,细细看时,脸就发烧了。原来这月亮并不在天上,而实实在在是嵌在山上的。江面是想象不来地狭窄,在这三角形状的岸边,三面的山峰却是那样的高,最陡最陡的南岸崖壁似乎是插着的一扇顶天立地的门板,就在那三分之二的地方,崖壁凹进一个穴窟,出奇地竟是白色,俨然一柄破云而出的弯月了。

"这是什么地方?"我急急地问。

"月亮湾渡口。"

渡口,又这么神话般的名字,我禁不住又喜欢起来了。沿丹江下来,还没有遇见过正正经经的渡口。早听人讲,丹江一带这荒野的山地,渡口不仅仅是为了摆渡,而是一个最好的安乐处,船只在这里停泊,旅人在这里食宿,物产在这里云集。这石崖上的月亮,便一定是随我走了多日的月亮,或许这里是它的窝巢,它是早早就奔这里来了,回来在这里等着我了。

我住了下来。

渡口,山民们所夸道的繁华处,其实小得可怜。南岸和北岸的黑石崖上,用凿子凿出十级、二十级的台阶,便是入水口;每一个台阶,被水的侵蚀呈现出每一种颜色。山根下的树桠上架着泥土和草根,甚至还有碗口大的石头,显示着江水暴溢的高度。一只船也仅仅是这一只船,没有舱房,也没有桅杆,一件湿淋淋的衣服用竹竿撑在那里晾晒,像是一面小小的旗子。两岸的石嘴上拉紧了一条粗粗的铁线,控制着船的往来。一条公路在这里截断,南来的汽车停在南岸,北来的汽车停在北岸,旅客们须在这里吃饭休息,方掉换着坐车而去。北岸的山腰上就有了一片房子,房子的主人都是些山民,又都是些店员,家家开有旅社饭店。一家与一家的联系,就是那凿出的石阶路。屋基沿着一处石坎筑起,而再垒几个石柱儿一直到门框下,架上木板,这便是唯一的出路了。白日里,江面的水汽浮动着,波色水影投映在每所房子的石墙上,幻化出瞬息万变的银光。一到夜里,江水的潮气浸了石墙,房子的灯光却一道一道从窗口铺展到江心,像是醉汉在那里朦朦胧胧蹒跚不已了。

我住下了两天,尽量将息着自己的疲倦,每每黄昏时分,就双手支着脑袋从窗口往江面看。南北掉换的班车早已开走了,他们将大把的钱币放在各家的柜台上,将粪便拉在茅房里,定时的热闹过去了,渡口上又处于一种死一般的寂静。各家的主人都蹲在门口,悠悠地吸烟,店门却是不关的,灶口的火也是不熄的,他们在等待着从四面八方来赶明日班车的客人,更是在等待着从丹江上游撑柴排而来的水手们,这些人才真是他们的财神爷。果然,峡谷里开始有了一种嗡嗡嘤嘤的声音,有人便锐声叫道:柴排下来了!不一会儿,那山弯后的江面上就出现无数的黑点,渐渐大了,是一溜一串的柴排。这全是些下游的河南人,两天前逆江而上,在深山里砍了柴火,扎成排顺江而下,要在这里住上一夜,第二天再撑回山外去的。撑排人就大声吆喝着,将柴排斜斜地靠了岸,用一条葛条在岸上的石头上系了,就披着夹袄跳下排,提着空酒葫芦上山来了。

我太是迷恋了这个渡口,每天看着班车开来了,又开走了,下午柴排停泊了,第二天醒来江面又一片空白;后来就十分欣赏起渡口的云雾了。这简直是奇迹一般,早晨里,那水雾特别大,先是从江边往上袅袅,接着就化开来,虚幻了江岸的石崖,再往上,那门板一样的南崖壁就看不见了,唯有那石月白亮亮地显出来,似乎已经在移动了。当太阳出来的时候,峡谷里立即变成各种形态不一的光的棱角,以山尖为界,有阳光的是白的棱角,没太阳的是黑的棱角。直到正午,一切又都化作乌有。而近傍晚,从江面上却要升腾起一种蓝色火焰一样的蒸汽。这时候,停泊在渡口的大船一摆渡,平静的江里看得见船的吃水的部分,水波抖起来,出现缓缓地失去平衡的波动,那两岸系着的柴排就一起一伏,无声地晃动。我最注意的是此时江心中的那个石月的倒影,它竟静静地沉在水里,撑排人总是划着排追逐着它,上水和下水的地方,几乎同时有好多人在喊着:月亮在这儿!月亮在这儿!

是的,月亮是在这儿,我在这里停歇下来了,它也在这里停歇下来了,日日夜夜,一推开窗子,它就在我的眼中了。看着月亮,我想起了千里之外的家,想起了家中的娇妻弱女,我后悔我为什么要跑这么远的路程?我又是多么感激起这个渡口了,竟使我懂得了疲倦,懂得了安谧!

但是,店主人已经是第三次地催我走了。

"懒虫!"她说,"还没见过你这样的人呢!我们这里是过路店,可不是疗养所啊,你是要来招女婿?"

我脸红红的。我也明白了她的意思:在这个村子里,山坡最上的那一家,有一个漂亮的女子,专卖酒和烟的,但却不开旅社留客。她爹是一个瞎子,每天却比有眼睛的还精灵,可以从那仄仄的石阶路上走到江边舀水,到屋后坡上抱柴,卖酒的时候,又偏要端坐在酒柜台后,用全是白的眼睛盯着一个地方。那女子招呼着打酒,声音脆脆的,客人常就端了酒碗在她家一口一口地喝,邀她喝,她也喝,邀她打扑克,她也打,大声说笑,当客人们偷眼儿看她的时候,她会大着胆子用亮亮的眼睛对视,便使客人们再不敢有什么心思了。她家每天卖出的酒最多,但并没有引出不光彩的事来。我曾和我的店主人说起她,她说这女子能掌握住人,尤其是男人,是当将军的材料,至少可以当个领导。

"瞧你这样子,能占了她的便宜吗?收了那份心吧!"

店主人不时戏谑着我,我感到了厌烦,只好搬出她家,又住在另一家店去了。

夜里,又是一群撑排人上了山,歇在了隔壁那家的旅社里,他们是一群年纪不大也不小、相貌不美也不丑的男人。一进那旅社里,就大声吵闹着喝酒;乘着酒兴,话说得又特别多,谈这次进山的奇遇,谈水路上的风险,有的就骂起来,说他们的腰疼、腿疼,这山上、水上的活计就不是人干的。末了,是醉了,又哭又笑,满口的粗话,接着是吐字不清的喃喃,渐渐响起打雷一般的鼾声了。

我却没有睡着,想这些撑排人,在他们的经历中,一定是有着不可描述的艰辛:野兽的侵犯、山林的滚坡、江水的颠簸,还有那风吹雨淋、挨饥受饿……他们是劳力者,生命是在和自然的搏斗中运动。而我,为了所谓的"事业",在无休无止的斗争中和噩梦般的生活漩涡里沉浮……我们都是十分疲倦了的人,汇集在丹江的一个渡口上,凭着渡口的旅社,作着一种身心的偷闲,凭着渡口旅社的酒,消磨着这征途的时光,加速着如此漫长的人生。但愿他们今夜睡得安稳,做一个好梦,也但愿我再不被噩梦惊醒,睡得十分香甜吧。

但是,天未明的时候,一阵粗野的喊声从江边传来:

"王来子,快起来吧!人家排都撑走了,你还睡不死吗?那床上有你老婆吗?"

隔壁的旅社窗子开了,有了回答声:

"你催命吗?天还早哩,急着去丹江口漂尸吗?这儿多好的地方!"

"再好,是久呆的地方?!你要死在这儿,就不叫你走了!"

隔壁的王来子一边小声骂着把扣子扣歪了,又嘟囔着去那家女子酒店敲门。江下又喊了:

"你还丢心不下那小娘儿吗?你个没皮没脸的东西!"

"我去打些酒。"

"河里的鱼再大,也没有碗里的小鱼好啊,不要脸的来子!"

他们互相骂着下到江里了。水雾中,各人解开了柴排上的葛条系绳,跳了上去,一声叫喊,十个八个柴排连成一起向江下撑去。到了渡口下的转弯地方,河水翻着白浪,两岸礁石嶙嶙,柴排开始左冲右撞起来,他们手忙脚乱,叫喊着:向左!向右!竹篙便点,柴排一会儿浮起老高,一会儿落得很低,叫喊声就轰轰地在峡谷里回响。看着那有如此力量去奋争、有力量去上路的柴排和撑排人,我突然理解了他们:他们或许不是英雄,却实实在在地不是一群无聊的酒鬼,在这条江上,风风雨雨使他们有了强硬的身骨,也同时有了一股雄壮的气魄,他们是一群生活的真正强者。那柴排的一路远去和叫喊声的沉沉传来,充满了多么生动的节奏和高雅的乐趣啊!而顿时感到了自己内心的一种若有所失的空虚。

我呆呆地趴在窗口上,一抬头,又看见那石壁上的月亮了。月亮还在那里,一个清清白白的上弦。噢,当我出发到商州来的时候,月亮是半圆的,走了这么多的日子,在这里又呆了这么长的时间,它还是这个半圆,它难道是死去了吗？月有阴晴圆缺,由圆到缺由缺到圆,一天一天更新着世界的内容,难道它现在终止了时间的进速,永远给我的将不是一个满圆吗？！

吃过早饭,我走掉了。

不是沿着来路返回,而是开始了向着海一般深的山中又走我的路了。心里在说:在商州的丹江,一个有月亮的渡口,一个年轻人真正懂得了渡口——它是人在艰难困苦的旅途上的一次短暂的停歇,但短暂的停歇是为了更快地进行新的远征。

写于1983年5月8日静虚村

河南巷小识

在我们西安,河南人占了三分之一,城内三个大区:莲湖、碑林、新城;新城几乎要成为河南的省城了。他们是二十年代开始向这里移居的;半个世纪以来,黄河使他们得幸,也使他们受害,水的灾祸培养了他们开放型的性格,势力便随着陇海铁路向西延伸,在西安的城墙内外的空旷地上筑屋栖身了。而在这个城市居住的本地人,却是典型的保守性格,冬冬夏夏,他们总是深住在一座座对称严格的小四合院里,门口有石狮照壁,后院有花坛水井。两相建筑,对比分明。但是,随着时间的推移,这个城市的人口愈来愈暴溢,居住的面积愈来愈紧张,这种对比分明的建筑也愈来愈失去了界限。小四合院里,已经不是一家人、两家人了,而是十几家、几十家,门窗失去了比例,灶房占却了庭院,那门道处、花坛上,拐弯抹角的地方都成了住窝,人都有了善于爬高钻低、拧左转右的灵活。而河南人呢,门前再也没有一道篱笆圈起来种葱种蒜的空地,横七竖八的住屋往一块云集,越集越大,迅速扩张,宽一点的出路便为街了,窄一点的出路便为巷了,墙随着地势或直或圆,檐随着光线或收或出,地面上没有前途了,又向高空发展,那电线、电视天线、晾衣服麻绳,将天空分割成无数碎块,夜里星星也看得少了。于是,大千世界,同此凉热,本地人再不自夸,外地人再不自卑,秦腔和豫调相互共处,形成了西安独特的两种城语。

西安城,在世界上最出名的是那一圈保留得完整无缺的古代城墙,正是这圈城墙,使我们居住在这里的人们从此受到了限制。当今的时代,已经不是古远的唐朝、明朝,它每时每刻都要变化,而大街愈是扩建宽阔,小四合院和小巷便愈是狭小;时兴的楼房愈是改造高大,小四合院和小巷便愈是低矮。我是住在小四合院的陕西人,我的老婆却是从小生活在那小巷里的河南人,我们往来着,从一个拥挤的世界到另一个拥挤的世界。但使我们终不能明白天地间的事竟如此矛盾,居住在这样的地方,我们到了晚年的人偏多是臃臃肿肿,而我们的孩子们年纪还小小的,却个个都长得高大个头?!因为我的儿子要结婚,我的小四合院里的两间小屋必须要安下一张四尺宽六尺长的双人床,退了休的我只得去投靠老婆的娘家——泰山的儿子在外地工作,按规矩我这是做了上门女婿——在河南人的小巷里住下来了。

这条巷子,当然是离城墙最近了。城墙是要比整个巷子高出四五倍,暮色的天气里,云压得很低,便看得见风里的夕阳在女墙上腐蚀,那斜壁上横出的碗口粗细的枸子树上,紫燕一起起飞、回旋的运动中,一会露出最宽的正面,一会显出最窄的侧面,如同一朵方向不定的云朵。这是全巷人最为眼福的一景,常常下班回来,都要站在巷口看着,直等到这群飞物倏忽投向远远的城门外去,像被吸铁吸去一样没了踪影,才硬着脖子往巷里走去。这个时候,又正是一辆火车定时从城墙外通过,笛声叫着,惊天动地,他们就想象着道班上的巡警该是站得端端正正向列车致意了,于是一边往巷里走,一边脚下有了节奏,似乎这火车的轰鸣不是一种摧残寿命的噪音,而是一首护送他们回家的雄壮乐曲。

巷子的路很长很长,因为这是一个"中"字形状的三条正巷,便是那"中"字里的竖道,两边都是高高的楼房,这竖道就特别幽深。一盏昏昏的路灯在巷的那头亮了,无数的人头在晃动,家家的门窗已经打开,水瓢声、锅勺声,播放着豫剧的收音机音量开到了最大限度,一闻到饭菜的香味,一听到豫剧的唱腔,每一个进巷的人就感到"家"的温暖了。"回来了?""回来了!"一问一答,简单的招呼,从巷子走进去要进行成百次的反复。到了"中"字里的那个方块处,这便是巷子的集中区域,屋舍一律东西方向,分成无数个岔道,宽者一米二三,窄者不足三尺,门和门直对,窗和窗直对,一个岔道又形成了独立的胡同。结构的复杂,似乎每一个地方都可以和任何地方接通,每一个地方又都可以和任何地方堵塞,像八卦阵一样,暗道机关,只有这个巷子的人才会知道。屋舍的高低不一、宽窄不一、造型不一,一切恰如其分地占领着位置,又都在互相依赖,如果搬倒一家屋舍,便极有可能导致整个巷子的倒踏。完全可以看出,早先的房子全然是土坯筑的,油毛毡在上盖了,压上砖头,便是屋顶,墙头上就长出厚厚一层墨绿色的苔藓。现在却差不多翻修成了瓦房,有方块瓦的,有机制瓦的,有石棉瓦的,也有高等住宅,则是一砖到顶的二层平顶小楼。我们的住房是属于那老式的结构,你永远也不会相信这竟也是两层楼呢!楼下的房子暗极了,虽然一切家具都是现代化了:电镀桌、电镀椅、电视机、电风扇、洗衣机、柜钟,但都失去了闪光的色彩。顺着门后的墙角,是靠着一把木梯的,直上直下,用铁丝固定在墙上;爬着上去,那里更是一个黑暗的去处。还好,电灯的开关就在梯子上头,拉开了才见里边是支有一张床呢。这样的楼上卧室家家都有,一上去就得睡下,一起床就得坐起,刮风风从四面可以进来,下雨雨声就在脑门之上。但无风无雨的月明之夜,那却是收听站,楼下的左边右边、前边后边,一切谈论听得清楚,家事、国事、天下事,分辨着那谈论人的口气、语调,便可想象得出那举止、神气,滋味是读任何报纸也不能比拟的。

在最小的范围内,囊括最丰富的内容,这是这条巷子的神秘处,也是这条巷子里的河南人的神奇处。简直像是一个被打开的收音机,一切线路眼花缭乱地呈现出来,虽然错综复杂,却一切各有规律。人和人相处太近了,人和人就各自十二分地熟悉,别人是如何的走势、如何的坐态,甚至一声咳嗽,闭上眼睛也能分辨出来,如果一个生人,要趁乱走进来,立即就要被全巷人发现了。"你找谁?"必是有人起来发问的,这倒不是怀疑生人是"非偷即抢",而是担心会陷入迷魂阵,曾经发生过许多人在这里转来转去,寻不着要去的人家,而竟最后又苦于不能出去。

巷子里是有空闲的时候,那是有工作的都去上班走了,龙钟的退休老人便成了巷子的警察和清洁工。他们会认真地打扫清一切角落,然后就喜欢蹲在南北两个巷口,只要守住这两个巷口,巷子里一切便安全无事。他们开始悠闲地吸烟,烟是上好的水烟,又拌了香油、香精,装在特制的木头旋出的圆盒里,揉出一丸一丸豆粒大小的烟团塞在竹根管做成的烟袋里,吸一下,烟全然入口,这便是最醉心的"一口香"了。一连吸过二十袋、三十袋,香味浓浓地飘满了巷子,他们就闭上眼睛,靠在路灯杆下作一个长长久久的过足瘾后的遐想。最紧张的,却要算一早一晚在厕所的门口了。厕所只有两个,一个在方块的东北角,一个在方块的西南角,黎明起来,家家要倒便盆,到了晚上,尤其是一场精彩的电视刚刚完毕,去厕所的小道上就队如长龙。上完厕所,就又要去巷头唯一的水管处挑水,吃和排是人生的两项最重大的工作,那挑水又常常是两个小时、三个小时的心平气和的等待。

可怜这条巷子,冬天倒还罢了,因为人多炉子多热气多,雪落得总比大街上要薄,一到了夏天,却是彻夜地不能安宁。他们咒诅着这个季节。家家可以什么也没有,但不能没有风扇,扇出来的风却一样还是热的。家与家太近,打开窗子就得拉上窗帘,多少新婚夫妇的夏季蜜月,那简直是一种热水里的生活。几乎成了没有办法的习惯,男人一进巷第一件事就是剥光上衣,老少都穿短裤,吃饭一律到大巷口去,一碗饭,一身水,一场代价很高的劳作。到睡觉了,就各自占地安床,老的来睡,少的来睡,男的来睡,女的也来睡,直把那巷道挤得只有一尺来宽,夜里挑水的人小心翼翼地走过,也曾发生过水溅了两边的人头,桶撞了熟睡人的牙齿的事件。

环境的限制,迫使着这里的人们只能团结,不能分裂。以前有两家闹翻了脸,互相报复的机会就十分方便:你今夜将我窗下的炉子灭了火,我明夜在你檐下的水缸里撒了土,动起脚,又没有斗打的场地,那门前台阶上的大小物什就遭到了毁坏,而且又波及四邻,一辆自行车倒了,哗哗哗倒下一片,一个污水桶翻了,污水汩汩泪漫流到各家,结果全胡同声讨,两家也后悔。教训使他们懂得了"克己复礼":利人利己。所以,自此以后,一家来了客,炉火突然灭了,隔壁的宁肯自己饿着,也要将炉子搬来让给客人做饭;一天三顿,谁家饭好,谁家饭差,大家都知道,孩子们只要端着小碗,一巷子的好饭就都吃了;白日里在巷道拉上无数道绳晾上衣服,衣服是各家都有,五颜六色,进巷如迎接外宾的彩旗,但谁也不会收错,即使夜里有谁忘记收了,就会有人大声喊:谁的衣服没收?谁的衣服没收?

河南人的耐忍是和他们的吃苦能干一样著称于这个城市的,他们一代一代居住在这里,使他们作为人的本性中恶的成分没有滋生和扩张,而是极大限度地萌长着美的成分。他们注重本质的纯朴、正直和自强不息,也讲究着外表的端庄、大方和修饰打扮。但是使他们伤心的是不能办一个花坛,便只好家家将盆花放在屋顶上,一有空就爬上去侍弄,夸耀着各自的鲜艳,这高高低低的屋顶就成了他们最有色彩的地方。整个区域,一共是六棵树,这树就是他们的圣物,节日要给树上挂彩带,腊八要给树上放米粥。树是早年建房时就长的,因为房子的拥挤,长得十分细,也十分高,春天来没来,树是他们的消息;天上有风没风,树是他们的预报。当偶尔有一群鸟儿落在那树上,树一个快活的惊悸,他们的心颤酥酥地感到了身心的快活。

他们热爱着养他们的西安古城,但他们毕竟怀念生他们的河南故乡。当河南的剧团来西安演出,他们必是全巷出动,集体订票;常常就在早晨起来,谁家妹子细声细气唱几句"银环",立即就有了"栓保"的回唱,接着,唱"栓保妈"的也有,唱"栓保爹"的也有。当某个老头回了一次老家,说起河南的水利建设如何好了,收成如何好了,这人就红火了一巷,这家请,那家叫,烟酒供上聊话儿,末了一起为河南的富强干杯。家家都继承着一种风俗:在墙上悬挂五个六个相框。那里边是装有几代人的相片,相片是他们的家史,有老一辈的,记载着初到西安的经历:先是捡破烂、蹬三轮车,再是开饭店、摆地摊,后是进工厂、开机器……老年人就要大讲他们的处世哲学了:苦要耐得,福得知享,大苦中才有福。当然,言语之间,他们也多多少少流露出一些异乡人的情感,只是盼望儿女们若要成家能找河南老乡。但是,后辈们却越来越多地要将陕西的姑娘领进家来见公公婆婆,或者自己的姑娘去进了陕西的人的小四合院里去当了人家的媳妇。事实证明着年老人的婚姻思想的过时,新的家庭的和睦、生活的幸福使他们明白,河南人和陕西人都是轩辕的子孙,在西安的这块土地上,他们有责任合二为一地建设好这个城市。

我常想,这条巷子,如同那些小四合院,或许还要在一定的时间里继续保留在西安城里,其人口的密度还会要越来越大,但是,矮小的房屋住的是高高大大的人群,艰苦的环境培养的是不屈不挠的性格。我们眼见得巷子里的大学生不是一代比一代增多了吗?在整个巷子里,最受崇敬的要算是住在巷头的那位年轻的城建局工程师了,每天晚上,人们都要拥进他家去询问城市建设的情况。某某大街要扩修,他高兴,我们也高兴;某某地方要建一座大商场,他激动,我们也欢呼。为了西安将来人人都住上舒适的房子,这个巷子里的人默默地又是心甘情愿地在这里拥挤。当空闲的时候,这些人总喜欢一家一家去那高高的城墙上俯视这个城市,孩子们就在那里放起了各种各样的风筝,风筝飘在城墙的上空,飘在我们巷子的上空,飘在西安城的上空,孩子们在锐声叫喊,大人们也在锐声叫喊,一会儿是"中!中!",一会儿又是"妙!妙!"。这时候,城墙下的两个外地游客,瞧见了我们的狂样,我听见他们在说:"这群人怎样啦?又说陕西话,又说河南话,准是喝醉酒了?!"

草于1983年5月13日夜

冰风洞体验

　　西安南七十里有翠华山，山上有湖，湖后有山，景色秀丽而游人蜂至；山上之山，往西而去，有冰洞风洞各一，神奇稀罕，遂为翠华山景之一绝也。冰洞风洞者，为乱石堆积而形成：一座山，曾几何时失却了平衡，自我崩溃了，屋大的、十间屋大的、数十间屋大的巨石，或蹲或立，或仄或卧，泛漫出一个三十亩方圆的混沌、荒漠、上古似的世界。远远看去，树在那石缝间生长，一身苔藓，万条附藤，弯扭着数十丈的枝干；叶冠却呆若浮云，一有风动，便游悠不定，拉长或缩圆，阴影就从一块巨石跳到另一块巨石。石隙穴窟里，云忽聚忽散，出没无常，疑心住有鬼魅。

　　入洞须得夏日，四月二十六日后方可，八月十五日前便止，洞内洞外温度相差十到二十度。相传过时进洞，呆得一久，口舌僵不能言，手脚硬不可举，有兔子冻死其内，风干一冬一春而尸体不腐呢。

　　洞口极小，又一半露出，一半隐藏地面，太阳一出，便往外喷吐白气，一站在洞口外一堵数十丈高的石门旁，就感觉到有一股冷气袭来。这石门是一立栽的巨石裂缝而成，称作"鬼门"。有生痱子的，只消在门内洞口坐一个小时后，热痱便可消退，一身白皮都脱落了。

进洞去,一片黑暗,正遗憾未带了手电,那黑暗却慢慢光亮起来,而且光亮得异常,如洞内有了朗朗的明月,才发觉这洞竟是两块长条巨石相持相依、矛盾得到统一的造物。两石顶上,夹嵌了无数小石,天成为二指宽的断条,有水滴着,半天一滴,仰视如玉珠坠落,砸地有金属音韵。深入百十米,旁有一孔道可上,石嘴犬牙相错,努力爬上去,体肥的需要收细身子,个高的需要佝偻腰背,手脚并用前进。远处便有了一柱光线,呈七彩颜色;颤巍巍从光柱里钻出来,人便浑身泥水,一脸乌青,却已经坐在乱石之上了。看三十亩方圆的上古世界,四面全是峭崖陡壁,原本无木无草,但那裂而未断的壁上缝纹,尘土落上,草便生出,组成人工似的绿的图案;黑石皮上却都渗出水来,湿淋淋的,在阳光下如涂了蜡一般闪亮。有几声鸟在叫着,鸟用它的声音制造着这里的寂静。再往前行,眼前三步之外,便尽是十几丈长的光面面石,石皮一侧,有一深窟,白气冒着,看不清里边深浅。有人便灰心懒意了,叫嚷返原路退回,但原路的穴窟,也是白气喷冒,能上得来而不易下去。踌躇半天,只好还是再往前走了。

　　抓住那深窟口的一株树根,将身子慢慢旋转,做一个鹞子翻身的动作,终于下去。拐三个弯儿、四个绕儿,乱石斜立着,如楼梯的台阶,一直钻出去,身又在乱石腹地了。左看成峰,右看成岭,人在石间乱跑起来,立时分散,听见声音而不能见面。那石缝里,白气丛生,如有地上温泉四溢,以手试那石下水潭,则森骨入髓。好容易人聚拢一起,再往前走,便见到处都是石洞穴窟,每一个石洞穴窟又似乎都通行。拣一大洞进去,先一直向下,又一直向上,越走越深,越深越黑,不知到了什么地方。怯生生站住,听见远处有滴水声,声声如敲碎鼓,"喂!——",喊一言,满洞"喂"声不绝,用手扳一块石头掷去,一声碎裂,随之传来似乎有风、有雨、有雷、有电,天地毁灭般的震撼。一时惶恐至极,再扳下一石要掷,却没了勇敢,急急退出,看那手中石头,竟是冰块,明白这是到了冰洞。

冰洞深处到底如何景象,无人再敢探究,慌乱中从旁边一个洞穴又往上爬。这洞穴并非石窟,而是排列的两行石头中的一条通道。那石与石之间,长着蒿草杂木,茂密不可见天,一根枯树枝上,却大大地下吊着一个土蜂的泥葫芦窝巢,吓得人气儿都不敢出了。举着头,猫身匆匆跑过,通道尽头,眼瞧着三丈高的上边是一处平地,却不能上去。强壮者就蹴下以肩为梯,让少的、女的踏肩而上,一个一个爬上去了,又一人抱树,众人一个拉一个牵上做人梯者。一列儿坐到平地上了,就都软作一团,面无人色。

"赶快回!"一人提出,众口响应,站在平地上寻回路时,却又不知所措。"这儿有路了!"侦察的叫一声,就随他而去,从一条斜道往后,转来转去,那路却突然断了。再顺旁边一条小路吧,眼看着就要到了前边的一块平坝子上了,又却置身在一块方石顶上,三面陡如刀切。只好又从原路返上,重辟新径,终于有了一条可行之时,众人欢呼雀跃,但再十米,平平的一块平顶地上,中间却裂有三尺深缝,望之,深不可测,白气又丝丝缕缕涌上来;男的是跳过去了,女的却只是腿软,男的又只好再跳回来。这么跑来跑去,无路可走,有人就呜呜哭了。一群乌鸦又倏忽飞来,落在一棵树上烦人。去赶那不祥之物,却出奇发现那树下有路可直通沟底,就大呼小叫。众人赶到,却又傻眼儿:要到树下,唯一的出路是抱着这树身溜下,女人们又是唉声叹气,男人们千声鼓动,万声激励,方上拉下接,一行人溜下树来。然后顺道路而下,一会伏地钻洞,一会儿出头露面,仰着身子从石嘴上溜下,攀着藤条从石嘴上翻上。三个小时后,方从后山而出,人皆衣衫破烂,手脸出血了。

如此艰难的历程,进出过的人从未一一走遍乱石世界,而又各自路线不同,也从未有人详尽了解乱石世界的内容。去过的人差不多后悔不已,未去过的人听之又常常止步;说是旅游为人消遣之事,增其乐趣,冶其心性,而何又受这等艰辛、为此惊骇呢?又建议翠华山管理人员:或者封闭冰洞风洞,或者大兴土木,疏其道,通其路,修楼建亭,进行人工改造。

管理人员听之则大笑,两种意见均不采纳,曰:

"人是多么聪明的动物,人又是多么愚昧的动物:聪明的是能使自己生活得更美好,愚昧的是却为了生活得很美好而常常幻想着'万事如意'。冰洞风洞,正是将天地自然、万物人生之真谛、谜底缩于一隅而说破、呈现于人,人却就受不了了?!

"请问各位:在这茫茫的世界上,你知道你生前为何物所托而来吗?又知道你死后会变为何物而去吗?明日、后日,乃至以后的十年、二十年直到死,或许你是会知道要吃、要喝、要拉、要睡,但明日、后日,乃至以后的十年、二十年直到死,你能说清你会要见些什么人,说些什么话,得些什么病,干些什么事吗?红薯长大了就是大红薯,大狗生下的狗就是小狗,但所有的红薯又是如何地生芽、拱土,如何地风吹、雨淋、日晒、虫咬?大狗生小狗,那每一个小狗又是如何受孕、怀胎、分娩、生长？都是半真半假的存在,都是有知无知的生活。于是,上帝和神就人为地创造了。人在失去自信的时候,神便诞生,神的越强大、越残暴、越遥远,使人的自信和力量也就越少了。

"正因为在一种莫名其妙的、不可掌握的盲目中行事,顺利了就得意,挫折了就悲观,胜利者以为命好,失败者只恨运蹇,以此到了行将老去,怅怅然有之,茫茫然有之,恨恨然有之,废弃了的哀叹少时不努力,虚废了的埋怨醒悟明理又太晚。人生在世,如果活一时期死去,死去又可活来,自己能在活来之时看到自己死后的讣告,知道死后的反应,判断出自己生前的功过德耻,这是何等好事!就可以在重新活着之时,来明白世情,认清是非,纠正言行。但这哪里又可能呢?而这风洞冰洞,却正是为每一个活人作出了类似讣告一样不可能的可能的作用,岂不是于人极好极好的事吗?!

"人都是从小到老,而从小到老又却是由不自觉、由蒙昧到自觉、到清楚的过程。人生是什么,只有在其走完人生的历程之后才深深地得到完全的体验,但这体验得知之时,人却要结束了人的一生。这风洞冰洞,正是在人未到人生终止之时便让人体验到了人生,使人知道这人生的道路原来并不'万事如意':曲折,陡峭,多迷道,多艰险;胆怯便可无望,失足就能丧身,要退无门而惶恐,要进必须要探索,此路不通另辟新径,迷途而回再寻出路。路就在脚下,探索便是前途。

"勇敢的人,正视人生的人,不妨都到这风洞冰洞来一番体验,获得的只会有前进的目标和方向,获得的只会有勇气和力量啊!"

过二年,再游此地,石门上的"鬼门"二字已被铲去,凿为"人门",而管理人员的一席议论刻于石壁,观者不绝。

1983 年 6 月 3 日游翠华山归来